LES INDIVIDUS FACE AUX CRISES DU XXe SIÈCLE

MARC FERRO

LES INDIVIDUS FACE AUX CRISES DU XXe SIÈCLE

L'HISTOIRE ANONYME

À Vonnie, toujours...
1944-2004

15, rue Soufflot, 75005 Paris

www.odilejacob.fr

ISBN 2-7381-1568-3

Préface

2 août 1914 – « L'Allemagne a déclaré la guerre à la Russie. Après-midi, piscine. »

Franz Kafka, *Journal*

La plupart des gens ne vivent pas dans l'Histoire, dans l'actualité : au vrai, ils vivent leur vie. Telle est l'histoire anonyme, celle des gens ordinaires.

Après coup, pour certains, seule une part de leur propre histoire subsiste, « congelée » en quelque sorte, mais omniprésente. Durant l'entre-deux-guerres, par exemple, le souvenir des tranchées est devenu obsessionnel pour les anciens combattants ; pour eux, l'Histoire se figeait en lui. Après la Seconde Guerre mondiale, pour d'autres, ce furent les camps de la mort qui ont effacé tout autre événement mémorable ; ailleurs, ce fut le Goulag, à moins que ce ne fussent les bombardements aériens ; pour d'autres aussi bien, ce fut le premier tracteur. On multiplierait les exemples.

L'Histoire ? Les gens la subissent alors que c'est avec eux qu'elle compose ses drames, ses développements.

Ils s'assurent contre le vol et l'incendie, sur la vie même, mais ils ne peuvent s'assurer contre l'Histoire[1].

Immergés dans une société dont ils ne connaissent pas tous les ressorts, se reconnaissent-ils seulement dans l'Histoire qui s'est faite avec eux ? Et que représente ce passé auquel ils ont plus ou moins participé ? Qu'a-t-il de commun avec celui des historiens, des romanciers, des cinéastes ?

À l'inverse, certains, qui ont connu les mêmes événements, ont eu un parcours de vie greffé sur l'actualité, sur l'Histoire, soit parce que cette participation était le sang qui les faisait vivre, tels les militants, soit parce que leur profession les amenait à mieux en connaître de la politique, de l'Histoire en train de se faire, tels les avocats, les hommes d'affaires, les militaires, etc., observateurs brevetés en quelque sorte.

D'autres encore ont pu vouloir se consacrer à la science, à la médecine, aux arts, bref à des activités qui échappaient à l'actualité, au présent. « La politique », non, ce n'est pas pour eux. Évoquant auprès de Jean-Pierre Melville *Le Silence de la mer*, son film admirable sur l'âme de la Résistance, celui-ci me répondait qu'« artiste, il ne faisait pas de politique[2] ». Pascal Ory, dans *Le Petit Nazi illustré* (1979), a noté que ce sont les mêmes artistes qui ont dessiné les bandes dessinées pour enfants du journal nazi *Le Téméraire*, et, après guerre, celles des hebdomadaires communistes ou catholiques : ces artistes non plus « ne faisaient pas de politique », et n'est-ce pas la même voix qui, sous l'Occupation comme après la Libération, commente les actualités Pathé ?

À moins, en ce siècle marqué par des tragédies, qu'on n'ait appartenu à des régions-provinces frontières telle l'Alsace, ou à des communautés, tels les Juifs ou les Tziganes, tous otages du passé. Ou bien qu'on n'ait été bénéficiaire ou victime des mêmes événements – négociants et paysans, fonctionnaires ou mineurs.

Pourquoi les uns et les autres, les riches et les pauvres, auraient-ils la même vision du passé, eux qui n'ont pas été égaux devant l'Histoire ? Et pourquoi, lorsqu'elle s'est manifestée, tous ces anonymes auraient-ils eu le même comportement ?...

Qu'ils aient cru vivre dans l'Histoire, ou en dehors d'elle, qu'ils en aient ignoré les vagues, tels ces éternels petits pêcheurs de la Méditerranée qu'a décrits Fernand Braudel[3], qu'ils aient été aveugles, crédules, cyniques ou courageux, tous ces anonymes ont-ils su voir que l'Histoire est souvent animée par un soleil trompeur, par des Églises qui se dénomment aussi bien parti, État, ou encore par des croyances dont les sociologues et les historiens essaient de comprendre le jeu, pour autant qu'il soit intelligible ?

Mais l'Histoire n'est pas seulement enchaînement de faits, de circonstances perceptibles et dont la mémoire garde, ou non, la trace. Elle est constituée également de développements et de formes qui ne sont pas directement sensibles. Aux siècles passés, Malthus, Marx, Weber, Polanyi, par exemple, avaient repéré quelques-uns d'entre eux : le rapport entre la croissance de la population et la production des biens, la lutte des classes, les formes de la domination, la relation entre l'économie et la vie sociale, etc. Ces données constituent l'un des envers des événements et phénomènes précédents, car leurs effets, leur *tempo* ne croisent pas immédiatement la vie courte des individus et ne sont pas directement sensibles. Il en va ainsi de la mémoire qu'on partage, ou non, avec son groupe social ou avec d'autres communautés : il en va de même également de certains comportements collectifs, en particulier des ressentiments qu'ils ourdissent, tels le racisme, l'antisémitisme.

Ces dernières décennies, ces phénomènes et dispositifs, croisés avec les effets d'une accélération de la globalisation de l'économie, des médias, etc., ont abouti à des mutations, modifiant les mentalités, le statut et le sens de la famille, et assurant, là, un retour offensif des traditions dites religieuses ; ici, une translation de l'idéologie de la nation ou de la révolution socialiste vers celle des droits de l'homme.

Ils ont aussi modifié l'intérêt pour le passé tout comme les questions qu'on lui pose. Grâce au développement des connaissances historiques également, ce ne sont pas les mêmes « faits » qui sont pris en compte. Par exemple, le travail sur la Grande Guerre de 1914-1918 a longtemps porté sur ses origines, la responsabilité de son déclenchement ; puis le sacrifice des combattants, l'attitude du commandement ont pris la relève, un thème que le cinéma a abondamment illustré et qu'a accompagné, en France notamment, l'intérêt pour les mutineries. Avec la réflexion sur la Seconde Guerre mondiale et ses horreurs a succédé une interrogation sur l'ensauvagement des combattants de 14-18, les violences commises et pas seulement subies. Ce type d'études a pris la relève des travaux où la nation, le patriotisme, l'internationalisme figuraient parmi les principaux moteurs de cette guerre. Celle-ci est ainsi apparue la matrice des crises qui vont suivre : « J'y ai vu poindre le totalitarisme », écrivions-nous en 1967, ce que d'aucuns ont redécouvert après la chute du communisme.

Ainsi, l'analyse historique n'a cessé de transformer l'axe et la distance de son regard, et elle a fait des progrès prodigieux. À l'histoire des grands hommes et des batailles, politiques ou militaires, à une vision héroïque, elle a ajouté ou substitué l'étude des masses que la statistique a prise en main pour dépasser l'étude des personnages, des cas uniques, peu significatifs. À cette histoire-là s'est confrontée bientôt l'histoire-mémoire qui, en mettant en cause l'absence d'autonomie de l'histoire traditionnelle, a contribué à décomposer les visions globales ; puis a surgi une histoire au ras du sol pour se saisir de réseaux familiaux, professionnels, communautaires. À côté de l'histoire vue par en haut, celle du monde des dirigeants, de leurs stratégies, à côté de la macro- et de la micro-histoire, toujours à la recherche de sens, se sont inscrites l'histoire comparative, la construction de modèles, que sais-je encore[4] ?

Dans ce maelström qu'est devenue la vie du simple individu, son histoire anonyme, la relation de sa propre existence aux événements et crises de l'Histoire ? Il semble qu'elles aient été emportées.

Dans ces statistiques, ces courbes, ces modèles, où donc figurent ses souffrances, ses peurs, ses espérances, ses dilemmes ?

Or combien d'histoires singulières ne se sont-elles pas nouées entre les événements qui ont surgi et la vie de chacun ?... Elles ont pu concerner aussi bien vous que moi et des personnages que ces événements ont fait « entrer dans l'Histoire ». On ne saurait les ignorer, les déraciner de leur milieu, qu'ils aient été des modèles ou des repoussoirs[5].

Au lieu de considérer ces différentes expériences comme de simples anecdotes, en se demandant si elles sont typiques, ou uniques, ou représentatives, on les examinera ici comme des *miniatures de l'Histoire*, qui, tels des microcosmes, sont susceptibles d'éclairer le fonctionnement des sociétés[6]. En cernant la gamme des attitudes que révèlent ces histoires singulières, on restitue, autant qu'il se peut, la pluralité du passé et l'on fait apparaître une sorte de spectre des comportements individuels, voire collectifs qu'ont pu sécréter les différentes situations et crises de notre temps.

« Que pensez-vous de la crise actuelle ? » demandait-on à Federico Fellini, quelque temps avant sa mort...

« Quelle crise ? répondait-il, nous sommes en crise depuis la fin de l'Empire romain. »

C'est dire qu'à côté de celles qui sont abordées dans cet ouvrage, d'autres devraient être examinées à leur tour : l'Italie précisément, au tournant des années 1943-1945, le destin des citoyens dans les démocraties populaires, la situation au Viêtnam et au Cambodge après les indépendances... Et quoi encore ?

Puissent déjà les situations examinées ici éclairer les hommes et les femmes de demain pour que, comme disait Eugène Ionesco, « ce que nous faisons ne soit pas parallèle à la vie[7] ».

En guise d'ouverture : L'Histoire absente et présente

Cas n° 1

Grenoble – juillet 1944

À Engins, tout près de la capitale du Dauphiné, Marcel N. prend ses vacances. Ingénieur en ville, il loge là dans une petite ferme accompagné de sa femme et de ses deux jeunes enfants. Engins se trouve à l'entrée du Vercors et les Grenoblois savent bien qu'un maquis s'est constitué dans le massif, comme d'ailleurs en Oisans.

Depuis quelques mois, à Grenoble dont ils ont chassé les Italiens depuis septembre 1943, les Allemands ont multiplié les rafles, entrepris une chasse aux jeunes. Le 14 juillet, ceux qui se trouvent à Engins pour échapper au Service du travail obligatoire (STO) en Allemagne apprennent que des colonnes de la Wehrmacht convergent pour investir le Vercors. L'alerte est donnée ; les hommes doivent filer, soit en entrant dans le massif pour s'engager dans les FFI ou les FTP, à condition de connaître les réseaux qui permettent de s'y introduire, soit repasser par Grenoble pour aller se cacher ailleurs.

Tous les hommes en âge d'être arrêtés sont prévenus et disparaissent.

Sauf Marcel N., qui n'en veut rien savoir. Il dit qu'il est en vacances, ses papiers sont en règle, ce n'est pas un terroriste, il n'a rien à craindre, il ne bougera pas.

Quand les Allemands surgissent dans sa maison, camouflés sous leur feuillage, il est là avec sa femme et ses deux enfants. Il explique qu'il est de Grenoble, y travaille, montre ses papiers. Il est en vacances, ce n'est pas un terroriste.

Les Allemands l'écoutent poliment, car il baragouine un peu leur langue ; ils l'emmènent néanmoins pour vérifier ses papiers. Le soir, il n'est pas de retour, sa femme s'inquiète, elle court à Grenoble, s'informe, mais en vain.

Son mari n'est jamais revenu[1].

En 1945, on a su qu'il était mort en Allemagne, dans un camp où il avait été déporté.

Marcel N. croyait qu'il pouvait se soustraire à l'Histoire. L'Histoire l'encombrait. Elle l'a rattrapé.

Cas n° 2

Paris – 1914-1944

Maurice Halbwachs ne se soustrait pas à l'Histoire. Elle est la substance qui le nourrit. Ce professeur d'économie sociale à la Sorbonne est un spécialiste des façons de vivre dans les différentes classes sociales, de la mémoire collective également, un thème à l'origine de sa notoriété. Âgé de trente-sept ans en 1914, cet Alsacien catholique, socialiste-patriote, n'est pas envoyé au front. Bientôt appelé au cabinet d'Albert Thomas, sous-secrétaire d'État, il s'est senti « embusqué » : « Toute ma vie je regretterai de ne pas avoir été au feu », note-t-il dans un de ses *Carnets*. À la manière de Bergson qu'il admire et qui écrivait que « la France devait gagner la guerre parce que sa cause était juste », Halbwachs juge que « l'intérêt de cette guerre est qu'elle est dirigée contre la guerre[2] ».

Est-ce distanciation, refoulement « de ce qu'il a vécu et qui l'a marqué pour la vie ? Rien n'apparaît dans son œuvre[3] », ses travaux ne portent jamais sur l'actualité. Jusqu'en 1939, comme ses *Carnets* en attestent pourtant, il vit intensément les événements du siècle. Deuxième refoulement : « La culpabilité du non-combattant qui l'habitait s'est muée en complexe du faux survivant dans les années suivantes. » Par l'intercession de l'Alsace où il est nommé professeur, la nécessité du rapprochement franco-allemand alimente chez lui un pacifisme de réconciliation qu'encouragent sa sœur, ardente internationaliste depuis 1914, son beau-frère, Michel Alexandre, et son beau-père, Victor Basch, président de la Ligue des droits de l'homme.

Annette Becker a bien montré qu'unie dans son antifascisme, solidaire des républicains espagnols, la famille se scinde douloureusement lorsque se pose à toute la gauche le grand dilemme des années 1930[4].

Elle a condamné Versailles, cette paix injuste, qui sécrète le fascisme et peut susciter une nouvelle guerre. Pacifiste, elle s'est juré « plus jamais cela ». Au tout début, une partie de ses membres est ainsi sensible aux arguments de Hitler contre le traité, prête à aider à créer un nouvel ordre international juste pour empêcher la guerre. Halbwachs fait partie des membres du Comité de vigilance antifasciste prêts, par pacifisme, à combattre pour une négociation avec Hitler. En outre, en 1935, le ralliement de Staline à une politique de défense nationale en France suscite une sorte de résurrection patriotique chez les communistes, tout en faisant resurgir l'alliance des Français et des « Russes » contre l'Allemagne. À ce dispositif que dénoncent les pacifistes, une majorité des membres de la Ligue des droits de l'homme oppose l'autre risque, la spécificité du danger hitlérien, son racisme, la nécessité de s'adosser au régime des soviets même si on le critique – ce qui est le cas de Halbwachs, de sa femme et de Victor Basch, son beau-père. À l'inverse, Jeanne, la sœur de Maurice Halbwachs, Michel Alexandre, son beau-frère, se veulent pacifistes intégraux, dans le sillage d'Alain, d'une partie des socialistes, tel Paul Faure, et de Félicien Challaye, le pacifiste et anticolonialiste qui trouve même certains charmes au nazisme[5].

Or, à la différence d'Halbwachs et de sa sœur, Michel Alexandre est israélite comme l'épouse de Maurice Halbwachs, la fille de Basch. Ce qui ajoute au trouble de leurs relations*.

Pendant que ce schisme divise à la fois sa propre famille, la gauche, voire une grande partie de la société politique, Halbwachs poursuit son ambition universitaire : être élu au Collège de France, voir ses travaux reconnus, ne pas être seulement présenté comme le « gendre de Victor Basch ». Il s'est placé dans le sillage de Marcel Mauss, son aîné de quatre ans, disciple comme lui de Durkheim. En 1940, sa campagne prend un tour décisif[6].

En octobre en effet, Marcel Mauss est contraint par les lois de Vichy de démissionner de sa chaire au Collège de France.

« J'ai pensé que la chaire laissée vacante par la suspension de Mauss (comme Juif) serait peut-être pourvue quelque jour : un mouvement instinctif. Et j'ai décidé d'aller voir Faral » – l'administrateur du Collège de France.

Dans l'annexe d'un de ses *Carnets*, la narration qui suit retrace une à une les quelque vingt visites qu'il effectue pendant deux ans. Toutes les intrigues et connivences universitaires sont décryptées au long de ces cinquante-sept feuillets, où, lui-même, catholique pratiquant passé à l'incroyance, juge qu'un homme de gauche aura contre lui la droite traditionnelle, et pour rivaux ses anciens collègues et amis de l'université de Strasbourg, Lucien Febvre, qui l'a appelé à la rédaction des *Annales,* Edmond Vermeil, Albert Grenier.

Dans ces entretiens, à mots couverts et prudemment, on évoque « la situation... événements publics et événements privés en liaison avec les événements publics qui se succèdent à un rythme précipité ; il n'en pénètre rien ou pas grand-chose dans nos conversations avec ces gens. Toutefois, il n'est pas sans inté-

* Cette scission familiale dura jusqu'à la fin de la guerre : Juif pacifiste, Michel Alexandre sera sauvé des camps grâce à l'intervention de ses amis, passés collaborateurs après juin 1940, tel Bergery.

rêt de noter qu'au début de novembre 1942, les Américains ont débarqué en Afrique du Nord, que les Russes ont arrêté les Allemands à Stalingrad. Période de grands espoirs ».

Car là se limitent, sur cinquante feuillets, les observations sur la guerre, évoquées dans un *Cahier* parallèle, avec néanmoins une remarque du professeur Leriche qui fait l'apologie du Maréchal et regrette « en termes mesurés » que ses collègues juifs ne puissent plus exercer, une autre sur Massignon, « très résistant », une autre enfin sur Faral, « malveillant à l'égard des Juifs auxquels il reproche leur indiscrétion ».

Pour le reste, en effet, sans qu'il soit tellement question de ses travaux de sociologie, les propos échangés portent essentiellement sur les postes vacants, les postes à pourvoir et sur le portrait, souvent au vitriol, des collègues rencontrés : Mazon, Siegfried, etc.

Élu, il commente : « En somme, j'ai eu contre moi les philosophes catholiques, l'Académie française, les cléricaux, l'unique représentant (grand bourgeois) de l'Académie des sciences morales et politiques (dont je suis le correspondant), les scientifiques réactionnaires. J'ai eu pour moi presque tous les linguistes, les savants spécialistes des différentes civilisations (sauf Mazon), les historiens, les scientifiques avancés, sauf quatre biologistes ou médecins [...]. Piganiol m'a appris que Paul Valéry qu'on m'avait dit absent a voté pour moi[7].

[...]

« Le 22 janvier 1944, Faral m'apprend par téléphone que le décret a paru le jour même à l'*Officiel* (c'est le lundi 10 janvier que mes beaux-parents ont été assassinés. J'ai été à Lyon). Ma nomination à partir du 1er avril a été signée le 15 mai. Il paraît qu'Abel Bonnard a fait sur moi quelques réserves. [...] »

Ajouté en marge du manuscrit : « Le 10, Geneviève [sa bru, femme de Pierre] a rêvé que papa recevait sa nomination au Collège de France gravée sur un rond de serviette, et qu'il était très content. » Et, à la ligne :

« Finis. »

Ainsi s'achève le *Cahier*.

Cette analyse surprend : elle révèle un autre cloisonnement dans la pensée et dans la vie de Maurice Halbwachs. Sa classification des « pour » et des « contre » ne saurait être contestée, pas plus que son principe ; pourtant elle veut ignorer que depuis le milieu des années 1930, à ces clivages et à l'opposition gauche/droite s'est superposée celle du pacifisme et du bellicisme – autrement plus ardente dans le pays, comme en témoigne, entre autres, le schisme familial. En outre, énoncée au début de 1944, à une date où les troupes soviétiques viennent de franchir la frontière polonaise, cette analyse veut ignorer également que ce sont alors d'autres critères qui, en France, rendent compte, pour l'essentiel, de la posture des gens, même au Collège de France. C'est dire que Halbwachs ne supportait pas que le succès de cette élection ne fût pas attribué à la qualité de ses travaux, à son combat scientifique, à eux seuls – auxquels l'avenir a rendu justice –, qu'ils aient pu être jaugés, dans une certaine mesure, à l'évolution de la carte de guerre.

Or, le 26 juillet, Halbwachs est arrêté, en raison des activités dans la Résistance de son fils Pierre, assistant de Joliot-Curie. Se croyant protégé par son statut de professeur au Collège de France, Halbwachs ne cherche pas à s'enfuir, au contraire de son épouse, fille de Victor et Hélène Basch, assassinés par la Milice le 10 janvier. Incarcéré à Fresnes, Halbwachs est déporté à Buchenwald où, soumis aux travaux forcés, il meurt de maladie et d'épuisement, le 16 mars 1945. Alors qu'il avait appartenu à un réseau, il n'avait pas été arrêté à ce titre, car la police l'ignorait ; ce furent ainsi les activités de son fils qui furent à l'origine de sa déportation.

Il avait été arrêté le 26 juillet 1944 et c'est le 12 septembre seulement, par conséquent après la Libération de Paris, que l'assemblée des professeurs du Collège de France protesta solennellement. Il est vrai qu'elle n'avait pas protesté, pas plus d'ailleurs que Halbwachs, alors professeur à la Sorbonne, quand Marcel Mauss avait été destitué[8].

Le cas de Maurice Halbwachs représente un jeu triple dans son rapport avec l'Histoire. Il en analyse les modes de développement comme savant. Or jamais cette analyse ne se réfère à l'actualité, au présent. Par ailleurs, cette actualité le taraude et stimule ses engagements politiques, il se montre successivement social-patriote, pacifiste, rallié enfin à la défense nationale à la veille de la guerre. Dans sa famille même, très politisée, il est tantôt en accord, tantôt en conflit avec les uns ou les autres. Enfin, tendu vers son ascension universitaire, un troisième homme en lui se manifeste, tout à ses visites et entretiens, politiquement feutrés tant qu'il se peut, pour ne pas compromettre une élection au Collège de France qui a lieu selon des critères sans rapport nécessaire avec son travail ou ses positions idéologiques. Il n'est pas jusqu'à son arrestation qui ne repose sur une sorte de malentendu, sur une vacance de l'Histoire...

Cas n° 3

Cette sorte de cloisonnement, on ne le retrouve pas dans le cas de Kameneva, une militante de jour et de nuit et sœur de Trotski. Elle ne vit pas dans l'Histoire, elle est l'Histoire, ou plus exactement elle s'identifie à la classe ouvrière qui incarne le mouvement de l'Histoire – au moins telle que la définissent le dogme et la loi du marxisme.

Le journaliste Curzio Malaparte, familier des milieux révolutionnaires, la rencontra en 1928 à l'occasion d'un reportage qu'il préparait sur la Russie des soviets. À cette date, celle-ci entretenait d'assez bons rapports avec l'Italie de Mussolini. En URSS, quatre ans après la mort de Lénine, les rivalités au sommet du parti voient les principaux leaders – Trotski, Zinoviev, Boukharine – s'entre-déchirer tandis que Staline conforte sa position face à l'opposition de gauche (Trotski) et à l'opposition de droite (Boukharine), et que l'on commence à voir en lui un tyran. Kamenev joue en vain les *go between*. « Il nous tuera tous », dit Boukharine. « Au diable la NEP », avait écrit Staline qui juge que décidément trop d'atermoiements ont été ménagés envers la paysannerie et ses défenseurs, « il faut sévir ».

La fin de la NEP ne s'est en rien accompagnée d'une détente politique. La peur s'instille un peu partout, Malaparte l'observe :

« Les gens dans la rue marchent en silence, le visage pâle, les yeux soupçonneux. Dans les trams, on regarde dans le vide, les femmes se parlent à voix basse et puis se taisent, hostiles, fermées. S'il m'arrive d'approcher d'un passant pour lui demander de m'indiquer une rue, une église, il recule épouvanté... Je ne sais pas, je ne sais pas... Être vu en train de parler à un étranger, même sur la voie publique, était dangereux. »

Au sommet, Trotski a été envoyé en exil à Alma-Ata, bon nombre de ses amis ont été arrêtés. Son beau-frère Kamenev a disparu. Il se trouve que la femme de Kamenev, qui est la sœur de Trotski, exerce les fonctions qui amènent Malaparte à son bureau : elle octroie les visas dont il a besoin pour aller visiter les usines textiles d'Ivanovo ainsi que le sanctuaire de Zagorsk ; Malaparte la connaît bien ainsi que tout le petit monde des révolutionnaires russes qu'il a pu rencontrer depuis dix ans[9].

« La camarade Kameneva était pâle. Elle me regardait fixement avec des yeux morts. [...] Elle savait que tôt ou tard, elle allait subir le sort de son mari ou de son frère. Soudain, elle se leva, marchant dans la pièce, fumant cigarette sur cigarette, sans mot dire. Elle me répondit : “Vous êtes venu à Moscou à un moment très intéressant. Le destin de la révolution communiste est en jeu.”

Le vôtre aussi, peut-être, aurais-je voulu lui répondre mais je me contentai de lui dire : “Vous n'avez pas peur pour vous-même ?”

“Oh, me répondit-elle, mon destin ne compte pas, mais il faut avoir confiance dans le peuple russe, dans la masse ouvrière.” J'étais sur le point de lui dire : “Les ouvriers sont pour Staline”, [...] mais je me retins. Elle refusait de voir que la vieille garde révolutionnaire était discréditée et que la classe ouvrière n'était pas avec ces intellectuels vieux style mais avec Staline[10]. »

Kameneva s'identifiait à la révolution, à la classe ouvrière : elle s'y incarnait et vivait l'Histoire, l'Histoire seulement. Arrêtée quelques années plus tard, après l'exécution de son mari, elle fut déportée en 1941 et mourut au Goulag.

L'engagement de Kameneva correspondait à l'idéal du militant révolutionnaire décrit naguère par Netchaïev et Bakounine. « Il n'a ni intérêts privés, ni affaires, ni sentiments, ni attaches. Son être tout entier n'est voué qu'à un seul but, à une seule idée, à une seule passion : la révolution [...]. Tout ce qui contribue au succès de la révolution est moral, tout ce qui peut lui nuire est immoral. » « Ce type de militant sacrifie sa vie sur l'autel de l'Histoire, se bat pour des valeurs, même si cet engagement peut s'accommoder de quelques promesses, de quelques "mobiles inavoués" » (Olivier Wievorka)[11].

Cas n° 4

Le cas de Lily Marcou est différent. Militante, elle l'est, certes, et dès la prime enfance : elle le dit. Mais les données de son comportement s'immergent dans une histoire longue, plus longue que sa propre histoire, et dont le *tempo* n'est pas toujours synchronisé avec celui des grandes crises.

« Lorsqu'on a eu la "chance" de vivre le nazisme en tant que Juive et le stalinisme en tant que bourgeoise, et cela lorsque l'on est encore une toute petite fille, les traces de l'Histoire restent à jamais marquées. [...] L'Histoire a pénétré mes jeux, mes rêves, mes fantasmes d'enfant[12]. »

Sauvée par l'arrivée des troupes soviétiques, sautant sur les genoux d'un officier russe libérateur, de ce souvenir ineffable elle ne peut se séparer.

« La protection inconditionnelle de mes parents était là, mais moi, j'étais ailleurs. Je rêvais d'être la fille d'un ouvrier communiste de la première heure. Mes parents représentaient des valeurs sûres ; mais ils n'étaient pas de mon camp. [...]

À Iasi, auparavant, les fascistes jetaient les étudiants juifs par les fenêtres des universités. La peur, je la respirais comme l'air. »

Cette peur n'est pas seulement la sienne. Lud Kluste en témoigne.

Cette peur atavique, du temps des pogroms, en héritent bien des enfants, de la Moldavie à la Bukovine. Lud Kluste se la remémore en 1934. Ce fils de propriétaires fonciers rapporte ainsi le récit de sa mère concernant l'entrée des troupes russes en 1916 au temps des tsars. « Imagine comme j'ai été effrayée lorsqu'un beau jour on a aperçu, autour de notre domaine, des cavaliers qui s'approchaient au galop. Je me souviens, c'était un dimanche, on ne travaillait pas dans les champs. Nous étions tous à la maison. Papa a décidé de ne pas se laisser dépouiller. Les chevaux étaient à l'écurie… Les Russes sont descendus de leurs montures épuisées et ils ont exigé de voir nos chevaux. Comprenant qu'il était dangereux de résister, il a laissé le commandant de la troupe entrer dans l'écurie… Tu étais dans les bras de ta nourrice. L'un des cavaliers s'est approché de Marynka, il lui a parlé à l'oreille et il s'est écrié : "C'est toi qui nourris un enfant juif avec ton sang." J'ai compris que tu étais en danger mais j'étais pétrifiée, ne pouvais pas parler. Notre Marynka a bégayé de peur et a fini par dire : "Ça, un enfant juif, non, c'est le mien." "Alors, fais un signe de croix", hurla le soldat. "Et pourquoi il n'a pas un pendentif, comme toi ? Mets-le-lui sinon je le transperce" ; et il posa son poignard sur ta poitrine. Alors Marynka a accroché le pendentif, j'ai soufflé et les Russes sont partis avec nos meilleurs chevaux. »

À se remémorer ce récit que sa mère lui a raconté, et raconté encore, Lud Kluste tremble encore à l'âge de dix-huit ans. Événements historiques – l'offensive Brussilov – et événements privés interfèrent, inextricablement mêlés. Ils prédéterminent une sorte de peur atavique.

Certains ne la surmontèrent pas ; d'autres, si, comme en témoigne, entre autres exemples, le soulèvement des Juifs lors de l'insurrection du ghetto de Varsovie[13].

Cas n° 5

Totalement innocent, le soldat Hamp est fusillé sur le front des Flandres, en 1917. Dans les tranchées, il s'est battu courageusement depuis trois ans. À l'issue de la dernière bataille, tous ses camarades d'action sont morts. Demeuré seul, la canonnade continuant, lui-même « craque » et, pour fuir son bruit assourdissant, il marche, sort de sa tranchée, quittant ainsi sa ligne, et, sans s'en rendre compte vraiment, « déserte ».

« C'est la première fois que cela m'arrive », dit-il pour sa défense devant le tribunal militaire qui le croit et comprend qu'il a affaire à un homme qui ignore le règlement, son code, ses raisons.

« N'étiez-vous pas engagé volontaire ? » interroge le président du tribunal, pour le sauver.

Et le soldat Hamp, au lieu de répondre : « Oui, mon colonel, pour mon roi et ma patrie », dit : « Oui, mon colonel, c'était pour en remontrer à ma femme et à ma belle-mère. »

Et ainsi il se perd.

Pour le tribunal, la légalité doit l'emporter sur l'équité. Il le condamne, malgré la belle défense d'un officier. Comme l'attaque est pour le lendemain, le commandant ordonne l'exécution immédiate « pour l'exemple ». Ses camarades se saoulent avec lui et c'est son défenseur qui donne le coup de grâce. Son cadavre disparaît dans la boue.

Dû à John Wilson à partir d'un fait vrai dont Nicolas Offenstadt a vérifié les sources, ce récit fut transposé à l'écran par Joseph Losey en 1964 : *For King and Country*.

On en a retenu la leçon tragique : *Fusillé pour l'exemple*. C'est-à-dire une pratique qui, on le sait maintenant, compte près de 600 exécutions, dans l'armée française, dès 1914. Les motifs ? Les arrêts dus à l'épuisement lors de ces longues marches de la retraite, les mutilations volontaires, les esquives au combat…

Mais le cas du soldat Hamp témoigne également d'une autre vérité : la distance qui sépare de la loi les gens du peuple peu instruits, mal informés. Ils ignorent le règlement, bien sûr, quand, entassés et cherchant à exorciser leur peur dans l'alcool qu'on leur distribue, « ils sont loin de songer à ses rigueurs » (général André Bach)[14].

Et nul ne s'est avisé de les leur faire connaître.

Ils demeurent ainsi désarmés devant les institutions, ici l'institution militaire.

Désarmés devant l'Histoire.

Mais des petites étincelles qui, pour les témoins, sourdent de ces drames, peut naître un jour une prise de conscience, une révolution.

Les cas qui précèdent ne sont pas seulement des expériences singulières ; ils correspondent à des comportements qui se sont reproduits, avec des variantes certes, mais un grand nombre de fois... Ils se réfèrent à des situations de crise – la guerre et l'entre-deux-guerres, les débuts du régime soviétique, etc.

L'expérience qu'en ont eue les individus, les *dilemmes* qui ont pu se poser à eux, tel est bien l'objet de cet ouvrage, dont les figures sont saisies à l'amorce de ces changements auxquels ces personnages ont plus ou moins participé.

Le choix des cas examinés dans cette Ouverture avait seulement pour objet de tracer, en pointillé, une sorte de spectre des attitudes qu'adoptent certains individus devant les événements que leur vie a pu croiser. Mais, au vrai, chaque situation historique sécrète son propre spectre.

On vérifiera ainsi qu'une histoire globale enserre une pluralité de destins.

VIVRE LA RÉVOLUTION

Prise de conscience

En Russie, mars 1917

À l'annonce de la chute du tsarisme et juste avant d'être fusillés, les policiers d'Elisavetgrad ont envoyé ce télégramme que nous avons retrouvé aux archives :

« Nous, policiers d'Elisavetgrad,

saluons le soviet et le gouvernement.

Allant à la mort, nous nous prosternons devant le peuple et le prions d'excuser tout le mal qu'involontairement, nous avons dû lui faire pour les devoirs du service...

On nous accuse d'avoir suscité des troubles et des pogroms : nous jurons à nos femmes et à nos enfants que ce n'est pas vrai.

En vérité, nous nous réjouissons que demain ils aient une vie meilleure que celle qui fut la nôtre, et nous envoyons notre malédiction aux policiers de Petrograd qui ont tiré à la mitrailleuse sur le peuple affamé.

Qu'il eût été doux de mourir des balles de l'ennemi, l'âme en paix, nos enfants fiers de nous[1]. »

Ce texte unique, expression d'une prise de conscience, d'une volonté de repentance, exprime admirablement un des traits de la révolution de Février : son élan généreux.

Son succès avait été aussi inattendu que son déroulement. « Elle nous a surpris, endormis, telles les Vierges de l'Évangile », témoigne un révolutionnaire. Début 1917. Nul ne pensait que si proche serait son déclenchement : « Nous, les vieux, ne vivrons pas, peut-être, jusqu'aux combats décisifs de la révolution à venir », disait Lénine aux ouvriers suisses quelques semaines avant l'explosion de Février[2]. On pensait de même à Petrograd où, pourtant, effet de la pénurie, de la défaite, des excès du régime autocratique, les grèves succédaient aux grèves. Quand les femmes ouvrières déclenchèrent la leur, le 23 février, nul n'imaginait qu'en cinq jours elle aboutirait à la chute de l'ancien régime, à la constitution d'un double pouvoir : d'un côté un gouvernement provisoire, de l'autre un soviet des députés ouvriers et soldats[3].

Un immense cri d'espérance jaillit alors du fond de toutes les Russies ; chaque citoyen avait désormais dans sa poche un programme tout prêt pour régénérer le pays.

Animés par l'éloquence chaleureuse d'Alexandre Kerenski, un député trudovik[4], les vainqueurs de Février se voulurent généreux envers les dirigeants et responsables de l'ancien régime, facilitant même quelquefois leur fuite à l'étranger : « Ce ne sont pas les hommes qui sont responsables, mais le régime », répétaient les leaders des différentes organisations révolutionnaires.

Pourtant, bien qu'ils se voulussent pleins de mansuétude, et que régnât en Russie, pendant quelques semaines, une extraordinaire allégresse, les insurgés de Février commirent un certain nombre d'excès.

C'est dans la marine que, relativement, il y eut le plus d'horreurs. Dans les forteresses de Reval et d'Helsingfors (Helsinki) se trouvaient encore emprisonnés les mutins de la révolution de 1905. Leur haine envers les officiers de bord dépassait tout ce qu'on pouvait voir ailleurs, ce dont Eisenstein a témoigné dans *Le Cuirassé Potemkine*.

Plus que dans l'infanterie le commandement demeura fidèle au tsar déchu. Il préféra la mort au reniement.

Entre les matelots mutinés et les officiers, le dialogue était impossible ; le sang coula et fit quarante victimes, dont l'amiral Nepenine pourtant rallié au régime nouveau.

À Kronstadt, l'amiral Viren mourut courageusement :

« J'ai vécu en servant fidèlement mon tsar et ma patrie.

Je suis prêt.

À votre tour maintenant. Tâchez de donner un sens à votre vie. »

Quand on le fusilla, il voulut tomber de face[5].

La vie et la mort de cet amiral l'attestent : même s'il n'était qu'un rouage de l'État, il en était un rouage conscient.

Dans l'armée, pendant ces journées de Février, les soldats en garnison à Petrograd n'avaient pas accepté de tirer sur les manifestations d'ouvriers et d'ouvrières ; ils avaient même retourné leurs armes contre les officiers qui leur en avaient donné l'ordre.

Ce fut cette conjonction qui assura le succès de la révolution.

Prise de conscience immédiate et brutale : en une nuit, ce fut le monde renversé, les soldats dictant à leurs officiers un nouveau règlement, le Prikaze I, et appelant les aumôniers à donner un « nouveau sens à leur vie ».

Simultanément, au front, où, à la relève, se multipliaient les meetings, les soldats pressentirent que les opérations offensives qui leur étaient ordonnées avaient pour fonction de perpétuer les habitudes d'obéissance, de sorte que tout ordre opérationnel devint suspect.

Comprendre ainsi que la discipline militaire n'avait pas seulement une fonction patriotique mais également répressive : telle fut la grande découverte du soldat russe en 1917.

Cette prise de conscience s'élargit à tous les domaines de l'action politique alors que, dans les meetings, l'incapacité de la plupart des officiers à parler des problèmes de la guerre ou de la paix altéra leur compétence de chefs et fit douter de la légitimité de leur droit au commandement.

Atteste de ce besoin de comprendre ce qui se passe, cette lettre d'un groupe de soldats du 202e régiment de montagne, à plus de 1 500 km de la capitale ; elle est datée du 10 mars 1917.

Révolutionnaires et patriotes

« En ces grands jours de gloire de la démocratie russe, nous vous saluons, ouvriers et soldats révolutionnaires, unis dans ce combat contre l'oppression tsariste. Nous vous écrivons d'un front éloigné pour vous faire part de nos pensées, de nos aspirations, de notre interprétation des événements et également pour recevoir de votre jugement autorisé un avis sur la conduite que doivent suivre les soldats [...], en particulier sur les problèmes de la guerre.

Étant en position, nous n'avons pas pu encore nous organiser, mais dès qu'on sera relevés, tout sera fait pour nous organiser en comités de soldats.

[...]

Dans le programme du gouvernement provisoire, il n'y a pas un mot sur la paysannerie. Pour qu'on ne puisse pas utiliser l'armée, composée en grande partie de paysans, comme une force contre-révolutionnaire, il est indispensable d'introduire des mots d'ordre propres à la paysannerie et que le gouvernement introduise la question agraire dans son programme.

[...]

En ce qui concerne la guerre et sa poursuite, nous considérons que tant qu'à la tête de la nation allemande se trouve le "cher cousin", toute agitation contre la défense nationale est inopportune. Il est vrai que l'opinion est lasse, que le peuple se trouve à l'extrême limite de la misère [...], mais, pour y mettre fin, il faut que le soviet fasse les premiers pas et établisse des contacts avec les partis ouvriers des puissances alliées et ennemies pour pouvoir ainsi mettre fin à la guerre.

Là où ne peuvent aboutir les Sazonov, Bethmann-Hollveg et Lloyd George, les Kerenski, Guesde et Liebknecht doivent y parvenir.

Mais jusque-là, l'armée russe doit tenir en respect l'ennemi extérieur[6]. »

Il est clair que cette lettre a été écrite par un militant : un simple mobilisé connaîtrait-il le nom de ces responsables politiques ? Sans doute est-il socialiste-révolutionnaire pour être aussi attentif à la question agraire, et « défensiste » aussi, comme on disait alors.

Écrite avant même qu'aucune instance politique ait pris position sur les problèmes qu'elle aborde, cette lettre exprime une attitude qui fut mise en cause par d'autres régiments. Depuis la promulgation du Prikaze I, au vrai assumé par le soviet de Petrograd, par lui seul, les soldats découvraient la vie politique dans ces meetings que convoquaient les plus ardents. On connaît bien les débats de la 2e Division des grenadiers de la garde parce qu'on a les minutes de l'acte d'accusation du leader de la 14e Compagnie, le lieutenant Dzevaltovski et ses soixante-sept coïnculpés qui passèrent en Conseil de guerre.

Une autre posture : un lieutenant qui se bolchevise

« En mars, un comité a été élu comme dans les autres régiments. Des représentants des soldats et des officiers y étaient entrés. On élit comme président le commandant de la 14e Compagnie, le lieutenant Dzevaltovski. Au début, ce comité s'occupa uniquement d'affaires courantes, il ne se mêlait pas de questions opérationnelles. Fin mars, nommé délégué du régiment à Petrograd, le lieutenant Dzevaltovski revint vers le 20 avril. Après ce voyage, le lieutenant qui avait été jusque-là un parfait officier et un homme de valeur, brusquement changea sa ligne de conduite [...]. D'abord il déclara que le comité avait été mal élu, pour autant qu'il y avait eu liste séparée des officiers et des soldats [...]. Une nouvelle élection eut lieu, le nouveau comité comprenant quatre officiers, dont un capitaine, et trente-deux soldats. Le lieutenant Dzevaltovski en fut élu président et sur sa demande le comité se donna le nom de soviet[7]. [...]

"À partir de ce moment, le comité commença à s'occuper de tout [...], sans exclure les affaires militaires, sans exclure les questions opérationnelles. Par ailleurs, le lieutenant se soumit le soviet de telle sorte qu'il devint le chef effectif du régiment, alors que son commandant n'avait plus la possibilité de donner le moindre ordre à sa place sans le consulter". »

Sur les minutes du procès, on lit encore :

« Aux séances du soviet comme aux meetings du régiment [...] les soldats, sous le charme, ne prêtaient d'attention qu'aux interventions de Dzevaltovski, ne croyaient que lui, et lui seul [...]. Il disait qu'il n'était pas riche, que ses parents avaient de l'argent, qu'ils avaient certainement mal acquis mais il ne savait pas comment. [...]

Revenant de Petrograd, il avait rapporté avec lui une Déclaration des droits du soldat, le Prikaze I ; il en légalisa l'application, s'étonna qu'il n'en fût pas déjà ainsi et fit de cette manière soupçonner les officiers d'en avoir caché l'existence aux soldats. [...]

C'est à cette époque que le lieutenant Dzevaltovski commença à déclarer ouvertement qu'il appartenait à la fraction bolchevik, tendance Lénine. Il se mit à organiser ce parti dans le régiment et multiplia les réunions réservées aux seuls membres de ce parti, les autres ne pouvaient y assister, les officiers notamment [...].

"Il leur disait qu'il fallait refuser de participer à la future offensive, parce que, s'ils mouraient, la liberté ne leur servirait à rien. Il leur répétait que, de toute façon, ils n'étaient pas obligés d'obéir aux ordres car désormais toutes les décisions devaient émaner des soldats eux-mêmes."

Réglementant la vie privée des membres du régiment, il introduisit la censure de la correspondance reçue : ainsi beaucoup de journaux auxquels les officiers étaient abonnés étaient saisis au passage, comme *Kievskaja Mysl'*, *Kievlanin'*.

Il empêcha de parler le commandant Itkine, représentant des marins de la mer Noire venus "remonter le moral des grenadiers" [...]. Il fallait terminer la guerre, disait-il, "non par une offensive mais par la politique de la main tendue au prolétariat allemand"[8]. »

Le désespoir du capitaine Gilbich

On ignore ce qu'il advint, après l'audience, du lieutenant Dzevaltovski. Sauf que l'offensive de juin 1917 échoua, que cela aggrava le malaise et le mécontentement dans l'armée. Avant de mourir, le capitaine Gilbich, blessé, écrivit à sa femme une lettre que nous avons retrouvée, inachevée, et qui exprime une troisième attitude devant la crise de l'armée :

« Ma chérie, aujourd'hui, pour la première fois depuis de longs mois, je suis heureux, je suis au comble du bonheur. Je suis là, pris dans les barbelés allemands et, à côté de moi, il y a quelqu'un que je puis appeler "mon frère" sans que personne me traite de bourgeois ou de provocateur[9]... »

Les prises de position et le parcours de ces anonymes de l'Histoire ne correspondent pas seulement à des attitudes singulières ; ils sont en résonance avec des centaines et des milliers d'autres. Or l'évolution de la situation justifiait le parcours du lieutenant Dzevaltovski qui trouvait dans les propos de Lénine, de retour en Russie depuis le 4 avril, l'argumentaire qui corroborait sa propre manière de voir.

Lénine avait jugé que le double pouvoir ferait faillite parce que, pour le prolétariat, l'étouffement de la guerre avait pour but de permettre l'approfondissement de la révolution, alors que, pour la bourgeoisie au contraire, la prolongation de la guerre avait pour but d'étouffer la révolution. Or, en jugeant qu'il ne fallait pas trahir ses alliés, ce qui accroîtrait le danger allemand, et en reportant les réformes à la réunion d'une assemblée constituante à l'après-guerre car on ne saurait légitimement la convoquer en l'absence des soldats, le double pouvoir, devenu un gouvernement de coalition avec Kerenski, retardait les échéances.

Les soldats étaient les premiers à mesurer les effets de cette politique : l'échec des fraternisations, puis de l'offensive, et la répression qui suivit lors du putsch du général Kornilov, voilà qui radicalisa la troupe et contribua à sa bolchevisation.

En février, les ouvrières et les ouvriers avaient été à l'initiative des événements révolutionnaires ; en octobre, ce fut le parti bolchevik ainsi que la fourmilière des soviets, à l'arrière comme au front, les soldats y jouant un rôle primordial.

On note que, lors de l'insurrection d'Octobre, sur 104 ordres de mission lancés par le Comité révolutionnaire du soviet de Petrograd, 47 s'adressaient à des unités militaires contre 12 à des comités d'usine, 3 aux gardes rouges, 5 à des unités de la flotte, 5 à des comités de quartier[10].

La révolution au village

Dans les campagnes, en Russie, la chute du tsarisme avait eu des effets immédiats sur le comportement des paysans. Sans doute, les autres groupes sociaux s'ébranlèrent-ils tous, revendiquant, s'organisant, tandis que les militants des partis politiques et autres organisations sociales (syndicats, soviets, mouvements coopératifs, etc.) dépensaient leur énergie dans la lutte pour la conquête du pouvoir. Mais pour leur part, en ce qui concernait leurs revendications propres, les moujiks passèrent aux actes.

Les sans-terre veulent devenir des possédants, ceux qui possèdent des terres en veulent plus, tous manifestent leur fureur de constater qu'il y a des terres « réservées », inutilisées ; qu'elles puissent appartenir à des non-exploitants leur semble le comble du scandale. Et comme, depuis Petrograd, malgré pétitions, objurgations, rien ne vient, sous prétexte que seule une assemblée constituante pourrait légitimement statuer sur ces problèmes, mais qu'on ne peut pas la réunir tant que la guerre continue et que les soldats ne sont pas de retour, les comités paysans, appliquant le principe selon lequel la terre doit appartenir à ceux qui la travaillent, la partagent gratuitement. Ils s'en sont saisis en reconstituant spontanément leur assemblée de village, le mir : dans la province de Tambov, par exemple, on comptabilisa 1 189 violations de droit pour les seuls mois de juin et juillet 1917[11].

Une lettre des sœurs Pritvitch, de la province voisine de Penza, et datée du 19 mai 1917, dit assez bien ce que fut la révolution au village :

« Tout était calme jusque-là... Nous possédons environ 3 000 déciatines [environ 3 000 hectares] et faisons travailler près de cent salariés [...]. Depuis quelques semaines, la situation a changé. Des lettres de notre intendant, il ressort que les paysans ont saisi une partie de nos terres nous laissant 45 déciatines, et mettant eux-mêmes en culture le reste. Ils utilisent nos prés, nos pâturages pour leur bétail. Un peu plus tard, le "comité de village" nous a interdit de vendre du bétail. Il ne sert donc plus à rien de les nourrir ; or la vente de ces bêtes est nécessaire à la bonne marche de notre propriété [...], et l'humeur des paysans reste aussi agressive[12]. »

Comme on le voit, les actes corroborent les attendus des revendications paysannes... Ni moins ni plus – à cette date au moins.

Assez savoureux, le procès-verbal d'une session du Grand Comité agraire, réuni par le gouvernement à Petrograd, relate les propos d'un de ces représentants de la province de Penza.

Il exprime le changement qui s'est opéré dans la mentalité paysanne.

« Imaginez dans notre province la situation de paysans si pauvres qu'ils ont tout juste quelques sagènes* par âme... Pouvez-vous vous représenter ce qu'un homme qui a, disons, trois enfants et sa femme à nourrir, peut en tirer pour les faire vivre ? Il n'est pas étonnant qu'avec un lot si modeste le paysan ait songé, une fois la liberté proclamée, à améliorer son sort, puisque, au dire de tous, le responsable était le tsarisme [...]. La paysannerie a ainsi modifié le statut de la terre, et celle-ci est passée sous le contrôle des comités locaux, puis elle a été partagée... Évidemment cela n'a pas plu à tout le monde [*rires*].

---

* Un sagène correspond à 3 m² environ.

Ainsi, quand vous rencontrez un paysan, il ne s'incline plus jusqu'à terre. Il ne vous dit plus comme naguère : "Pitié, Ivan Petrovitch, ma famille meurt de faim, donnez-moi un demi-déciatine*." Non, il ne s'incline plus mais vous dit : "À propos, dites-moi, combien de déciatines pouvez-vous cultiver par vos propres moyens ? Et en tenant compte de vos enfants ? Passez à notre réunion ce soir, et nous partagerons la terre que vous possédez..." Encore une fois, je vous assure que cela ne plaît pas aux propriétaires ; non, cela ne leur plaît pas [*rires*][13]. »

« Ils s'emparent des terres des riches et ne les travaillent pas », s'indignait une association de propriétaires... De fait, les paysans avaient saisi le matériel agricole, mais les *pomesciks* (propriétaires) russes en possèdent bien moins que le *farmer* américain. Quant aux travailleurs agricoles, ils s'étaient égaillés, rejoignant les « comités de pauvres » dont le parti bolchevik encouragea la formation, après Octobre essentiellement... Chez eux domine le ressentiment. De fait, le gouvernement provisoire qui se disait soucieux de la réforme agraire avait condamné les saisies opérées par les comités paysans, l'armée était intervenue suscitant, à l'automne 1917, une flambée de violences ; cette fois le sang coule, "le coq rouge a lancé son cri" : pour sept provinces, on comptait 470 soulèvements paysans en juillet-août, on en compte 1 293 en septembre-octobre[14].

Mesurée à l'échelle française, l'ampleur de cette vague apparaît mieux : soit 500 à 600 saisies par département pour les neuf mois qui précèdent l'insurrection d'Octobre et le décret de Lénine sur la terre. Celui-ci légalise de fait une situation acquise, et permet son extension à toute la Russie.

Comme l'a bien vu Moshe Lewin, avec la guerre civile et la désorganisation qu'elle accentue, seule la paysannerie survit comme force productrice alimentaire. Les secteurs marchands

* Un déciatine équivaut à peu près à un hectare.

déjà faibles se réduisent encore, ranimant la commune rurale, « les paysans renforçant leur coquille[15] ».

La machine de la révolution avançait ainsi dans le sens inverse où les vainqueurs d'Octobre voulaient l'entraîner.

Le gouvernement des soviets avait taxé le prix du blé, mais pas celui des produits industriels de consommation courante : à Nijni Novgorod, ils se sont multipliés par dix. Le régime opta alors pour les réquisitions, et comme cela échoua, qu'après la pénurie la famine rôda à son tour, il substitua un impôt en nature aux réquisitions, puis vint le tour de l'impôt en numéraire. Dans ces conditions, à quoi bon produire : « Pas la peine d'attraper un tour de reins, de toute façon ils ne nous laisseront rien. »

« Ils » ? C'est-à-dire les gens de la ville, le gouvernement, soviétique ou pas soviétique.

Et cela continua à l'époque de la NEP (Nouvelle politique économique) : certes, les contraintes se desserrèrent, le paysan pouvant faire de sa terre ce qu'il voulait – la louer, prendre des métayers – sauf la vendre ; mais les paysans gardaient une bonne partie de la récolte pour eux tout en produisant 50 % seulement de ce qui était récolté en 1913, car les grandes propriétés s'étaient morcelées et l'égalitarisation, héritage de la révolution, signifiait baisse de la productivité vu l'archaïsme des moyens de production.

Or, avec l'industrialisation et les mouvements d'émigration concomitants, les besoins des villes étaient bien plus grands.

Furieux de se voir taxés, saisis, des paysans avaient brûlé leurs récoltes plutôt que de les voir réquisitionnées ; autre réponse, ils réduisirent leurs emblavures.

« La terre ? dit un collectif de village, nos grands-pères sont arrivés ici nu-pieds. Ils l'ont achetée (avant 1917, sous Stolypine) ; ils ont payé les banques et les féodaux. Nos pères ont payé, nous payons. Et l'on veut nous enlever nos récoltes ? nos terres ? On nous dit qu'on viendra les prendre ? Qu'ils viennent pour voir[16]. »

Ils sont venus.

Figure 1 : *1921. L'enfance abandonnée. Ils sont cinq millions qui vivent de mendicité et de petite criminalité.*

Ouvriers des villes, paysans sans terre accusaient les koulaks, paysans « aisés » : mais il suffisait d'avoir un cheval ou un ouvrier agricole pour être ainsi désigné.

La résistance se généralisa quand Staline fit procéder à la collectivisation théoriquement libre, mais de fait forcée.

Alors que la famine qui avait frappé les campagnes en 1921 avait été un effet de la guerre civile, du typhus et de mauvaises conditions atmosphériques, dix ans plus tard ce fut le régime qui affama les campagnes, celles d'Ukraine notamment, les plus rétives au socialisme.

Les archives ont conservé des témoignages sur le comportement des commissions de contrôle : « À la maison d'un paysan indépendant se présente une commission de trois personnes ; deux sont armées de gros gourdins ou de piquets de fer ; le troisième est un représentant de la GPU (héritière de la Tcheka). On demande au paysan s'il est en règle avec le paiement des impôts ou des livraisons réglementaires. On lui demande la quittance ou tout autre document. Ensuite, on lui fait remarquer que ces contributions en argent ou en nature ont été quintuplées et qu'il doit donner sur-le-champ quatre fois autant qu'il a déjà versé, à moins qu'il ne préfère faire partie du kolkhoze du village. S'il refuse, les deux compères entrent en action, fracassant le poêle et le foyer. Suit la saisie de tout ce qui est saisissable, c'est-à-dire la vache et le cheval. »

À la campagne comme en ville bientôt, la famine fait plus d'un million de victimes : « Chaque nuit, près de 250 corps de personnes mortes de faim sont enterrés, à Kharkov, dans un quartier en construction », témoigne le consul d'Italie. On observe également des cas de cannibalisme, « plutôt d'une déviation », témoigne ce même consul. « Les corps sont entaillés, leur foie enlevé et avec on fabrique des petits pâtés – les *pirojkis* – mais les gens ne savent pas qu'il s'agit de viande humaine[17]. »

L'écrivain Cholokhov ose écrire à Staline : « Camarade Staline, le district Vechenski, comme beaucoup d'autres au Nord-Caucase n'a pas rempli le plan de céréales non pas à cause de quelque sabotage koulak, mais à cause de la mauvaise direction locale du parti [...]. On a réquisitionné toutes les céréales disponibles y compris l'avance donnée par la direction des kolkhozes aux kolkhoziens pour l'ensemencement de la récolte future. [...] Quels ont été les résultats : les paysans ont caché et enterré le blé. [...] Pour les punir, on les déshabille, on les met au froid tout nus dans des hangars, souvent par brigades entières... ou on arrose de kérosène et on met le feu au rebord des jupes des kolkhoziennes. [...] Ce ne sont pas là des abus, c'est la méthode courante de collecte de blé. »

Nicolas Werth a retrouvé également la réponse que lui fit Staline : « Cher camarade, je vous remercie pour vos lettres qui révèlent une petite maladie de notre appareil, qui montre qu'en voulant bien faire, c'est-à-dire désarmer nos ennemis, certains fonctionnaires peuvent devenir franchement sadiques. Mais ces remarques ne signifient pas que je sois d'accord *en tout* [souligné par Staline] avec vous. Vous voyez un aspect des choses et voyez pas mal. Mais ce n'est qu'*un* aspect des choses. Pour ne pas se tromper en politique, il faut savoir voir l'*autre* aspect de la réalité. Et l'autre aspect c'est que les respectés laboureurs de votre district faisaient grève, faisaient du sabotage et étaient prêts à laisser les ouvriers et l'armée rouge sans pain. Le fait que le sabotage était silencieux et apparemment pacifique, sans effusion de sang, ce fait ne change rien au fond de l'affaire, à savoir que les respectés laboureurs menaient une guerre de sape contre le pouvoir soviétique, une guerre à mort, cher camarade Cholokhov[18]. »

Bientôt, avec l'aide de la Guépéou, le régime applique une politique de collectivisation forcée.

« Lors d'une tournée d'inspection dans le soviet rural, Alexandrovski (région de Gorki), la brigade d'inspection a contraint un grand nombre de paysans individuels à rejoindre les kolkhozes. Ainsi le "paysan pauvre" Denisov a été averti que, s'il n'entrait pas dans un kolkhoze, on trouverait des faits compromettants sur lui, et on le ferait passer en justice. Denisov refusa d'obtempérer disant qu'il devait discuter la question avec sa famille et qu'il donnerait une réponse le lendemain.

Le soir même, la brigade de juges-policiers et représentants de soviets organisa un procès. Denisov fut accusé de propagande antisoviétique. Le juge le prévint que, s'il entrait immédiatement au kolkhoze, les faits qui lui étaient reprochés ne seraient plus pris en considération. Ayant persisté dans son refus, Denisov fut condamné à deux ans de prison. Alors qu'il demandait, déjà sous bonne garde, au président du soviet rural de lui donner un certificat comme quoi il avait bien rempli le plan de céréales et ne devait aucun arriéré, celui-ci répondit : "Nous ne donnons aucun certificat aux koulaks." De plus, il prit à Denisov toutes les quittances que celui-ci gardait dans sa poche. Le secrétaire du comité du parti, parfaitement au courant de ces excès, ne réagit aucunement. Le comité régional du parti a été mis au courant. »

Ce rapport est signé de Grats, le chef du département, secrétaire politique de la représentation plénipotentiaire de la Guépéou de la région de Gorki.

On a noté qu'au début de ce rapport, Denisov est un paysan pauvre. Et qu'après avoir refusé d'obtempérer, c'est devenu un koulak[19]...

À l'origine la politique de dékoulakisation, en janvier 1930, distinguait les koulaks de première catégorie, « activistes et contre-révolutionnaires », soit 60 000 familles dans cette région, ceux de la deuxième catégorie, paysans riches, « à déporter également », évalués à 129 000, voire à 154 000 familles, et une troisième catégorie à exproprier et à réinstaller hors des espaces prévus pour les kolkhozes. Or, dès le 1er octobre, 124 889 koulaks de première catégorie avaient été déjà arrêtés et 283 717 antisoviétiques l'avaient été également, comme si le nombre des riches paysans avait crû, alors que c'était la résistance des moujiks...

Un autre incident témoigne de leur exaspération.

« Le 5 janvier (1931), dans le village de Teleguino (en moyenne Volga), une foule de 200 personnes se rassembla pour défendre le "paysan aisé" Spiriaguine dont les membres du soviet local avaient confisqué la vache pour le punir d'avoir délibérément abattu son bétail. Aux cris de "Vous n'avez plus longtemps à régner, nous n'entrerons pas dans vos kolkhozes, c'est le retour du servage, le pouvoir soviétique ne fait que piller les paysans", la foule chassa le président du soviet local.

Les participants actifs de ce meeting étaient : la nonne Kazarinova, les deux frères Spiriaguine, une certaine Beglianova privée de ses droits civiques, ainsi que le "paysan aisé" Igonine. La foule se jeta sur les membres du soviet rural avec des pieux, lançant des pierres et d'autres objets. Lorsque, le 10 janvier, les membres du soviet rural tentèrent à nouveau de confisquer la vache de Spiriaguine, une foule de 300 personnes, essentiellement des femmes, se rassembla à nouveau : on entendit des cris : "À mort les membres du soviet rural, ce sont des pilleurs, ils volent les paysans, il faut les exterminer jusqu'au dernier."

Le 11, le bruit se répandit que la police devait arriver. En frappant sur un seau en fer, la "paysanne pauvre" Girodkova et le "paysan moyen" Drojnikov ameutèrent une foule de 400 personnes. Comme la première fois, la foule était extraordinairement excitée et on entendait des appels à exterminer tous les communistes. Dans tout le village circulait une rumeur selon laquelle les femmes portaient une banderole où était écrit : "Tout le pouvoir aux ingénieurs." Une manière de contester la compétence de ceux qui dirigeaient le pays.

Le 12, une foule de 1 000 personnes arriva au soviet rural et présenta ses exigences : libérer les personnes arrêtées, cesser la confiscation des vaches, ne pas faire entrer de force les paysans dans les kolkhozes.

[...] Des mesures ont été prises pour mettre hors d'état de nuire les meneurs et mettre fin aux troubles. Une enquête est en cours[20]. »

À l'origine de cette émeute, une vache.

Son déroulement dit bien l'exaspération d'un village qui, depuis la révolution de 1917, n'a connu que les quotas de livraison, les confiscations de récolte, la saisie des animaux. Et maintenant, on veut contraindre les moujiks à entrer dans les kolkhozes. Et qui le veut ? Ces membres du soviet rural autrefois paysans sans terre et aujourd'hui « voleurs ».

« Il faut noyer sous la glace les communistes et les kolkhoziens », proclament les habitants d'un village voisin qui veulent lyncher les dirigeants du soviet rural.

Ils ne sont pas les seuls : en 1930, on compte 13 754 manifestations de ce type. Or, à la différence de celles qui avaient éclaté au début des années 1920, elles ne sont pas animées par des soldats démobilisés des armées rouge ou blanche, ou par des déserteurs. Elles ne sont pas armées : sur 140 724 « activistes contre-révolutionnaires » arrêtés au premier trimestre 1930, on n'a saisi que 5 533 armes à feu.

La politique de destruction de l'exploitation paysanne était bien l'objectif défini par Staline, Ordjonikidze, Iagoda : pour les années 1930-1933, on compte 2 800 000 déportés en Sibérie ou en Asie centrale, au Kazakhstan surtout.

Chaque envoi comportait 44 wagons de marchandises, avec 40 personnes par wagon, 8 wagons d'outils, provisions alimentaires et bagages, chaque famille ayant droit à 400 kg.

Étant donné qu'à l'arrivée, les structures d'accueil n'étaient pas préparées à recevoir un si grand nombre de déportés, les fuites et les évasions se multiplièrent : plus de 200 000 en 1932, qui souvent reviennent dans leur village d'origine à moins d'aller grossir le pourtour des villes nouvelles. Sur 6 000 de l'Oural, 1 365 sont rattrapés en octobre 1930.

On note également que les femmes « constituent une écrasante majorité dans près du tiers des manifestations et que dans la seconde moitié de 1930 les manifestations de femmes, et de femmes seulement, constituaient le tiers du total, atteignant jusqu'à 60 % à la fin de l'année[21] ».

On le constate : tout cela n'a rien à voir avec le mythe de la collectivisation qu'a perpétué le film *La Ligne générale*, le chef-d'œuvre d'Eisenstein. Il y est montré comment le régime a réussi à convaincre les paysans de l'inanité de la propriété individuelle : pour se la partager équitablement en héritage, on voit ainsi deux frères couper en deux et détruire l'isba qui se trouvait au centre de leur maigre domaine. La jeune Mara se convainc d'entrer dans un kolkhoze, et bientôt leur est livré un tracteur qui leur assurera une bien meilleure récolte. Il y a sans doute quelques réfractaires mais la majorité rayonne de bonheur...

Cette fiction recèle-t-elle quelque vérité ? Sans doute si l'on prend en compte le sort qui était celui des paysans sans terre... Mais qu'en est-il des autres, que pensent-ils ?

Pour mieux répondre, au moins pour ces moujiks, ouvrons, après Véronique Garros, ces carnets et ces cahiers intimes que le NKVD* a confisqués durant ces années de terreur. Faut-il se fier à ce qu'ils confient ? Voici celui de Feodor Chirnov, par exemple. Il évoque d'abord sa propre naissance en 1888, sur un poêle, à 5 heures du matin, après le deuxième chant du coq. Il l'avait recopié, dit-il, du « journal » de son père... À cinquante ans, en cette année 1938, sa santé étant mauvaise, il envoie son journal... au

* Le NKVD est l'héritier de la Tcheka et du Guépéou (GPU).

Kremlin. Pour l'année 1936, il évoque l'histoire d'une certaine Katia, qui se conforme à l'autoritaire impératif de l'époque par un geste sacrilège : désespérée par sa vie de femme de ménage, sans avenir, elle jette à l'eau une icône de Nicolas le Thaumaturge. Son contremaître la croise alors et la félicite de ce geste. Il la prend comme ouvrière auxiliaire, elle apprend à lire et à écrire, entre au parti, et est bientôt nommée directrice d'une grande usine de l'Oural.

Dans ce récit, où se trouve le réel ? Dans la substance de ce qui est décrit, ou dans la vision miraculée de la vie, qui demeure un regard de croyant – sauf que le signe de cette foi n'est plus le même[22]...

Le cas d'Andréi Stepanovitch Arzhilovski est plus transparent.

C'est un paysan de la région de Tyumen. Il a pu aller à l'école rurale avant la révolution et il est devenu un membre de l'administration des terres de village juste avant Octobre. Kolchak et les Blancs ayant occupé la région en 1919, il est nommé membre d'une commission d'enquête et arrêté pour cela par la Tcheka lorsque les Rouges ensuite reprennent la région, et bien qu'il dise qu'il fut enrôlé de force dans cette commission. Mais comme il n'a rien à se reprocher, il n'a pas voulu quitter son village. Il proteste seulement contre la façon dont ainsi se discréditent les autorités. Il est condamné à huit années d'emprisonnement, mais loin d'adopter un « profil bas », il écrit aux autorités qui l'ont condamné et réclame une permission de 50 jours pour reconstituer sa demeure et aider sa maisonnée à survivre. L'amnistie de 1923 le libère, il participe ensuite à la création d'une coopérative. Il collabore aussi à la rédaction d'un journal rural. À cette date, il possède deux chevaux, deux vaches, il est défini comme paysan « moyen », bientôt condamné à nouveau, en 1937, comme appartenant à une organisation koulak. Jugé, il clame que ses opinions n'ont jamais été plus loin qu'une rédaction dans son petit carnet intime. Or ce carnet d'Andrei Stepanovitch Arzhilovski, qu'a retrouvé Véronique Garros, présente un intérêt complémentaire : il ne dit pas seulement comment son auteur a vécu la terreur, mais également comment l'agent du NKVD, qui l'a déposé aux archives, l'a lu, parce qu'il a souligné en rouge les passages du carnet qui pouvaient être « à charge[23] » (ici, en italiques).

Le 30 octobre 1936, par exemple : « J'ai juste 51 ans. Une vraie jeunesse... Mère et Galina sont là, avec les enfants qui écoutent grand-maman leur raconter un conte. Elle est venue me souhaiter mon anniversaire. L'histoire qu'elle raconte est merveilleuse, *quoique hautement dépassée*. Mais les gosses sont pendus à ses lèvres. Il nous fait aimer cette vieille femme et *préserver les histoires* qu'elle raconte, ces contes de *vieille Russie*. Il y a maintenant si peu de gens qui se rappellent ce qu'était la vie alors [cette dernière phrase est soulignée par le censeur]. [...] C'est sur le naufrage de ce passé qu'on veut construire le présent. À l'usine où je travaille, tout le monde fraude, et plutôt sérieusement, *on se moque de la propriété socialiste*. Mais je pense qu'il ne faut pas s'en mêler. *Le premier qui en parle finira par payer. Tu trouves quelque chose, tiens ta langue ; tu perds quelque chose, tiens ta langue*[24]... »

Ces cas témoignent qu'aux époques de la grande terreur – entre 1928 et 1938 –, les transformations que la paysannerie doit accomplir n'émanent pas d'elle, comme le fut son action durant la révolution de 1917 : toutes les décisions viennent d'en haut et chacun est livré à son destin. Quatre-vingts pour cent des terres arables étaient collectivisées, et la production s'effondra tandis que les purges, les envois au Goulag atteignirent jusqu'à deux millions et demi de personnes – sans parler de celles qui ont été exécutées. Les contrôles sur les individus se font de plus en plus étroits, au point qu'en 1940 un décret punit toute personne qui, au travail, arrive avec un retard de vingt minutes ; les interdits se sont multipliés qui complètent ceux que l'on connaît déjà : quitter sa ville et son domicile sans autorisation, avoir des activités prohibées – le commerce, l'artisanat, etc. Encouragées au départ par le régime stalinien, les dénonciations pleuvent toutes seules ayant pour le régime l'avantage de mettre fin à des manifestations collectives[25].

Passé la guerre, à nouveau la production agricole stagne, malgré des réformes qui durant les années 1960 permettent aux kolkhoziens de mieux valoriser leur lot individuel. Le secteur privé suit un parcours « sinusoïdal » : il est interdit pendant la collectivisation, réintroduit officiellement en 1935, écrasé d'impôts de 1946 à 1952, libéré en 1953, rogné à nouveau en 1963, étendu en 1965-1967... Une décennie plus tard, avec 1 % des terres, il fournit près de la moitié des produits. Mais la production même du travail collectif du kolkhoze ne cesse de s'effondrer...

En 1964, le Spoutnik – accompagnateur de l'auteur, grand, beau gars, bien soigné, historien lui-même et avec qui s'était établie une relation de confiance – lui dit tout de go :

« C'est inadmissible, l'Institut d'histoire m'envoie encore cette année aux pommes de terre...

— Aux pommes de terre ?

— Oui, l'an dernier, pour aider les kolkhoziens, l'Institut avait envoyé des volontaires dans la région de Koursk. Comme je suis au parti, j'ai dû m'inscrire... (Il se coiffe).

— Et alors ?

— Alors on est parti, toute une escouade, dans des conditions épouvantables ; comme à la guerre, pas d'hygiène, des conserves – trois semaines... (il se recoiffe). Des camions viennent nous reprendre, on traverse le village des kolkhoziens ; ils jouaient aux dominos... On leur a dit : "Salut, c'est nous les chercheurs de l'Institut d'histoire... Nous sommes venus vous aider à arracher vos pommes de terre...

— Quelles pommes de terre ?

— Eh bien, les pommes de terre qui sont de l'autre côté de la rivière.

— Ah, celles qu'ont plantées les gars de Tver...

— Quoi ? Ce n'est pas vous qui les avez plantées ?

— Ah non, pour ce qui nous est donné en échange, en roubles, cela ne vaut pas la peine. Mais c'est bien comme cela, si c'est pour vous, emportez-les." »

Ces témoignages portent en eux une énigme.

Comment rendent-ils compte des efforts consentis et des résultats obtenus par la paysannerie soviétique pour ravitailler l'armée pendant la guerre de 1941-1945 alors qu'une bonne partie du pays était envahie ?...

Pour cela, sans doute faut-il observer que, dès 1926, 39 % des candidats à l'adhésion au parti communiste étaient déjà d'origine paysanne, la proportion s'accroissant encore par la suite.

Autant dire que pour les paysans, au village comme au kolkhoze, les contraintes, les dénonciations et les sévices étaient autant d'origine populaire que d'essence stalinienne, des autorités locales, autant que de Moscou.

Tout comme en France, en 1907, les paysans du Languedoc durement réprimés par la troupe, leurs frères, montent ensuite au front, en 1914, pour défendre la patrie sans mettre en cause la République, de même, en 1941, les paysans russes, durement victimes de la collectivisation, sans mettre en cause le régime soviétique, ravitaillent le front ou y montent ensuite pour y défendre la terre natale.

Apparition d'un pouvoir populaire

À la ville, vivre la révolution fut pour tous une expérience inédite car, dès mars 1917, l'État et les institutions qui l'incarnaient s'effondrèrent ou disparurent subitement comme entraînés par la chute du tsarisme : tel fut le cas, par exemple, des cours de justice, du département de la police, du corps des gendarmes.

Les garants de l'ordre social, de la morale publique, hommes de loi et fonctionnaires, popes et professeurs, virent leur autorité bafouée, leur légitimité contestée. Un ordre n'était plus un ordre, un contrat n'était plus un contrat, la loi n'était plus la loi ; on n'obéissait pas plus à celles qui émanaient du gouvernement provisoire.

C'est ainsi qu'à la base de la société se constitua, plus ou moins spontanément, une sorte de nouveau pouvoir à partir de comités qui réussirent à se greffer sur les soviets de députés qu'allait bientôt contrôler le parti bolchevik. Pour voir comment ces apparatchiks, issus de différents milieux, sont apparus et se sont comportés pour acquérir ce pouvoir et le faire légitimer, pénétrons dans un quartier de Petrograd pour suivre la vie de ses habitants en 1917 et après[26].

Ouvrons ainsi les *Izvestija* quelques semaines après l'insurrection d'Octobre. À la date du 30 novembre 1917, page 12, on trouve la liste officielle des commissaires du peuple de la ville de Petrograd, quartier Spasski. Ils sont huit. T. Belik pour la défense de l'ordre, Lilina Radomyskaja pour l'éducation populaire, T. Portnov pour la justice, etc. Qui sont ces personnages ? Au vrai, ce sont les premiers apparatchiks, issus du soulèvement révolutionnaire : ils vont croître et multiplier.

On peut reconstituer leur parcours et la genèse de ce groupe social dont ils figurent un des embryons. À l'origine, on trouve leur nom comme membres du comité créé dans le quartier Spasski à la chute du tsarisme, à l'initiative du soviet de Petrograd. En mars, il n'avait aucun lien organisationnel avec le soviet mais il avait pour charge de « regrouper tous les citoyens pour la défense de la révolution à ses côtés ». Il se constitua plus d'une quinzaine de comités de quartier où ils se virent définir une triple mission : ménager la défense de la ville en cas de retour en force des autorités traditionnelles, vérifier la bonne application des décisions du soviet – par exemple les huit heures de travail par jour –, organiser une vie nouvelle dans le quartier. De fait, ce fut cette dernière tâche qui l'emporta : chômeurs, veuves de guerre, mal logés s'adressaient à ces nouvelles autorités…

Regroupant tous les citoyens qui voulaient participer aux événements en cours, on s'abstenait d'évoquer les problèmes qui divisaient, tel celui de la paix, ou encore l'opportunité d'un gouvernement de coalition, etc. Mais on disputait par contre sur les droits dont disposait le comité, réquisitionner un appartement par exemple, surveiller les prix du marché, etc. Le point important est que le soviet de Petrograd – un des deux organes du pouvoir face au gouvernement provisoire – refusait de s'ingérer dans les problèmes de ces hommes et de ces femmes qui s'investissaient dans la gestion de la cité : pour les révolutionnaires, le principe organisationnel du soviet des députés était la classe (ouvriers, paysans, soldats), celui des comités d'usine, l'entreprise, alors que celui des comités de quartier était la résidence où, par conséquent, des personnes de toute condition pouvaient se rencontrer[27].

Or, en assurant une permanence au local du comité, les habitants du quartier abandonnaient quelque peu leur emploi. Hormis quelques syndicalistes, ils n'étaient pas militants. Comme ils ne touchaient plus qu'une partie de leur salaire à cause de cette seconde activité, l'assemblée du comité de ce quartier – une quarantaine de personnes en moyenne – décida d'allouer aux plus actifs une petite indemnité avec l'argent des cotisations du quartier. Dès lors une corrélation s'observe : à peine un « permanent » est-il choisi, le nombre des participants aux assemblées générales diminue. Les réunions du bureau du comité se font de plus en plus fréquentes, quotidiennes même dès avant Octobre, et les assemblées générales de plus en plus rares. Au quartier Spasski, les participants ne sont bientôt plus que vingt pour sept permanents. Sous-informée, l'assemblée générale ne prend plus part aux discussions. Dans les quartiers les citoyens ont ainsi perdu le droit à la parole ; le bureau est devenu seul émetteur. La relation gouvernants/gouvernés est rétablie au profit d'hommes et de femmes qui ne peuvent la maintenir que pour autant qu'ils sont efficaces et apparaîtront l'antenne de l'autorité légitime sur laquelle ils cherchent à se greffer. Dès Octobre, le nouveau pouvoir nomme « commissaires », un titre nouveau, ces responsables du bureau. Désormais, on les appellera des « apparatchiks », hommes de l'appareil d'État[28].

Ce nouveau groupe social qui se forme alors n'émane pas seulement des comités de quartier qui n'en constituent qu'une pépinière, mais aussi des comités d'usine, du soviet des comités d'usine ou de quartier, des comités de ravitaillement, bref de ces dizaines et centaines de comités que la révolution de Février a fait surgir et qui prennent le pouvoir en Octobre. Pour moitié, ce sont des ouvriers, pour un quart des soldats ou sous-officiers encasernés dans la capitale, 10 % sont des militants syndicaux, le reste est composé de fonctionnaires, instituteurs, médecins, prêtres, etc., ces proportions correspondant à un échantillon de mille membres des soviets de quartier de Petrograd. La moitié d'entre eux se déclarent sans appartenance politique, un petit tiers bolchevik, le reste menchevik ou socialiste-révolutionnaire.

Pendant quelque temps, ils gardent une activité à l'usine, à la caserne, à l'école. Puis, ils passent leur temps à servir les habitants du quartier. Mais, pour conserver ces fonctions, il faut que l'ancien État soit anéanti et se crée ainsi une sorte de solidarité *fonctionnelle* entre les apparatchiks, pas forcément bolcheviks d'origine, et ceux qui leur garantissent leur nouvelle activité qu'ils perdraient en cas de victoire de la réaction ; ils deviennent ainsi plus bolcheviks que les bolcheviks, bientôt Zinoviev se plaint même de leur violence lorsqu'ils constituent des groupes de sécurité, la future Tcheka. Ils doivent être les plus actifs, les plus radicaux, sinon les assemblées générales, tant qu'il y en a, les remplaceraient. Le premier film de Lunatcharski, *Uplotnenie* (*Cohabitation*), en 1918, montre comment un apparatchik contraint un ouvrier mal logé à occuper la moitié de l'appartement d'un professeur, et celui-ci n'ose pas. « Tu y as droit », lui dit l'apparatchik qui crache ostensiblement sur le tapis de l'escalier, alors que l'ouvrier, la casquette à la main, fait bien attention à ne pas le souiller.

Ces apparatchiks, en provenance de différents comités et soviets, constituent bien un groupe social nouveau aux caractéristiques particulières : ils ont une autre source de revenus qu'auparavant, une activité nouvelle dans la société, une rupture par étapes de leur classe d'origine, une solidarité nécessaire avec les bolcheviks, une dépendance vis-à-vis de leurs instances dirigeantes[29].

C'est leur fonction d'antenne qui définit leur statut.

Bientôt, le pouvoir de Lénine et du parti élimine les institutions autonomes nées de la Révolution, à moins de les coloniser, tels le soviet des députés, les syndicats, etc. Aux apparatchiks des comités s'adjoignent d'anciens militaires, gardes rouges, etc., nouveaux bolcheviks pour la plupart, qui dans leur gestion de l'État entrent en concurrence avec ce qui reste de la vieille bureaucratie « bourgeoise » (nous dirions l'administration) ralliée au régime. Tous continuent à se définir par leur ancien statut, y compris leur appartenance de classe, même s'ils restent apparatchiks toute leur vie. Étant donné que la plupart des dirigeants du parti en 1917 sont d'origine bourgeoise, ceux qui sont d'origine ouvrière ou paysanne pauvre sont promis à de hautes fonctions symboliques (sauf Chliapnikov qui entre dans une « opposition ouvrière »), tel Kalinine, paysan pauvre et plus tard président des soviets[30].

On retrouve ce dernier trait hors de Russie, au moins pour les permanents des partis communistes qui indiquent toute leur vie leur profession d'origine, même s'ils l'ont à peine exercée : en France, Jacques Duclos, pâtissier, Maurice Thorez, mineur, etc.

En Union soviétique, le nouveau groupe social dont on vient de décrire la genèse ne cessa, après 1918, de grossir de quelques milliers à quelques centaines de milliers avant les années 1930. Les apparatchiks d'origine populaire montèrent peu à peu dans l'appareil d'État, un phénomène que nous avons dénommé sa « plébéianisation ».

« La place d'un bon ouvrier est à l'usine », disait Lénine à un garde rouge, un ouvrier par conséquent, en décembre 1917[31]. C'est assez dire que le parti de la classe ouvrière entendait maintenir les ouvriers à leur place, à leur rang... Mais si l'« État ouvrier » fut bénéfique à la classe ouvrière, ce ne fut pas en lui donnant le pouvoir ou en améliorant son sort, mais bien en lui ouvrant les voies de l'appareil d'État.

En France, où le parti communiste participa au pouvoir sans jamais s'en saisir, Bernard Pudal a montré qu'un phénomène similaire, mais en réduction, avait eu lieu : c'est en devenant des permanents du parti ou du syndicat associé que bien des ouvriers ont pu constituer un microgroupe social nouveau. Ainsi c'est par cette voie également que le parti communiste, plutôt qu'accomplir la révolution, a assuré la promotion sociale d'un bon nombre d'ouvriers. En 1971, 70 % des premiers secrétaires fédéraux étaient d'origine ouvrière, selon Pierre Gaborit[32].

La figure de l'apparatchik a incarné la bureaucratie de type soviétique, ou plus largement communiste. Mais le terme même de bureaucratie et l'essence du phénomène, analysés naguère par Max Weber, Rizzi, Castoriadis, Lefort, conduisent à une certaine confusion entre, d'une part, ce qui existait avant le régime soviétique, avec les agents de l'État dénommés fonctionnaires, administrateurs, bureaucrates et qui étaient déjà l'objet d'une critique sans complaisance par Kafka, Tchekhov ou Courteline, et, d'autre part, la bureaucratie de type soviétique dont Lénine, Trotski et d'autres firent la responsable des méfaits et dysfonctionnements du régime, alors que pour une bonne part ils en avaient assuré la promotion.

Quant à eux, les adversaires et critiques du régime communiste attribuaient sa subversion à la domination d'un parti unique, alors que sa spécificité tenait moins à ce trait qu'au contrôle, par un parti dominant, des autres institutions du régime (syndicats, mouvements coopératifs, soviets, etc.) que ces mêmes dirigeants colonisèrent – soviets de députés, syndicats – ou firent disparaître – soviets des comités d'usine, comités de quartier, etc.

L'hégémonie exercée par les apparatchiks dans le fonctionnement de l'État soviétique tient au fait que cette bureaucratisation par en bas, d'origine populaire, s'est croisée avec une bureaucratisation par en haut et qui à l'origine n'a pas été le fait des bolcheviks, ou du moins d'eux seuls, avant qu'ils n'en monopolisent la pratique. On en saisit le principe même, dans toute sa pureté, le jour du succès de la révolution, le 27 février 1917, par conséquent bien avant la capture du pouvoir par un seul parti. Ce jour-là, le comité initiateur du soviet de Petrograd, constitué spontanément, par des militants divers et des activistes, a proposé pour se légitimer lui-même, lors de la session constitutive du soviet, de se grossir de personnalités représentatives des grandes organisations révolutionnaires. Le vote par lequel l'assemblée des délégués élus par des ouvriers et des soldats a approuvé cette proposition était bien démocratique – même si, ce premier jour, toute la population de Petrograd n'était pas représentée. Mais en déléguant à chacune des organisations concernées – parti social-démocrate, parti socialiste-révolutionnaire, syndicats, mouvements coopératifs, etc. – le soin de désigner ses représentants, l'assemblée du soviet de Petrograd se dessaisissait au bénéfice du bureau de chacune de ces organisations : par exemple, pour les bolcheviks, furent désignés par le bureau du parti Kamenev et Staline qui remplacèrent Chliapnikov et Zalutski qui avaient figuré parmi les animateurs des journées de Février mais sans mandat. Ainsi s'institua une procédure de *dessaisissement* qui ruina le fonctionnement de la démocratie. Par exemple, au bureau du soviet des comités d'usine, les membres ainsi nommés passèrent, entre mai et novembre 1917, de 4 % à 12 %, assurant au syndicat, aux partis bolchevik et menchevik, une lente prise de contrôle – avant qu'une majorité bolchevik ne chasse les autres[33].

Cette pratique s'est systématisée, les apparatchiks d'en bas s'étant greffés sur les bureaux constitués par l'élite traditionnelle du parti bolchevik, qui n'était pas d'origine populaire.

Quelques décennies plus tard, on voit bien dans le film *Je demande la parole*, de Panfilov, que, face à la catastrophe d'un immeuble en voie d'effondrement dans une ville moyenne, le mélange s'est opéré entre les représentants nommés des instances qui se renvoient la responsabilité de la malfaçon : le maire, qui est une femme, le représentant des géologues, celui des architectes, du soviet de la ville, celui du parti, des syndicats, des habitants... Or tous sont au parti, et c'est la dilution des pratiques bureaucratiques représentatives qui rend toute décision impossible, et le régime impuissant. Voilà pourquoi Tchernenko, qui précéda Gorbatchev au secrétariat général du parti pouvait dire, paradoxalement : « Il y a trop de démocratie en URSS[34]. »

« Le vrai secret de la bureaucratie réside dans le fait qu'elle est une corporation de propriétaires », écrivait Lev Karpinski en 1989. Il l'entendait au sens global des intérêts de réseaux entre les différentes institutions. Or ce diagnostic allait devenir plus vrai qu'il ne le pensait. Il ne pouvait pas imaginer que les apparatchiks qui formaient l'ossature du pays allaient s'approprier les biens de l'État, lors de leur privatisation sous Boris Eltsine[35].

Tournants obscurs

> « On ne sait jamais quand l'État va se mettre à crier que cette parole-ci ou cette parole-là attente à la sécurité. »
>
> Milan Kundera,
> *Le Livre du rire et de l'oubli*

Les apparatchiks d'origine populaire - anciens membres de comités, gardes rouges, militaires libérés, etc. - constituaient un des éléments de l'appareil d'État qui se mit en place après 1917. À côté des dirigeants du parti bolchevik, qui étaient à sa tête - Lénine, Sverdlov, Trotski, Kamenev, Zinoviev, etc. - figuraient toute une catégorie d'anciens fonctionnaires et membres de l'intelligentsia ralliés au nouveau régime pour autant que ses idéaux déclarés étaient souvent les leurs : éducation et santé gratuites pour tous, réforme agraire, etc. Leur réaction aux changements que le régime a connus ultérieurement témoigne que, les yeux fixés sur les hauteurs du parti, sur sa politique, ses conflits internes, ils n'ont pas vu que ces changements étaient dus, également, aux transformations que connaissait la structure sociale du pouvoir.

C'est grâce à Victor Serge, à ses écrits, à l'affection et à l'estime qui l'ont entouré qu'on perçoit ce qu'il a dénommé le « tournant obscur », ce changement dans la vie d'une révolution dont l'éclat se trouble au point qu'elle est bientôt ressentie comme un régime de terreur[36].

Sans doute ce tournant concerne surtout le milieu des révolutionnaires et l'intelligentsia car les campagnes, par exemple, ont connu des phases d'espoir et de colère, des drames aussi mais qui ont suivi un autre *tempo*. Sans doute ce tournant fut-il sensible surtout à l'intérieur du milieu des vainqueurs d'Octobre, car cette terreur s'est mise en place dès l'extrême fin de 1917, qu'elle fût rouge ou blanche. Mais qu'elle émanât du ressentiment populaire ou de la volonté de pouvoir absolu des dirigeants bolcheviks, elle visait clairement ceux qui se désignaient ou étaient perçus comme des ennemis de la révolution. Au regard des sympathisants d'Octobre, il n'y eut pas non plus de « tournant obscur » lorsque la répression frappa sans ménagement des révolutionnaires non bolcheviks, qu'ils fussent socialistes-révolutionnaires ou mencheviks. Il n'y avait pas eu non plus de ménagement quand le mouvement de la révolution avait frappé des hommes politiques « bourgeois », des capitalistes et des grands propriétaires, ce qui, en période de révolution jugeait-on, allait de soi.

Par contre, ce fut lorsque l'épuration et la terreur atteignirent le milieu des dirigeants d'Octobre, instigateurs ou ralliés qu'avec Victor Serge se ressentit ce tournant sur lequel, plus tard, le monde extérieur allait s'interroger. La vulgate l'a attribué au passage de Lénine à Staline, tant il est vrai que, dirigée jusque-là vers l'extérieur du pouvoir, la terreur visa désormais, et tout autant, le monde des dirigeants.

De fait, à une forme de terreur « rouge » qu'incarne la Tcheka, créée par le régime le 10 décembre 1917, s'est ajoutée une terreur d'un type nouveau, qui est apparue de façon obscure.

C'est ainsi en compagnie de Viktor Kibalchich, dit Albert, dit Aleksei Berlowski, dit Georges Garine, dit Gottlieb, dit Klein, dit Le Masque, dit Poderovski, dit Ralph, dit Siegfried, dit Victor Serge, son pseudonyme le plus connu, qu'on peut la revivre.

Ancien anarchiste en Espagne et membre de la bande à Bonnot en France, ce révolutionnaire ne peut que rejoindre la Russie quand triomphe le bolchevisme. Il participe à l'action du Komintern (la IIIe Internationale) devenant bientôt rédacteur d'*Imprekorr*, qui est son bulletin de presse[37].

Pour lui, le signe prémonitoire de ce tournant se situe entre 1923 et 1927, après l'échec de l'« Octobre allemand ». Que fera la Russie sans l'aide d'une Allemagne socialiste qui, selon la doctrine, devait garantir le succès de la révolution en Russie puis ailleurs ? Et puis c'est au tour de la révolution en Estonie d'être écrasée : « À 9 heures, on bousille les vaincus... de leur élan, il ne reste qu'un peu de sang sur les petits pavés ronds de la ville... Est-ce la compensation que voulait Zinoviev ? Les événements continuent de m'accabler : le parti géorgien dans l'opposition, tout le pays contre le parti ; échec en Bulgarie, faillite en Italie où les fascistes arrêtent bientôt Gramsci ; et Zinoviev qui continue à se faire acclamer, à refuser que Trotski intervienne en Allemagne, lui qui vivait du sentiment d'une Europe prête à s'embraser et où il suffirait de jeter l'étincelle... »

Et que d'occasions perdues, l'Autriche rouge qui aurait pu se joindre aux soviets de Hongrie, rêve Victor Serge, alors l'Allemagne aurait peut-être suivi. Et si les sociaux-démocrates autrichiens avaient eu un peu de l'énergie des bolcheviks de Russie... « Mais sages, prudents, ils commentaient Marx... Hommes d'âge mûr, appesantis, écoutant les orateurs avec un calme rassis, buvant du bon vin blanc du pays de l'opérette alors que les bolcheviks avaient suivi, enchaînés, les chemins de la Sibérie, au pays des famines, de la jacquerie, des pendaisons. Ils étaient les meilleurs des Européens de ce temps, et les plus éloignés de la violence inhumaine. »

Et en Russie ? « De quoi vivent les gens ? Avec la NEP* ils se sont repris à vivre, tout comme ailleurs, de leurs intérêts propres, les communistes comme les autres, note Victor Serge. 250 000 nouveaux adhérents, mais que valent ces ouvriers s'ils ont attendu la mort d'Illitch pour venir à la révolution. »

Les hommes de la révolution mesurent-ils l'étendue du désastre en gardant leur optimisme ? « Ils manifestent leur amour d'une classe ouvrière théorique au regard de laquelle la

* Nouvelle politique économique.

classe ouvrière réelle n'est que du matériel humain très imparfait. » Or celle-ci est « à bout de souffle », comme le plus grand nombre des Russes, épuisés par tant d'années de révolution, de guerre civile, de communisme de guerre qu'accompagnent la ruine de la production, la pénurie : « Je me rappelle quand Angelica Balabanova, en ces temps de famine à Petrograd, nous envoya, pour la naissance de notre fils, une orange et une tablette de chocolat, friandises d'un autre monde apportées par un courrier diplomatique. Mais cela importait peu à ceux qu'animait la foi révolutionnaire. Maintenant avec la mort de Lénine, les luttes pour le pouvoir, les règlements de comptes, les manœuvres se découvrent au sein du camp des vainqueurs[38]. »

Défaite de la révolution, mort de Lénine...

Celle-ci fut à l'origine de crises de neurasthénie chez les plus anciens[39]. L'organisme s'était consumé prématurément par une sursaturation de la volonté qu'avaient exigée ces années de la révolution, la victoire sur les Blancs et l'intervention étrangère. Le désespoir pouvait conduire certains au suicide. Lutovinov, par exemple, ce vieux métallo qui avait participé à toutes les luttes depuis janvier 1917, et qui avait réussi à regrouper les militants du Donetz. En 1921, il condamne les insurgés de Kronstadt, approuve la répression menée par Lénine et Trotski, puis il est chargé de l'organisation de la production des métaux. Devant le marasme de l'industrie, évoquant alors la condition des métallos, cinq ans après Octobre, il s'exclame : « Mais à quoi en arrivons-nous ? À nous poser le problème des salaires. »

La commission sanitaire l'envoie se faire soigner. « Ah ! putain de vie », dit-il avant de se suicider. Se suicide aussi Glatzman, qui fut secrétaire de Trotski et qui réagit à l'interdiction des fractions dans le parti[40].

Et Ioffe aussi, que Lénine avait envoyé se faire soigner également parce que le négociateur de Brest-Litovsk lui reprocha, en ami, d'exercer une sorte de pouvoir absolu sur le parti.

En février 1917, la poétesse Hippius, plus lucide que les doctrinaires de la révolution, avait annoncé comme imminente « la catastrophe qui allait tous les ensevelir ». Au début des années 1920, c'est un autre poète, Essenine, après le suicide de Maïakovski, qui, sensible à toutes ces morts, à cette désillusion, pressent que tout un monde s'engloutit, avec ses espérances. « S'il n'est pas nouveau de mourir en cette vie, il n'est plus nouveau de vivre. » Lui, le poète moujik, voyou adulé des ruelles de Moscou, il sent qu'il est de trop. « J'ai un pied dans le passé et voudrais rejoindre, titubant, les komsomols. » Il se suicide, imité par de jeunes fans.

Lui aussi, comme bien des intellectuels et des artistes, il se sentait désormais étranger dans la cité.

Les images cinématographiques de ces années nous montrent, de la révolution qui devait être « joyeuse et rapide », le lent cortège des enterrements, des enterrements lugubres toujours et encore. Le désenchantement général, sans parler des souffrances et de la colère, atteint désormais le monde des dirigeants qui se querellent sur la ligne à suivre : dans le parti, ces conflits dégénèrent et créent cette atmosphère glauque et délétère dont Victor Serge fait état.

Toute une partie de l'ancienne bureaucratie ralliée, des enseignants, des médecins et des membres du corps médical, des ingénieurs et autres cadres moyens de la société étaient de plus en plus circonspects sur l'attitude des nouveaux dirigeants à leur égard et sur le comportement à tenir, pour autant que le régime continuait à affirmer lutter pour des valeurs et des objectifs qui étaient en bonne partie les leurs : éducation et santé gratuite pour tous, etc.

Les plus proches des vainqueurs de Février et Octobre étaient sans nul doute les *statisticiens* qui, ayant travaillé dans les zemstvos, connaissaient bien la situation économique du pays, de ses provinces, et aspiraient plus que tous à une gestion rationnelle de l'économie. Sans être nécessairement marxistes, c'étaient les chantres d'une politique fondée sur des données objectives[41].

Les statisticiens avaient applaudi des deux mains à la révolution de Février 1917, elle allait substituer à l'arbitraire du marché une politique, expression de la volonté populaire tout en ayant pour objectif de construire le socialisme sur des bases scientifiques. Bref, substituer les lois de la statistique à l'esprit des lois.

Née à la fin du XIXe siècle et la plus avancée d'Europe, l'armée des statisticiens russes se crut ainsi à la fête. Effectivement, à partir d'avril 1917, elle fut officiellement invitée à participer à l'élaboration de la réforme agraire. Les statisticiens devenaient la caution du régime[42].

Sans doute les paysans eux-mêmes avaient accompli cette réforme que le décret d'Octobre avalisa. Un premier conflit éclate alors entre l'appareil du parti bolchevik et l'ordre des statisticiens dès que celui-ci, pour se mettre au travail, entend continuer à contrôler le recrutement de ses membres en fonction de leur compétence, d'elle seule, et pas de leur identité sociale, de leur position dans les comités ou soviets, de leur appartenance politique.

Mais la vraie rupture intervient en 1924 lorsque les statisticiens voient leurs calculs et bilans, leur professionnalisme mis en procès par des membres du parti bolchevik, par Staline en personne, pour autant qu'ils ne correspondent pas aux chiffres que le pouvoir a déclarés.

Les savants ne peuvent pas s'imaginer, même s'ils adhèrent au parti bolchevik, que ses leaders analysent comme scientifiques seulement leurs propres calculs, ceux des statisticiens n'étant, selon eux, que l'expression de la « science bourgeoise » : « N'est-ce pas celle-là que ces savants instruisent dans des congrès internationaux, contrôlés par la bourgeoisie[43] ? »

Le débat porte sur un enjeu important, l'évaluation de la balance fourragère, c'est-à-dire le bilan entre la production et la consommation des paysans, les surplus dont ils disposent afin de pouvoir régler l'impôt en nature.

Alain Blum et Martine Mespoulet ont retrouvé la missive que le directeur de la Direction de la statistique (Ts S Ou) adressa à Staline en 1925 pour critiquer la façon dont il manipulait les chiffres.

La violence des propos étonne, même si elle a été ensuite atténuée. De la tribune du Congrès du parti, parlant du travail de la Direction centrale de la statistique (Ts S Ou), Pavel Illitch Popov déclare (en italiques la première version du texte) : « Vous avez proféré un certain nombre d'affirmations inexactes [*mensongères*] [...]. Votre affirmation selon laquelle le Ts S Ou aurait dit que l'excédent commercial des paysans aisés est de 61 % n'est pas exacte [*mensongère*]. Ce n'est pas exact [*c'est mensonger*] parce que la balance fourragère ne peut pas définir un excédent commercial [...]. À l'évidence vous n'avez rien compris aux diagrammes que j'ai présentés au Bureau [...]. Votre affirmation selon laquelle le Ts S Ou aurait adapté les chiffres à telle ou telle autre pensée préconçue n'est pas exacte [*est mensongère*]. Le Ts S Ou est une administration scientifique qui ne triche pas et n'a jamais triché [...]. Votre devoir est de publier ma lettre, en sachant que le Ts S Ou n'est pas une administration privée : c'est une administration scientifique qui accomplit un travail défini, indispensable pour la construction socialiste. »

À la suite de ce débat, le Politburo prit quelques décisions « reconnaissant que le Ts S Ou et le camarade Popov, en tant que son responsable ont commis d'énormes erreurs lors de l'évaluation de la balance fourragère ».

Boukharine et Kalinine ayant défendu la position de Staline, Popov est remplacé par Pachkovski. Son éviction ne signe pas sa mort professionnelle ; peu à peu il est écarté de toute responsabilité centrale. La mesure de sa déchéance s'évalue aux fonctions qu'on lui attribue en 1947 ; il participe à l'élaboration d'un décret sur l'approvisionnement en pommes de terre et légumes de la périphérie de Iaroslav et Gorki, d'une loi sur le développement de l'élevage des poulets et canards dans les kolkhozes.

Au moins a-t-il vécu...

Ce n'est pas le cas d'un autre statisticien, Olimpio Aristarkovitch Kvitkine, bolchevik jusqu'en 1909, adjoint de Popov, qui, en 1921, avait déclaré que « la mauvaise récolte est une catastrophe », et la famine « le résultat d'une politique ».

Lorsque le régime se durcit et qu'il vise à gouverner les gouvernants pour accomplir le programme plus qu'à résoudre les problèmes sociaux, O. A. Kvitkine est bientôt accusé d'ignorer les critères politiques lors du recrutement de ses adjoints, de s'inspirer de méthodes étrangères dans la préparation du recensement de 1937 : son mode de classification des villes contredisait la représentation politique d'un pays urbanisé et industriel. Le pouvoir définit alors le successeur de Popov, « cet ancien colonel », comme « un ennemi du peuple, qui n'a jamais été syndiqué ».

Il est fusillé[44].

Du « charlatanisme statistique », voilà ce que le régime instituait, jugeait Volski[45].

Peu à peu, le pouvoir s'instituait ainsi comme le seul détenteur d'un savoir infaillible. Son projet puisait aux sources de la foi en une justice divine, croyaient les éléments populaires, paysans d'origine, de plus en plus nombreux dans l'appareil d'État. Il y avait sacrilège à ne pas croire que la Vérité émanait des dirigeants qui avaient mis fin à l'autocratie, chassé les propriétaires terriens ainsi que les magnats de l'industrie et de la banque. Cette greffe des milieux populaires sur l'appareil d'État modifiait les comportements sur la conduite à tenir : comme au village l'approbation était de mise, étaient exclus les réticents, les sceptiques définis comme ennemis du peuple. Les compromis n'avaient pas de sens. Comme l'avait diagnostiqué autrefois Herzen : le peuple n'a jamais entendu parler de Constitution. Il ne sait pas ce qu'est le pluralisme, le partage des pouvoirs.

Avant que s'institue intentionnellement du « charlatanisme historique ».

À l'origine, pourtant, les historiens marxistes pouvaient juger qu'avec l'instauration du socialisme, ils allaient être à même de substituer une véritable analyse scientifique du passé, dans sa relation avec le présent, à une historiographie qui se jugeait telle simplement parce qu'elle s'appuyait sur des documents, sur des archives. Or elle ne faisait pas la critique théorique de ces sources qui sont pourtant l'expression du pouvoir qui les fabrique : « Les œuvres historiques qui s'appuient sur des sources, écrivait Pokrovski, sont objectives à la façon dont un parlement représente le peuple »... « Une plaisanterie bourgeoise », ajoutait Lénine.

M. N. Pokrovski était le père de ce projet qui emprunta son modèle à Franz Mehring lequel, en 1912, avait conçu une *Histoire d'Allemagne* placée sous le signe de la lutte des classes, déterministe, linéaire, régie par des lois, typiquement marxiste, qui évacuait les grands hommes et les événements, les dates également, une histoire par en bas qui se substituait à l'histoire des grands hommes, des faits, des institutions. « Par son enseignement on modifierait la mentalité du peuple russe. » Tout comme F. Mehring avait fait une *Histoire d'Allemagne*, M. N. Pokrovski écrivit une *Histoire de Russie*.

Pourtant déjà, dès les années 1920, Boukharine, Lunatcharski et quelques autres avaient protesté contre ce type d'histoire, trop abstraite, contraire à toute pédagogie.

Surtout, elle était indifférente aux besoins de l'État.

Or, tout en se voulant un vrai savant, Mikhaïl Nikolaïevitch Pokrovski, qui a 49 ans en 1917 et a vécu les deux révolutions, juge qu'il y a un lien étroit entre la politique et sa discipline. Sceptique quant à l'opportunité de l'insurrection d'Octobre, il s'y rallie quand elle a lieu, et dix fois il changera d'opinion après 1918, « comme un serpent, chaque année change de peau », reconstruisant le passé selon les besoins du pouvoir. Néanmoins, jugeant qu'il n'y a qu'une seule vérité de l'Histoire, il condamna le pluralisme et par conséquent estima que ne pouvaient cohabiter des historiens de tradition bourgeoise et des marxistes. Ceux-là furent ainsi relégués, condamnés, tels Eugène Tarlé, D. M. Petruchevski, influencé par Max Weber, quelques-uns déportés[46].

Il fut jugé responsable de la purge des « historiens non confirmés ».

Un certain nombre d'historiens marxistes – Goldman, Vanag et Pokrovski – ayant jugé que l'impérialisme russe n'était, en 1914, qu'une filiale de l'impérialisme occidental, le passage au socialisme pouvait être jugé prématuré, inconsidéré, ce qui apportait de l'eau au moulin des trotskistes qui affirmaient que l'URSS ne pourrait continuer seule le socialisme. Thèse fausse, montre Sidorov en accord avec Staline, chantre du socialisme dans un seul pays. Pokrovski et Vanag deviennent ainsi des « falsificateurs de l'Histoire », ce dernier est expédié dans un camp.

Pokrovski ne pouvait imaginer pareille déchéance. Le fondateur de la Société des historiens marxistes, qui exerçait douze fonctions administratives et autres, était ainsi condamné. Au vrai, il n'avait jamais appartenu au cercle étroit des hauts dirigeants, ni exercé de fonctions au sein du parti lui-même, élu une fois seulement, en 1916, au comité bolchevik de Moscou ; il était demeuré depuis un chercheur et seulement un chercheur, donc vulnérable – un peu comme ces statisticiens frappés plus tard de la même disgrâce. Il ne s'était pas aperçu que lorsque Mehring écrivait librement son histoire d'Allemagne, en 1912, il n'y avait pas de spartakistes au pouvoir à Berlin. Alors que sa construction du passé russe devait s'adapter aux exigences de la politique de Staline et à ses variations. Pokrovski, qui mourut en 1932, ne pouvait pas savoir qu'en 1936 il serait réhabilité, comme Vanag, pour autant que Staline, face à Hitler, doit se dire défenseur des petites nations d'Europe centrale et montrer que la Russie n'est pas plus développée qu'elles alors que l'Allemagne représente l'impérialisme. Mort d'un cancer en 1932, il avait eu droit néanmoins à des obsèques solennelles, et, à partir de 1936 la geste stalinienne incarnée par Pankratova en fit le plus grand historien de tous les temps[47].

Statisticiens, historiens et autres spécialistes étaient à la fois vulnérables au regard des dirigeants du parti, et en concurrence par une poussée plébéienne qui, d'en bas, dans diverses institutions, les rejetait hors du cercle des chercheurs.

Ils se devaient pourtant de maintenir haut le drapeau de leur compétence, de leur science, de son indépendance. À mesure que se précisait le risque de devenir un bureaucrate, un chercheur-bureaucrate, d'aucuns réussirent à assurer la survie d'un savoir autonome, tout en appartenant, nécessité oblige, aux instances académiques. Alessandro Mongili a réussi à montrer comment, malgré la dégénérescence idéologique et bureaucratique du régime, dès les années 1930 et encore durant les années 1960 ou après, et malgré la volonté du parti de contrôler le savoir, voire de l'incarner, ce qu'illustre l'affaire Lyssenko en 1948*, de vrais scientifiques ont réussi, par la construction d'un système de séminaires ouverts ou fermés chez l'un d'entre eux, à faire progresser la connaissance grâce au privilège des discussions orales qui ainsi ne laisseraient pas de trace[48]...

Ainsi a pu survivre en URSSS une élite de vrais savants.

Ni Popov ni Kvitkine n'avaient tenu leur langue... Ni André Stepanovitch Arzhilovski qui recommandait : « Tiens ta langue. »

Cette fois, ce n'est pas un simple moujik qui le dit, ni un responsable des statistiques qui est victime de ses propos.

C'est un très haut dirigeant du monde communiste, Bela Kun, l'ancien leader de la révolution hongroise, qui avertit un autre haut dirigeant, en mettant le doigt sur sa bouche : « Tiens ta langue. »

Il s'agit de Jules Humbert-Droz, le socialiste suisse compagnon de Lénine lors de son exil pendant la guerre et depuis membre du comité exécutif du Komintern, l'état-major de la révolution mondiale où il est chargé de la coordination des partis communistes d'Occident[49].

On est en 1928, une crise éclate au sein du parti communiste allemand, Thaelmann son secrétaire général est écarté de sa direction. Et voilà que le praesidium du Komintern condamne cette décision, replace Thaelmann à la tête du parti. Or la plupart des membres du praesidium n'ont pas été consultés : ni Boukharine, ni Humbert-Droz, ni d'autres. « C'est un coup de Staline, menacé dans sa prééminence par le groupe Tomski-Rykov-Boukharine, tandis qu'il comptait avant tout sur Thaelmann. »

---

* Il fit excommunier les savants qui ne raccordaient pas la génétique au matérialisme soviétique.

Humbert-Droz veut protester, question de principe. Manouilski et Bela Kun, embarrassés, le lui déconseillent, car « dans ce texte, écrit Humbert-Droz, je déclarais "que la section russe du Komintern devait être soumise à la même discipline collective que les autres" ».

« De retour à Moscou, rapporte Humbert-Droz, "ce fut par un curieux hasard Bela Kun que je rencontrais le premier. Il errait comme une âme en peine dans les couloirs du Komintern. En m'apercevant, il mit un doigt sur sa bouche lippue et me dit comme dans un souffle : "Attention, il faut se taire." La crise a éclaté au parti russe [...] » et Piatnitski chez qui Humbert-Droz fut appelé lui dit : « Reprenez votre lettre [...]. » Bientôt, Staline prononçait un réquisitoire contre toute thèse qui évoquait la stabilisation du capitalisme et stigmatisait les déclarations « hypocritement opportunistes du camarade Droz qui visent à soutenir la droite allemande ». Droz fut bientôt éliminé du praesidium du Komintern. Piatnitski et Bela Kun avaient voté avec Staline. Seule Klara Zetkin avait voté contre ; ce retournement et cette capitulation de Manouilski et Bela Kun condamnant l'argumentaire des majoritaires étaient sans relation avec l'origine et la nature du différend...

Des crises et des modes de fonctionnement de ce type, toutes les organisations politiques en ont connu et, plus généralement, tous les lieux de pouvoir.

Mais ce qui est spécifique au monde communiste, c'est bien leur reflet et leurs conséquences dans les rapports avec les individus et les réactions de ces derniers, quand, comme dans ce cas, ils en sont victimes.

Pour Humbert-Droz, les mesures vexatoires suivent. Envoyé à Sotchi pour soigner ses rhumatismes, ses deux enfants ne sont pas autorisés à accompagner leurs parents. « [...] Jenny [sa femme] fut conduite dans un dortoir où se trouvaient déjà trois femmes, et moi dans un autre où il y avait déjà trois hommes. Un ordre de Moscou nous interdisait d'avoir une chambre à deux lits. » Quant à Zov, leur fille, elle fut accusée « de vilaines manières en mauvaise compagnie », puis présentée au tribunal des « jeunes pionnières ». Malgré un avertissement, elle gardait son amitié pour une camarade qui portait une croix au cou. Et elle fut exclue des pionniers. Elle avait onze ans. Humbert-Droz lui-même voit qu'on ouvre ses lettres, certaines venues de Suisse ou destinées à la Suisse disparaissent, et il ne reçoit plus les journaux de l'opposition. Quelques semaines plus tard, Jenny, l'épouse d'Humbert-Droz, reçoit à son tour un blâme pour avoir apporté un sapin à la fête de Noël rouge. Puis elle fut convoquée pour condamner la « politique opportuniste » de son mari. « Elle rentre à la maison éplorée : je ne puis me désolidariser de toi et te condamner. » « Je cherchais à la raisonner, raconte Humbert-Droz. Il ne faut pas prendre au sérieux ces mesures soi-disant révolutionnaires qui ne sont que des gestes bureaucratiques, plus stupides les uns que les autres. J'écrirai moi-même la déclaration que tu dois faire et qui me condamne et je t'assure qu'elle sera parfaite [...]. J'écrivis donc ma propre condamnation qui fut admise. Je craignais seulement que le parti n'obligeât Jenny à me quitter. Mais ils n'allèrent pas si loin. Sinon c'eût été pour moi la rupture avec l'Internationale[50]. »

Humbert-Droz est suisse : ces ménagements ne sont pas de mise avec les Russes ; mais son commentaire montre qu'il est entré lui-même dans la logique du système qui annonce les « aveux » plus tard, suivis de mort, de Boukharine, Radek, Kamenev, etc., avant la guerre ; et après, Slanski et bien d'autres.

En haut comme en bas, on a peur des dénonciations, de la répression. Entre 1933 et 1938, sur 139 titulaires et suppléants élus au Comité central du parti, 98 furent bientôt arrêtés et presque tous exécutés, tandis que, de 1936 à 1938, les grandes purges frappent de mort les plus illustres bolcheviks d'origine. Boukharine, Zinoviev, Kamenev, Radek, tandis que Tomski se suicide. La lutte contre le trotskisme sert d'alibi à cette épuration qui, d'une part, consolide le pouvoir de Staline, et de l'autre assure la promotion de cadres plus jeunes. À côté des « politiques », l'intelligentsia est frappée – tels Meyerhold, la poétesse Marina Tsvetaïeva qui se suicide, etc. –, sont frappés également ceux que leurs fonctions ont amenés à entretenir des relations avec les étrangers ou à séjourner hors d'URSS, depuis les plus gradés tels Krestinski, ambassadeur à Berlin, Antonov-Ovsenko, représentant soviétique en Espagne, dans la région de Voronej, etc., jusqu'aux plus modestes[51].

Tel Ivan Stoljarov, né en 1882, un paysan émancipé grâce aux écoles de zemstvos, marqué par l'échec de la révolution de 1905 et qui, parrainé par la comtesse Panine, obtient d'achever son instruction à Toulouse. Il fait la guerre, puis en 1917 est engagé au ministère de l'Agriculture ; le gouvernement le fait retourner en France où, passé ingénieur, il est chargé d'acheter du matériel agricole pour les kolkhozes. Soudain, en 1930, il est rappelé à Moscou, sans explication, son logement de Paris occupé par un autre membre de l'ambassade, et il ne peut se faire opérer, « car il ne fait plus partie du personnel ». Aucune raison ne lui a été donnée[52].

Ceux qui sont destitués, mais en URSS, connaissent un destin plus tragique. Ils sont transférés dans des camps de travail forcé gérés par le NKVD. Ces camps, le Goulag, situés aux quatre fonds du pays, ont accueilli entre 5 et 8 millions de personnes avec un taux de mortalité de plus de 10 % par an.

Cette terreur, que l'état de guerre atténue, se perpétue jusqu'à la mort de Staline. Elle a un double foyer : la tête du pouvoir, mais aussi un absolutisme d'origine populaire, qu'alimentent les délations.

Son ombre portée nourrit les craintes de tous, vingt ans, trente ans après.

Deux exemples. Vient à Paris, en 1983, l'historien L. avec qui l'auteur s'était lié d'amitié en 1962. Il fait partie d'une délégation syndicale à qui a été offert ce voyage. Arrivé à Paris, il me téléphone pour que je vienne à son hôtel, près des grands boulevards... « Mais, demeure dans le hall, me dit-il, je guetterai. » Un jeu de glaces dans l'hôtel permet au chef de la délégation de voir qu'il attend une arrivée. Je m'en aperçois, il s'en aperçoit. Il n'ose plus sortir. Il montera néanmoins dans ma voiture si je le hèle une rue plus loin : je sortirai de l'hôtel et dix minutes après il va demander au chef de la délégation de prendre l'air. Au retour d'une promenade dans Paris, mêmes précautions : je le lâche devant l'Opéra pour qu'il puisse rentrer à pied seul. L'homme est âgé de soixante ans.

Autre comportement quelques années plus tôt de l'académicien M. Invité par le CNRS et l'EHESS, qui le logent à l'hôtel Cairé, boulevard Raspail. Nous devons nous entretenir d'un recueil de textes sur les rapports franco-soviétiques. Dans sa chambre, où je vais le chercher, nous parlons : subitement, il se met deux doigts sur la bouche et, de l'autre main, me montre les plafonds, les rideaux : il m'invite à sortir, il croit que, dans la chambre, le KGB a fait poser des micros.

Artistes

S'il était des individus que le nouveau régime allait mettre à l'épreuve, en tête se trouvaient bien les artistes. Ils devaient contribuer à la naissance de ces « hommes nouveaux » que ferait apparaître le socialisme[*]. Mais comment éduquer, instruire les classes populaires ? Naturellement, les bolcheviks pensaient aux leçons, aux conférences publiques, à la littérature sélectionnant une sorte de « bibliothèque socialiste » de base qui eût compris les « bons » auteurs, de Gorki à Émile Zola. Mais à côté de la lecture, les socialistes pensaient aussi aux affiches, telles que les conçut Vladimir Lebedev, par exemple. Au théâtre également, bien que la diffusion des pièces fût difficile compte tenu du déplacement des troupes, des répétitions... Au contraire, le cinéma semblait coïncider avec leurs objectifs : il suffisait de multiplier les salles et les projecteurs, les copies aussi, une tâche qui semblait à portée de main – une fois l'industrie du cinéma nationalisée, ce qui fut fait très rapidement[53].

* Sur *L'Homme nouveau dans l'Europe fasciste*, *cf.* M. A. Matard-Bonucci et Pierre Milza, Fayard, 2004.

Mais plus encore l'architecture devait devenir l'art soviétique par excellence. En sachant loger les Russes, on leur inculquerait une nouvelle manière de vivre, ce qui contribuerait plus que tout à la naissance de cet « homme nouveau ». « L'architecture serait l'art de la dictature du prolétariat. » « Tout le pouvoir à l'architecture », répondait l'écho par la voix de Pavel Novitski. Et le chœur des artistes, durant les années 1920, juge avec Kazimir Malevitch qu'il s'opère « un commencement de rénovation de la vie des gens par l'intercession de l'art ». Il sera bientôt nécessaire, complétait S. M. Eisenstein, d'évoluer au point de tout révolutionner jusqu'à la racine. Les interventions émanaient ainsi d'un architecte, d'un peintre, d'un cinéaste, tous d'avant-garde, formalistes, et appartenant à ces courants abstraits, constructivistes qui estiment que, pour autant que la victoire aurait été remportée par l'aile extrême des idées révolutionnaires, il allait de soi que l'incarneraient les représentants de l'aile extrême de l'art.

Ces dispositions, qui visaient à une acculturation des classes populaires en vue de leur émancipation, étaient pourtant mises en cause. Makhaiski jugeait qu'il s'agissait d'un comportement, vis-à-vis de la culture, qui était l'équivalent de celui de l'entrepreneur vis-à-vis du capital, quand il dit aux ouvriers : « Tu veux être riche, alors peine et épargne » ; désormais on leur dit : « Tu veux être savant et cultivé, alors instruis-toi et étudie au lieu de t'enivrer... » C'était pourtant bien l'humeur des dirigeants bolcheviks – Lénine notamment, mais des plus radicaux que lui, tel Bogdanov, estimaient qu'il fallait destituer les valeurs et les savoirs établis, leur substituer la culture que les classes populaires, en s'émancipant, reconstitueraient à partir d'héritages qu'elles avaient dû refouler.

De fait, pendant les premières années qui suivirent 1917, la révolution de Février ayant détruit les structures administratives qui encadraient la vie artistique du pays, les artistes purent jouir d'une très grande liberté et jamais ne fut aussi grande la variété des projets. Dans les usines, le *Prolet-Kult* monte le ballet *La Faucille et le Marteau* dansé par les ouvrières et les ouvriers, tandis qu'au théâtre Meyerhold on renouvelle la mise en scène du *Revizor*.

Ainsi, en architecture, Konstantin Melnikov, paysan et futuriste, se fait connaître par un crématorium-columbarium d'avant-garde, puis par son cottage pour trois, son habitat dit « la scie » où cantine et pièces pour enfants sont collectives tandis que des cabines permettent aux couples de s'ébattre librement. Son café-bar, ses maisons ouvrières et ses vingt projets réalisés en quelques années le font figurer parmi les dix meilleurs architectes du monde par la Triennale de Milan où il apparaît à côté de Le Corbusier, Gropius, Sant'Elia, etc. Son école a plus d'étudiants que le Bauhaus. C'est la gloire[54].

Pourtant, en Russie même, réticences et résistances se multiplient contre cette créativité... Dans un pays que l'élite cultivée a quitté, ce formalisme créatif peut-il avoir l'aval du peuple ? Melnikov veut surprendre, faire ce qu'on n'a jamais imaginé, accusent ses détracteurs. « Qu'en est-il de l'héritage culturel de mon pays ? » interroge l'Arménien Karo Alabian, un de ses rivaux... Le collectif dont le peuple a besoin, c'est d'être logé dans des immeubles, de grands immeubles s'il le faut... Ainsi, peu à peu, le pouvoir populaire, au travers des soviets des villes, des académies provinciales, rejette cet art nouveau, et peu à peu cet état d'esprit remonte jusqu'au sommet : le conseil de l'Institut architectural de Moscou met les projets de Melnikov à l'index, comme ceux de Moisei Ginsburg, d'Alexandre Vesnin, de tous les « formalistes », « puristes », « électriques ». « Il faudra les aider à reconnaître leurs erreurs », juge, avec son accusateur, le Congrès panrusse des architectes soviétiques. Désormais triomphe une architecture de masse, monumentaliste, utilitariste pour une société de masse dont les gigantesques bâtisses incarnent ce qu'on a appelé l'architecture stalinienne.

Or ce ne sont pas vraiment les dirigeants du parti qui en sont à l'origine, même si on a pu identifier les constructivistes à une opposition de gauche. Au reste, 10 % seulement de l'union des architectes sont membres du parti communiste au milieu des années 1930. Par contre, dans les congrès, les délégués venus du fond de la Russie, de Géorgie, d'Arménie, etc., le sont à 25 %. Au nom de l'identité nationale d'un art compréhensible pour tous et des exigences de l'urbanisation, l'avant-garde est éliminée.

À la retraite d'office, K. Melnikov, comme d'autres avant-gardistes, devint jusqu'à sa mort en 1972 un étranger dans la cité[55].

Selon Lénine, avec l'architecture, art de la dictature du prolétariat, le cinéma constituerait « le plus puissant instrument des Lumières ». Plus tard – la révolution accomplie par conséquent –, Trotski écrivait que « les bolcheviks avaient vraiment été stupides de ne pas avoir encore mis la main sur le cinéma, cet instrument qui contrebalancerait l'Église, l'obscurantisme, la taverne ». Du reste, Staline tenait également, en 1923, des propos similaires. Ces appréciations représentent quelques traits communs : elles identifient la culture au savoir, signifient que le cinéma doit exercer une fonction éducative, que c'est un instrument, une « machine », bref, qu'il faut mettre la main dessus.

Or le cinéma était considéré par le public comme une distraction et par les cinéastes comme un art. De sorte que la relation qui a pu ainsi se nouer entre le pouvoir, le public et les cinéastes repose sur un malentendu.

Les dirigeants révolutionnaires, les bolcheviks aussi bien, se voulaient des maîtres à penser ayant pour fonction de prendre en charge le développement social et économique en s'appuyant sur une analyse raisonnée – socialisme « scientifique » de Marx, anarchisme « scientifique » de Kropotkine, etc. –, et non plus sur les droits de la naissance ou sur le hasard. « Tant que la nef de l'État sera conduite par des fous, il y aura des révolutions », répétait Lénine ; il entendait substituer aux dirigeants irresponsables et incompétents des militants et des révolutionnaires professionnels, « ingénieurs des âmes », qui sauraient analyser, expliquer les phénomènes de la société, éduquer les classes populaires. La révolution accomplie, ils se proposaient d'abolir la domination du capital ainsi que la frontière entre ceux qui exploitent les autres et ceux qui sont exploités. Or, implicitement et sans en avoir toujours conscience, ils lui substituaient une autre frontière qu'en vérité ils renforçaient ou instituaient, celle qui sépare « les gens qui savent », les nouvelles instances du pouvoir, et le reste de la société. Dans ce cadre, ils s'interrogeaient sur les moyens les plus efficaces pour éduquer, instruire.

Sans doute, appartenant à l'intelligentsia, la plupart des dirigeants bolcheviks considéraient le cinéma tout au plus comme une distraction pour le peuple ; à part Lunacarskij, ils ignoraient tout de son fonctionnement, de sa nature, de ses effets sur les sentiments des spectateurs. Ils n'y allaient guère eux-mêmes et fréquentaient plutôt les bibliothèques. Ils se sentaient concernés essentiellement par les actualités – un peu à la façon dont, cinquante ans plus tard, à la télévision, les hommes politiques ne se sont intéressés qu'aux émissions politiques ou au journal télévisé. En 1920, élaborant lui-même un programme d'actualités, Lénine indiquait qu'elles devaient traiter de trois problèmes : les assurances sociales, le front des armées contre Wrangel, la transformation des anciens palais en jardins d'enfants. Bien entendu, les dirigeants bolcheviks encouragèrent la production de films qui glorifiaient le succès de la révolution ; ils en jugeaient à la lecture des thèmes. Mais, sauf Lunacarskij qui écrivit lui-même un scénario, ils avaient pour la plupart une méconnaissance absolue de ce qu'était la réalisation d'un film, et ignoraient notamment la transfiguration que le tournage et plus encore le montage peuvent imposer à un scénario.

De sorte que, malgré le contrôle exercé par le pouvoir soviétique, le petit monde du cinéma – avec ses réalisateurs, ses techniciens, ses comédiens, etc. – demeura relativement autonome, ce trait expliquant que les films des années 1920 furent l'expression des cinéastes plus que du régime nouveau. L'exemple de *Dura Lex*, de Kulesov (1925) atteste que, grâce au cadrage, à la mise en scène, à l'éclairage, la signification explicite du scénario peut être entièrement subvertie. Il s'agissait en effet, à le lire, d'une adaptation d'un roman de Jack London sur un crime commis par un chercheur d'or au Canada – alors que le sens implicite de l'adaptation cinématographique le transfigurait en une mise en cause des tribunaux populaires tels qu'ils fonctionnaient au pays des soviets –, ce que la presse affecta de ne pas voir, alors que, pour l'équipe du film, la signification latente de l'œuvre était évidente, ce que nous a confirmé l'un des participants en 1980. Sans doute s'agit-il d'un cas extrême, mais les films les plus engagés en apparence, tel *La Mère* de Pudovkin, d'après Gorki, n'en révélaient pas moins des aperçus sur la société d'ancien régime, à savoir le lien entre terrorisme et mouvement révolutionnaire, qui ne correspondaient pas exactement à la représentation que le pouvoir bolchevik entendait lui donner[56].

Le monde du cinéma et du théâtre était pourtant dans son ensemble favorable au mouvement de la révolution – même si une fraction avait émigré ou s'était mise du côté des Blancs. S'il n'y eut pas d'« histoire d'amour » entre les cinéastes et le pouvoir bolchevik, leur solidarité dut bientôt s'affirmer avec force car, tout critiques qu'ils furent à l'égard des films de Pudovkin, Eisenstein, Kulesov, etc. les dirigeants soviétiques étaient impressionnés par l'enthousiasme que *Le Cuirassé Potemkine, La Fin de Saint-Pétersbourg*, etc. suscitaient à l'étranger, en Allemagne notamment, chez ces ouvriers incarnant, selon eux, l'avenir de la révolution socialiste ; pour leur propre gloire, ces dirigeants bolcheviks revendiquèrent le mérite d'avoir su promouvoir le plus beau cinéma du monde. De sorte que le pouvoir soviétique se trouva être le premier régime de l'Histoire à clamer la grandeur du cinéma comme art, bref à valoriser la profession à l'égal des autres corps d'écrivains et d'artistes.

Ainsi, par une sorte d'accord, mais non dit, le film aida à légitimer Octobre, et Octobre contribua à la légitimation du cinéma.

Certes, pour le pouvoir, les anciens objectifs – éducation, propagande – demeuraient, mais dans un tout nouveau contexte. Le cinéma s'était affirmé comme l'art par excellence de l'ère de la technique que le nouveau régime entendait incarner. Nouvellement promus au faîte de la renommée, les cinéastes revendiquaient la primauté de leur art, le caractère inouï de leurs recherches : ils se jugeaient aptes, eux aussi, à appréhender le réel, à l'analyser, ils entendaient non seulement le reproduire par des actualités ou des documentaires, mais prétendaient le reconstruire, après l'avoir déconstruit.

Eisenstein et Dziga Vertov, surtout, mais d'autres artistes travaillant avec eux – architectes, poètes, linguistes, etc. – élaborèrent la théorie de ces nouvelles formes qui, grâce au mouvement, transfiguraient les procédures de l'art abstrait. Dziga Vertov les introduisit dans le film documentaire – *L'Homme à la caméra*, par exemple, où de plus, et par des procédés purement esthétiques, le cinéaste faisait stylistiquement des clins d'œil au spectateur. Ces constructions, ces recherches comblaient les amateurs, l'avant-garde culturelle friande d'expérimentations, tant au théâtre qu'en architecture, en poésie ou au cinéma.

En réalité, il y avait malentendu sur la fonction du cinéma comme art. Les cinéastes, enfin promus chantres d'une culture nouvelle, multipliaient les débats sur la nature de leur art, sur son langage, joignant souvent la théorie à la pratique, s'en donnant à cœur joie : Eisenstein a laissé de nombreux écrits théoriques, comme on sait ; mais Kulesov aussi, Pudovkin et bien d'autres encore. Certaines écoles rivalisaient, comme en peinture ou en architecture, et disposaient d'une autorité qu'elles n'avaient pas à l'Ouest, où seuls quelques cinéastes, les plus grands, tels Marcel L'Herbier, René Clair ou Jean Renoir participaient au mouvement des idées. Ces écoles proposaient chacune une conception du cinéma : un préalable qui n'allait pas nécessairement dans le sens d'un cinéma populaire, à large public, ce qui créait un conflit avec les institutions du régime.

Eisenstein voulait que le cinéma prenne à son profit non seulement l'acquis de tous les autres arts, mais qu'il leur ajoute les effets de son propre langage. Il ajoutait : « Notre art doit être également fondé sur le communisme et sur une analyse scientifique de la création artistique. » Il jugeait qu'émouvoir est plus important qu'instruire et qu'il fallait rechercher les voies spécifiques du langage artistique, d'où son intérêt, en cinéma, pour le montage, et – d'un point de vue communiste – pour les héros collectifs.

Pudovkin appartenait au fond à la même école bien qu'il fût le rival numéro un d'Eisenstein (il appela son chien « Eisenstein » tandis que ce dernier appelait le sien « Pudovkin) », mais ses principes de transcription artistique étaient inverses. Au héros collectif, anonyme, joué par un grand nombre de vrais ouvriers, vrais paysans, etc., il préférait, en tant qu'ancien comédien, l'acteur qui saura symboliser l'arrogance de l'officier, la suffisance du professeur, l'indifférence du juge, la souffrance des malheureux. La prise de conscience est pour lui le phénomène essentiel chez un individu comme dans un groupe social : ses héros sont toujours des personnages qui prennent conscience de l'oppression qu'exercent les institutions (*La Mère*), du racisme et de l'exploitation impérialiste (*Tempête sur l'Asie*), etc.

Le troisième « grand » du cinéma soviétique, Dziga Vertov, affirmait pour sa part que jamais la fiction ne pouvait atteindre à la réalité du document. Aussi refuse-t-il l'utilisation des comédiens et ne compte-t-il que sur la spontanéité jointe au montage pour créer émotions et discours. En 1924, Vertov suscite une polémique dans les milieux politiques en affirmant que, pour Lénine, le vrai cinéma, ce sont les documentaires, les actualités, pas la fiction. Comme Lénine avait déclaré que la fonction du film était de défendre certaines idées politiques (tel est le sens, à cette époque, du mot « propagande ») et non de distraire, Vertov en déduisit que les films documentaires étaient les seuls à exercer réellement cette fonction parfaitement : il se mit à dos toute la profession...

Face à ces cinéastes « révolutionnaires », une autre école défendait un cinéma plus traditionnel, distrayant et – s'il le fallait – pimenté de quelque message socialiste ou autre. Naturellement, les choses n'étaient pas exprimées de cette façon et ces cinéastes-là n'étaient pas nécessairement étrangers à l'idéologie, voire hostiles au régime : tout au plus à ses excès. Ainsi Kulesov qui réalisa une excellente satire de la façon dont l'Occident se représente l'« enfer » bolchevik, dans *Les Aventures extraordi-*

naires de M. West au pays des bolcheviks. Kulesov utilise les genres « traditionnels » pour s'exprimer : policier, western, etc. On a vu que c'est sous la forme d'un western, *Dura lex*, qu'il put habiller la première critique des procès en URSS : l'implicite y devient plus important que l'explicite.

Protazanov appartenait à la vieille école : il filmait ce qu'on voulait, mais comme il le voulait. Il produisit notamment *Aelita*, le premier grand film de science-fiction (1926), bien avant *Metropolis*, qui est aussi une satire de la vie soviétique, ainsi que *La Quarante et Unième*, une pathétique histoire d'amour impossible entre une jeune milicienne rouge et un bel officier blanc. À cette école, sans prétentions théoriques, appartiennent aussi les auteurs de petits chefs-d'œuvre oubliés : F. Ermler, A. Room, etc.

Or le régime, par l'organe de Lunacarskij notamment, marque paradoxalement une préférence pour cette école ; au début, il n'a guère de faveur pour les « révolutionnaires » et moins encore pour les « excentriques » qui, tels Kozincev, Trauberg, Jutkevic, Barnet, s'inspirent de la tradition des masques et du cirque pour mieux ridiculiser les mœurs du passé (école de la FEKS). La raison en est simple : les films des traditionalistes ont plus de succès populaire que les chefs-d'œuvre des « grands », trop en avance sur le public, et *a fortiori* plus de succès que ceux de la FEKS. À une époque où le cinéma américain est encore diffusé largement en URSS (durant les années 1920), le public va voir des films distrayants, avec des vedettes, tel le comique Il'inskij (*La fête de saint Georges, Le Tailleur de Torzok* de Protazanov), ou Batalov (*L'Amour à trois, Aelita* et Pavel dans *La Mère* de Pudovkin).

En effet, ce public, comment réagit-il ?

En vérité, la bourgeoisie cultivée s'est évaporée ou a disparu, victime de la révolution et de la guerre civile. Elle a émigré et se retrouve en Allemagne ou en France. De sorte que le cinéma le plus avant-gardiste du monde s'adresse désormais à un public prolétaire et paysan. Au cinéma, il aime les aventures de Douglas Fairbanks, les westerns, les films de Charlie Chaplin, voire les bonnes comédies du cinéma de genre, les farces héritées de l'avant-veille. Le régime décide de faire précéder le grand film de documentaires éducatifs, passablement didactiques, sur le fonctionnement des machines, sur l'électricité... Du coup, le public a vite fait de comprendre qu'il suffit d'entrer au cinéma pour la seconde partie du programme... et lorsque est stimulée la création de chefs-d'œuvre scientifiques, tels que *La Mécanique du cerveau*, de Pudovkin, ce sont bel et bien les deux parties du programme qui sont désertées.

Mais le problème est plus profond. Eisenstein avait observé que, acclamée, à Petrograd – la plus éduquée des cités russes –, la scène finale de *La Grève* suscitait d'étranges réactions dans les campagnes. Dans ce film, en plans alternés, la troupe fusillait les grévistes tandis qu'un boucher égorgeait des bestiaux, leur sang se mêlant dans le caniveau : cette allégorie du tsar boucher était incompréhensible à ces moujiks pour qui tuer un animal n'était pas un crime... À la reprise des plans alternés, voyant une deuxième fois le boucher, ils sortirent de la salle, croyant qu'une autre séance avait commencé... Pour *Octobre*, ils n'attendirent pas la fin du film. Quant à *L'Homme à la caméra*, les surimpressions de l'affichage les en détournèrent avant d'entrer. L'échec de *Zvenigora*, de Dovževko, fut total, lui aussi ; il y avait un grand écart culturel entre le public et les cinéastes révolutionnaires.

« On ne demande pas aux cinéastes d'être des artistes, des esthètes », répétait en substance *Zizn'Iskusstva* (*La Vie de l'art*), on ne leur demande pas de faire des films « qui seront compris dans trente ans » mais qui « éduqueront [les masses] aujourd'hui ».

Un vrai problème était posé : une des caractéristiques du cinéma en URSS était qu'il devait désormais être un compromis entre trois impératifs pas nécessairement contradictoires, mais qu'il fallait concilier : les exigences de l'État, essentiellement idéologiques et pédagogiques, celles des cinéastes qui veulent faire une œuvre d'art de qualité, et enfin celles du public qui peut fort bien déserter les salles, ce qui entraîne la ruine de l'industrie et de la profession.

Un nouveau trait apparaît donc, défini par Staline : si l'on veut produire, il faut remplir les caisses de l'industrie cinématographique ; faire des films, certes, mais qui plaisent au public. À la masse du public soviétique, le régime stalinien veut donner un cinéma à la fois populaire et idéologiquement breveté ; sous l'égide de Zdanov commence l'ère numéro deux du cinéma soviétique, celle du réalisme socialiste. L'idéologie et l'absolutisme staliniens y sont bien entendu pour quelque chose, mais cela n'explique pas tout[57].

Car une autre transformation – et d'une autre importance – est en train de s'opérer dans les profondeurs de la société : la montée des cadres d'origine populaire au sein de l'appareil d'État.

Là se situe le vrai « tournant obscur », car elle passe en effet inaperçue.

Elle avait été peu sensible pendant les débuts de l'ère soviétique, parce que les grandes décisions en politique et en art sont prises par les bolcheviks d'origine, pour l'essentiel des intellectuels ayant fait de bonnes études, soit au lycée, soit dans les universités russes, étrangères ou fondées par des organisations révolutionnaires, à Capri ou ailleurs. Même s'ils se combattent, il n'y a pas discontinuité entre Lénine, Lunacarskij, Bogdanov, Meyerhold et Eisenstein : c'est le même monde. Pendant cette période, les apparatchiks ne sont que des petits commissaires aux ordres. Pour les trois quarts d'origine populaire, leur corps constitué de militants de base, pas nécessairement du parti bolchevik, se greffe sur le monde des dirigeants qui, lui, sauf Chljapnikov ne comprenait aucun autre prolétaire, aucun homme du peuple – seulement quelques « allogènes », tels Staline et Frunze. Or l'État soviétique, devant le lock-out administratif des anciens bureaucrates, doit faire appel à des couches de plus en plus nombreuses de ces membres des comités et soviets de base, de formation fraîchement urbaine, à peine bolchevisés mais radicaux – et qui ont gardé la mentalité paysanne. Ce sont eux qui arrivent aux échelons moyens et supérieurs de l'État à l'époque stalinienne ; et c'est Staline, hostile aux intellectuels et contrôleur des promotions dans le parti, qui favorise leur ascension, au détriment des bolcheviks d'origine qui se déchirent entre eux. La structure sociale du pouvoir a ainsi radicalement changé entre 1917 et 1927 : partout, désormais, dominent numériquement des citoyens de formation paysanne, révolutionnaires du point de vue social, certes, mais traditionalistes dans le domaine de la famille, de l'antisémitisme, du racisme, de la discipline et de l'instruction.

Et de l'art.

Dans le domaine cinématographique comme ailleurs, pas plus que le public ces milieux ne goûtent les « expériences » d'un Vertov ou d'un Eisenstein, ou de la FEKS. Et par ailleurs ils sentent bien, comme leur montre Zdanov, que les films de Room ou de Protazanov demeurent « bourgeois » par leur inspiration, par leurs sujets, même si, pleins de bonne volonté ou soucieux de survie, ces artistes mettent la pincée d'idéologie minimale pour que le scénario soit accepté.

La réaction Zdanov/Staline a passé pour antitrotskiste parce que Trotski se piquait de littérature et d'avant-gardisme. Mais il s'agit d'une erreur d'optique due à ce que l'interprétation des phénomènes historiques est souvent abandonnée aux hommes politiques, aux militants. En fait, ce tournant culturel est un effet du changement qui s'opère dans la structure sociale du pouvoir. Il est l'expression de la vision que ces nouvelles couches d'origine populaire ont de la beauté, identifiée à l'académisme, à l'avant-garde, et rejetant aussi bien Stravinski que Picasso ou Dziga Vertov.

Ces nouveaux dirigeants stigmatisent l'art abstrait défini comme décadent et souhaitent un cinéma compréhensible par tous, un cinéma simple, efficace, dont les héros sont des gens du peuple, pas d'hier mais d'aujourd'hui. Le réalisme socialiste s'inscrit dans ce dessein, avec en plus pour fonction de glorifier le régime et en particulier les plans quinquennaux et la construction du socialisme. Cela n'était pas, il est vrai, le souci premier d'Eisenstein, même s'il comprenait bien les objectifs du régime en chantant l'alliance de la ville et de la campagne dans *La Ligne générale*. Bien qu'il ait adhéré au parti communiste, Pudovkin non plus n'était pas dans l'intime secret de l'idéologie du régime : il réalise son *Déserteur* en 1933 à un moment où glorifier le succès de la révolution en Allemagne n'est plus de mise.

Peu à peu, les « grands » du cinéma soviétique sont ainsi écartés, leurs projets retardés ou censurés, quitte à ce qu'ensuite Dovzenko reproche à Eisenstein de n'être plus assez productif, de ne pas comprendre les nécessités de la construction du socialisme, de ne pas assez penser au public. Ni Eisenstein, ni Pudovkin, ni Kulesov ne sont explicitement interdits ; néanmoins on les persécute. La bureaucratie interdit même d'achever le tournage du *Pré de Béjine*, d'Eisenstein, comme discréditant le régime né en Octobre. Le climat devient insupportable et Pudovkin ne peut bientôt plus signer ses films seul. Quant à Kulesov, « qui n'avait pas seulement fait des films, mais fait le cinéma soviétique », son purgatoire dure aussi de longues années. Il ne tourne plus que des documentaires, à part un dernier film, *Le Grand Consolateur*. De la grande époque, un seul cinéaste a encore la possibilité de produire librement – Barnet – qui, avec *Okraina*, fit un des plus beaux films sur la Grande Guerre, celui de l'idylle entre une jeune fille russe et un prisonnier allemand dans un village de l'arrière.

Tels les architectes d'avant-garde, *les « Grands » du cinéma soviétique étaient devenus des étrangers dans la cité.*

Apparut alors une nouvelle génération de cinéastes, tels Medvedkin, Kozincev et Trauberg, ex-excentriques ralliés, Dovzenko, ex-classique, et les frères Vassilev, coauteurs du film soviétique le plus prisé officiellement et le plus connu du public, *Capaev* (1934), succès numéro un du box-office, et film le plus présent dans la mémoire des Soviétiques selon l'enquête faite par J. Rimberg en 1958.

Les cinéastes des deux décennies qui suivent construisirent leurs films sur un modèle simple. Le héros collectif, ou emblématique, disparaît peu à peu à l'avantage de l'homme du commun, promu héros à son tour. Cette glorification de l'homme ordinaire tel « l'homme quelconque » en Italie, tractoriste ou ouvrier, plaît à un public surpris et heureux de se voir sur l'écran. Dans ces films abondent des scènes de genre, mais sans la distance ironique ou critique qu'il y avait chez Ermler, Room ou Barnet. Le cinéma se veut un reflet de la société telle que le pouvoir entend la voir et telle qu'elle-même aimerait se représenter. C'est un cinéma de l'« esthétique impossible ». Il fait recette.

Passé la Seconde Guerre mondiale, apparaît des profondeurs de la société une nouvelle intelligentsia, produit du système mais ayant des exigences critiques qui sont le signe de son existence, de son activité. Elle a ressuscité la distanciation qui accompagne la liberté du regard, de l'analyse. La lente acculturation des nouvelles générations au savoir, leur familiarité avec l'héritage culturel du passé russe ont aidé à la renaissance et à la réapparition d'un public dont les exigences esthétiques et critiques ont fourni aux artistes un répondant. Certes, la nouvelle intelligentsia a dû prendre des risques pour vaincre les obstacles que la bureaucratie traditionnelle mettait sur sa route : par sa mentalité autant que par ses convictions, cette bureaucratie s'opposait à toute critique définie comme antisoviétique.

1962. Avec *L'Enfance d'Ivan*, de Tarkovskij, une ère nouvelle s'annonce. La vérité de la guerre apparaît, qui n'est pas la vérité officielle. Toutefois, pour dire cette vérité, sa vérité, Tarkovskij doit, comme le fait Klimov au même moment dans *Soyez les bienvenus*, passer par le relais du regard d'un enfant[58].

Il faut attendre vingt années encore, sinon plus, pour que le cinéaste, qui précède l'écrivain en URSS, puisse devenir pleinement autonome, sans avoir à « demander la parole ».

Pour qu'il réintègre la cité.

Cette lueur qui se lève à l'Est

31 mai 1921. « Venant de Narva, dans un train estonien, nous arrivons à la frontière que ferme une barrière blanche à raies bleues. Nous sautons du train et allons serrer la main à des Gardes rouges, debout de l'autre côté de la barrière. Le train passe. Nous chantons *L'Internationale*. L'heure est tellement émouvante que je sers convulsivement le bras de Paul (Vaillant-Couturier). Le train s'arrête un instant. Face à nous, un vieux cheminot nous harangue avec des gestes sobres, décisifs. Nous ne comprenons pas, mais Vera, notre guide, dont la figure est transfigurée, traduit des lambeaux de phrase. Il nous dit la misère du peuple russe, l'espoir dans le prolétariat, la fierté de la Russie : *la première République de l'amour humain.* »

Charles André Julien[59]

En Europe, les promesses de la révolution de 1789 ne s'étaient jamais complètement accomplies, ni plus tard les projets ourdis par les organisations politiques ou syndicales, par la pensée socialiste. Or voilà qu'en Russie tout l'édifice social et politique avait été mis à bas, la guerre y avait pris fin, d'où la fascination qu'exerça l'expérience des soviets. Nous disons bien des « soviets », car si ces comités divers furent très tôt le cache-sexe qui permit au parti bolchevik de se saisir du pouvoir, dans la réalité, pendant un an ou deux, ce furent bien ces soviets, ces conseils, qui constituèrent l'expression réelle d'un pouvoir populaire dans tous les aspects de la vie quotidienne.

Passa inaperçue cette information, en 1919, que « toutes les institutions devaient être communistes ».

Qui pouvait en comprendre le sens ?

Car, en Occident, on ne savait rien du régime institué en 1917 et, depuis la chute de Nicolas II, les milieux dirigeants alliés, la presse, n'avaient cessé de mentir à propos de la Russie. Ils avaient commencé par présenter la chute de Nicolas II comme une victoire sur la camarilla et le clan proallemand, puis avaient caché la décomposition de l'armée, ils avaient affirmé que Lénine était un agent allemand, annoncé la victoire du général Kornilov sur le socialiste Kerenski, puis ils avaient laissé croire en novembre que le gouvernement provisoire avait chassé les bolcheviks, puis que Lénine en demandant l'armistice ne s'était adressé qu'aux puissances centrales tout en dissimulant que sa demande reprenait pour une bonne part les quatorze points de Wilson. Enfin, pendant la guerre civile, combien de fois n'avaient-ils pas annoncé la défaite des Rouges, la victoire des Blancs ? La mort de Lénine fut annoncée sept fois en trois ans. Quant aux informations sur la terreur, bien réelle celle-ci, elles ne portaient que sur les crimes commis par les Rouges.

Or, pour ceux que commençait à fasciner le succès de la révolution, ces violences se situaient dans la ligne des révolutions que l'Angleterre puis la France avaient connues, elles frappaient les ennemis de la révolution. Pourtant, cette manière de voir portait en elle une contradiction : si la Russie « rattrapait » l'Europe avancée en abattant le régime, cela impliquait-il qu'elle pût devenir un modèle pour les sociétés qui l'avaient précédée dans cette voie ?

Or le premier « pèlerin » revenu de Russie, le socialiste Marcel Cachin, n'avait-il pas été pris au spectacle enivrant d'une révolution réussie ? C'était en avril 1917 et il s'était converti à l'idéal des soviets. Parti en avocat honteux, inquiet des intérêts de son gouvernement en guerre – en France, celui d'Alexandre Ribot –, il revint de Russie comme le chantre glorieux de la patrie de la révolution. Plus tard, une fois Octobre passé, dont la portée n'était pas claire, après l'armistice de Brest-Litovsk et de

Figure 2 : *L'avenir de la révolution : le mythe sur les ruines du capitalisme, la fraternité universelle des travailleurs (en haut à gauche, sous l'égide du parti communiste de Russie).*

Rethondes, lorsque Lénine créa la IIIe Internationale, il préconisa l'adhésion et cofonda le parti communiste français.

Dans ce contexte, pour les militants socialistes et autres révolutionnaires, tout discours antisoviétique était inaudible. Personne ne voulait voir que la terreur rouge émanait d'une part du parti qui détruisait les organisations politiques rivales et, d'autre part, d'une base populaire qu'animait le ressentiment et que le pouvoir en place ne dénonçait en rien. Puisque les adversaires reconnus du parti bolchevik, les mencheviks Dan, Martov, les socialistes-révolutionnaires et travaillistes V. Cernov, A. Kerenski étaient vivants, n'était-ce pas que cette terreur était bénigne ?...

De cet état d'esprit témoigne un épisode de la vie politique, à la fin de 1919, dont les archives ont conservé la trace[60].

À un meeting de la Ligue des droits de l'homme, plusieurs orateurs, de retour de Russie, témoignent de la terreur qui s'exerce non pas seulement contre les bourgeois – ce que chacun admet sans sourciller – mais contre les socialistes. On hue les orateurs, les qualifiant de renégats, de traîtres. « On vous connaît, vous, les social-patriotes, dit l'un, nous n'avons pas confiance en vous. » « Non, dit un autre, taisez-vous, il n'y a qu'un révolutionnaire en qui nous aurions foi, Martov, ou encore Trotski, que nous connaissons bien. »

À ce moment, on entend un tumulte au fond de la salle, puis un brouhaha qui parcourt l'assistance, une sorte d'ouragan : « Martov est là, il vient d'arriver. » Il retrouvait à La Grange-aux-Belles ses anciens camarades d'avant guerre. Chacun veut toucher, presser le camarade internationaliste, qui avait participé à cet événement qui avait illuminé le monde des révolutionnaires. Il monte à la tribune. Il y est. On l'applaudit et, dans un silence religieux, il dit : « J'ai entendu ce que viennent de vous dire les camarades de Russie. Je peux témoigner que ce qu'ils ont dit sur la terreur est parfaitement exact. Il se passe actuellement des choses horribles en Russie. »

Au silence de mort qui avait accompagné ce témoignage succéda un déchaînement, une tempête. L'assistance se dressa, hurlant de colère. « Ce n'est pas vrai, menteur. » On le hua et le tonnerre gronda si fort que, sous les menaces et les quolibets, il dut quitter la tribune.

Leonid Martov était un militant, un des fondateurs du parti social-démocrate de Russie.

Témoin français des mêmes événements, Pierre Pascal, un catholique, n'était pas un militant politique. Il se trouvait en Russie comme membre de la Mission militaire française présente à Petrograd depuis le début de la guerre.

« La terreur est finie, écrit-il en 1921. À vrai dire, elle n'a jamais existé... En parler cela fait rire ici quand on voit la modération, la douceur, la bonhomie de cette terrible Commission extraordinaire chargée de l'appliquer [la Tcheka] [...], la peine de mort a causé 9 641 fusillés parmi lesquels 2 600 criminels de droit commun. [...] Le criminel ici doit être non puni mais régénéré, et la République soviétique s'astreint à un régime salutaire de travail et d'éducation. » Pierre Pascal – qui fustigera plus tard sa crédulité – ajoute qu'il peut témoigner « qu'il y a de quoi rêver » de l'ambiance qui règne dans ces camps. « Comme c'était dimanche, les détenus se trouvaient tous dans leur chambre, par deux, trois, ou cinq, buvant, écrivant, jouant aux échecs ou aux dominos. Il règne une atmosphère de bonne tiédeur qui nous faisait envie, à nous, pauvres habitants de Moscou, soumis à toutes les intempéries[61]. »

Quand Lénine dit à Henri Guilbeaux, l'internationaliste suisse fondateur pendant la guerre de la revue *Demain*, que « si Balabanova, représentante des socialistes italiens au Komintern, persévère dans le scandale et l'intrigue, nous l'enverrons en Sibérie », il va de soi pour Guilbeaux que « Sibérie » signifiait seulement une région éloignée du centre pour mettre fin à ses commérages[62].

Pourtant Gaston Levai apprend de ses camarades anarchistes Alexandre Bergman et Emma Goldmann « qu'il y eut des camarades emprisonnés ». Ces renseignements étaient donnés en secret, à mi-voix... On ne parlait pas de ces choses... Les délégués envoyés de France ou d'ailleurs étaient obnubilés par leur importance ; on comptait peu d'ouvriers parmi eux. Ils se comportaient en touristes riches ; rien à payer : « Tout gratuit, rapporte Mauricius ; à l'hôtel, chambre 25 le coiffeur, chambre 12 littérature en toute langue, chambre 16 docteur et infirmerie... Des machines à écrire, des guides, des autos à la disposition des délégués... »

Lénine était venu en personne le chercher à son hôtel quand il était arrivé à Moscou, a noté Guilbeaux. De sorte que tous ces militants partis en simples anonymes, représentants de leur parti ou de leur organisation, se voyaient traités comme des « personnages ». De retour, ils l'étaient demeurés, grands témoins et cautions d'un changement révolutionnaire comme l'Histoire en eût jamais vu.

Ils avaient humé les vapeurs enivrantes de la réussite, qui, l'exemple du parti de Lénine le montrait, pouvait les hisser à leur tour aux sommets les plus élevés du pouvoir. L'instinct de conservation est là qui les prémunit contre toute question indiscrète, contre toute critique excessive. Ils ne veulent pas courir le risque de retomber dans le néant.

Certes, ils avaient bien vu qu'il n'y avait plus de syndicats indépendants en Russie, ni d'autre parti autorisé que celui des bolcheviks ; ils voyaient aussi que lourds étaient les prélèvements sur les salaires, que les ouvriers étaient militarisés ; mais, après tout, il n'y avait plus de patrons, monsieur Vautour était mort, les grands propriétaires terriens avaient disparu et le pays était dirigé par des militants, par des militants comme eux[63].

Et puis, et surtout pour les Français, alors que les élections d'après guerre avaient été une déroute pour les socialistes, qu'ensuite les grèves géantes n'avaient rien changé à la nature du régime, en Russie au moins on construisait le socialisme. Au lendemain de la « guerre impérialiste » avec ses millions de morts, on créait une nouvelle Internationale, celle de la Paix. Comment résister à un tel souffle pour des militants qui dans leur pays avaient été brisés par les désillusions et qui n'avaient plus d'autre espoir en l'avenir ?

Quand Lénine et Zinoviev leur transmettent les 21 conditions pour adhérer à la nouvelle Internationale et créer un parti communiste, les socialistes, certes, se divisent, mais sans trop y regarder ils se rallient par 3 028 mandats contre 1 022. Ils avaient été entraînés par Cachin, par Frossard, surtout par cet immense espoir qui se levait à l'Est.

Les raisons de cette adhésion ? Comme pour beaucoup, les abus de la discipline pendant la guerre et les horreurs qui l'ont accompagnée.

Le témoignage de Robert Francotte fournit une première figure d'un de ces simples citoyens qui, après la guerre, inscrits au parti socialiste deviennent des adhérents sans carte au parti communiste, puis des militants. Ses *Mémoires* datent de 1966 et ils comprennent bien des erreurs de date, de faits imprécis, ils éclairent néanmoins un type de parcours et les raisons de cet engagement.

Enfant, il voulait être pianiste, musicien, passe bien son certificat d'études en 1907, mais son père subitement atteint d'une ostéomyélite, il doit entrer en apprentissage et devient dessinateur en broderies. Pour son père, l'essentiel est qu'il ait échappé à l'usine. Son patron est tenté par la politique, il voudrait être député radical du XXe arrondissement mais, en 1908, en 1910, il est battu deux fois par Édouard Vaillant. 1914, c'est la guerre. Des quatre hivers qui suivirent, « c'est le premier qui fut le plus dur » : « Mal vêtus, mal chaussés, mal armés, mal logés [...], en passant trois nuits et trois jours dans les tranchées, en espérant le gel et en maudissant la pluie et le sol argileux de la Woëvre responsable de la boue perpétuelle [...]. Sous le bombardement, mon premier cri fut un cri de colère et d'indignation plus encore que d'effroi : quelle honte, tirer au canon sur des hommes au XXe siècle[64]. »

« La violence est contraire à ma nature [...]. Longtemps je la récusai sans discrimination [...]. Pourtant, plus tard, j'en vins à l'admettre en certaines circonstances [...]. Un jour, l'acceptation du recours aux armes par les masses s'imposa à ma conscience. J'avais pris position. »

Et sans transition, Robert Francotte raconte :

« Cela s'est passé à Charny, siège du PC du colonel [...]. Le secteur était calme, les pertes rares, accidentelles [...]. Au repos, à Chattancourt, le séjour est agréable, le vin n'est pas rare. Chaque semaine, la musique du régiment vient donner un concert. »

C'est dans cette ambiance paisible que le régiment va être brusquement secoué par deux exécutions en l'espace de quinze jours. Un établissement de douches avait été installé à 2 km de Chattancourt. Chaque compagnie y allait à tour de rôle pendant les quatre jours de repos... Pendant un retour des douches, un soldat qui avait bu abandonna le détachement par fantaisie et s'en alla divaguer dans la nature. C'était un nommé Dewasme, de la classe 14, mineur du Nord. Le sous-officier qui commandait le détachement le rappela en vain. Finalement, il se dirigea vers lui, baïonnette au canon. Il le somma de rejoindre le détachement. Dewasme refusa d'obéir et menaça le sous-officier.

Tels sont les faits.

Dewasme finit par rejoindre le cantonnement de lui-même. Il fut arrêté et mis en prison. Une cour martiale fut constituée. Elle se réunit le lendemain à Charny. Elle était composée du commandant du 2e bataillon, d'un officier et d'un sergent. Un soldat qui avait fait du droit assura la défense de Dewasme avec beaucoup de chaleur. Il lut des lettres de sa mère, il relata un acte de courage de l'accusé à la mine et demanda une sanction modérée.

Dewasme n'assistait pas au jugement. Il fut condamné à mort et l'exécution fixée au lendemain matin. Il ignora jusqu'à l'aube le jugement rendu. Il plaisanta toute la nuit avec les gars qui le gardaient, et dit qu'il s'en tirerait avec quelques années de travaux publics pour la forme, qu'il n'aurait même pas à faire.

Hélas, au matin, il comprit. Il fut emmené dans une charrette suivi par tout le bataillon. Jusqu'au dernier moment, il cria : « Au revoir, frères de misère, je suis innocent, je ne suis pas un salaud. » Il tomba courageusement et le bataillon défila devant son corps, serrant les poings, les larmes aux yeux.

Quinze jours plus tard, un cas du même ordre reçut la même sanction : le délit n'était pas plus grave.

« On voit à quels abus se livrèrent les cours martiales que Millerand avait instituées. C'est Poincaré, président de la République, qui leur abandonna son droit de grâce… »

La musique de ce régiment avait été très éprouvée à Verdun. Il manquait des musiciens à tous les pupitres. Robert Francotte est affecté à la grosse caisse – car en tant que pianiste, il fût demeuré sans emploi… Le chef de la musique du 164e, trente-six hommes, s'appelait Villetard. Un des Champenois, Félix Brun, était un excellent clarinettiste. On discutait sur l'emploi des dissonances, « mais les questions d'intérêt musical déviaient inévitablement vers celles qui nous préoccupaient au premier chef : la fin de la guerre ». Félix Brun, petit viticulteur d'Ay, était celui qui avait le plus de sens politique… Ses sympathies allaient aux libertaires qui, selon lui, avaient été les seuls à faire front contre la guerre de 1914. « Tous les gouvernements ont une responsabilité et une culpabilité égales. Les atrocités allemandes ne doivent pas nous aveugler. »

« Pas toujours approuvés sans réserve, ces propos influençaient la plupart d'entre nous », note Robert Francotte. C'est alors que Victor, le trompette, ramena de permission un tract sur la Conférence de Zimmerwald*. L'effet ne se fit pas sentir immédiatement, la musique étant dispersée dans des postes de tranchée mais, dès qu'elle fut réunie à nouveau, un courant zimmerwaldien se forma et marqua profondément quelques-uns d'entre eux. « Je m'abonnais d'enthousiasme au *Journal du peuple*, d'Émile Fabre, qui, en manchette, ne manquait pas d'imprimer “Ils tiennent bon”, montrant qu'en Russie, on pouvait compter sur l'action populaire pour transformer la révolution bourgeoise en révolution socialiste. »

* Conférence internationaliste contre la guerre (1915).

La musique perdit un par un quelques hommes au Chemin des Dames d'abord, en Champagne surtout. La veille de l'attaque du mont Haut, quatre musiciens furent tués et quatre autres encore, au fond d'un abri. Elle perdit encore son trombone-solo tué en transportant un blessé. « Que vais-je dire à sa mère ? » demandait en pleurant le tambour à la grosse caisse qui avait habité à proximité de chez lui. Il n'eut pas à lui rendre visite, le tambour à la grosse caisse, camarade du narrateur, fut tué à son tour.

« Ils ont des droits sur nous », avait déclaré Clemenceau à la fin de la guerre. « On nous le fit bien voir. À ma démobilisation, je reçus 252 francs, soit la paie d'un manœuvre pendant deux semaines, pour 60 mois de service militaire, dont 45 de présence au front. Je reçus en outre 51 francs car je refusais l'affreux costume dit "Abrami", du nom de son inventeur, le sous-secrétaire d'État.

En mars 1919, ayant un emploi dans les chemins de fer, je courus donner mon adhésion au parti socialiste, à Saint-Fargeaud. En 1920, je votais pour l'adhésion à la IIIe Internationale et devins ainsi un communiste sans carte, comme il y en eut tant… »

L'intérêt du témoignage, écrit après coup, ne figure pas dans la véracité des détails fournis, ni même dans leur chronologie. Quarante ans après les faits, la mémoire a choisi son camp. Son intérêt est de recouper les éléments de la vulgate transmise par la tradition de gauche : l'horreur de la guerre, le ralliement puis la deuxième mise en cause, la solidarité entre les combattants, la pénétration des idées internationalistes, les exécutions sommaires, la colère contre la désinvolture et l'ingratitude du gouvernement, l'admiration de l'action des travailleurs au pays des soviets, le rejet des idées de l'ancien patron radical et l'adhésion au parti communiste. Un argumentaire qui constitue une sorte de bloc…

En creux, pourtant, on observe qu'il n'y est pas question des mutineries de 1917, mais des exécutions sommaires pour « abandon de poste », même de simple indiscipline, ce qui s'intègre à un non-dit de l'histoire traditionnelle : qu'il y eut plus d'exécutions de ce type avant 1917 qu'après et notamment entre l'automne 1914 et l'été 1915, soit près de la moitié du total évalué à environ 600 voire 923 par Dutilhac (1929) et Bach (2003)[*] [65].

On note aussi qu'il ignore les conditions imposées à ce nouveau parti pour exister, ou plutôt on note que le degré de son indignation et de sa colère ont été là et, eux seuls, pour le faire passer d'un parti politique à un autre plus radical. Sans plus de raisons.

Autre anonyme, mais qui ne le demeurera pas toute sa vie, le jeune Victor B. Politiquement, il a une conscience plus développée que Robert Francotte. Deux situations différentes qui les mènent néanmoins à adhérer au même parti. Comme pour lui, l'hostilité aux fauteurs de guerre, aux embusqués a constitué une des données de son engagement.

D'une famille de républicains militants, dont le grand-père a été déporté en Algérie après le coup d'État du 2 décembre 1851, Victor Barthélemy est nourri par les indignations révolutionnaires de son père, qui approuve la lutte des démocraties « pour la défense de la justice et du droit ». Victor est né en 1905 et ce père lui a appris à lire dans *L'Humanité* puis dans *L'Abécédaire*, mais il est de plus en plus critique à l'égard de la guerre, il « crie de joie » à l'annonce de la révolution de 1917, « hurle son enthousiasme » à la révolution d'Octobre. Parallèlement, son institutrice, ancienne élève de l'École normale de Draguignan, était une socialiste patriote dont le mari était au front. « Elle nous faisait réciter les chansons-poèmes de Montehus :

Dans les hameaux perdus et les bois solitaires
Où passait le galop effréné des Uhlans
On a trouvé plantés dans la gorge des mères
De longs couteaux couverts et de lait et de sang. »

Les feux de pin et de romarin illuminèrent la victoire mais les poilus démobilisés fiers de cette victoire laissaient paraître

* Nicolas Offenstadt, *Les Fusillés de la Grande Guerre et la mémoire collective*, Paris, Odile Jacob, 1999, p. 24 et 252.

aussi leur circonspection, leur colère... « Il y avait eu tant de morts parmi les paysans, les ouvriers, et à l'arrière tant d'embusqués[66]. »

Son père mort en 1921, le jeune Victor est recueilli par son oncle, médecin à Cassis et il s'inscrit au lycée Mignet d'Aix. Les idées des professeurs étaient à l'opposé de celles de son père, comme ses camarades, il lit Maurras, Montherlant et *L'Action française*. « C'est l'âge où garçons et filles pourvus de quelque curiosité prennent inévitablement le contre-pied des idées de leur père. » La gentillesse de ses condisciples et de leurs parents pour cet orphelin fut pour beaucoup dans cette attirance. Cette famille aisée ne semblait que vouloir jouir de la vie, de ces « années folles » : danser, monter dans une Bugatti, jouer à la Bourse. En vis-à-vis de cette existence voluptueuse, il y a les victimes : ces grands blessés, honorés en paroles, « le revers du veston surchargé de rubans, abandonnés de fait à leur misère ». Il y avait aussi les travailleurs dont les luttes, ces luttes qui animaient la vie de son père, n'aboutissaient guère et faisaient peur.

« Lorsque je me promenais à Marseille, j'étais bien loin de mes déambulations aixoises, si empreintes d'une vraie douceur de vivre. [...] Ces ménages qui vivaient dans des taudis, ces bistrots nombreux et minables. [...] Les socialistes avaient été et étaient encore les élus de ces quartiers deshérités – d'Arenc, Saint-Louis-l'Estaque, la Joliette – à qui ils avaient promis depuis vingt ans et plus de meilleurs salaires, de meilleures conditions de vie, des rues et des quartiers plus propres. Ils n'avaient rien fait. »

Le spectacle de ces deux manières de vivre ramène Victor Barthélemy aux enseignements de son père. « Il avait raison ; cette société était mauvaise, criminelle ; il fallait la détruire. [...] À la place de ce monde pourri il fallait en construire un autre, bâtir une société socialiste, comme les Russes, comme les Soviets ; il fallait les suivre, les imiter. [...] Comme poussé par une force obscure, je rompis avec mon oncle après une série de désaccords, un peu puérils d'ailleurs. » Le jeune Victor trouve un emploi dans une usine de moteurs, d'où il est remercié parce qu'il lit ouvertement *L'Humanité* et en discute les thèmes au bureau. Il se retrouve dans ces bistrots où l'appelle « ce monde de la révolte ». En 1925, il adhère au parti communiste. Il a vingt ans[67].

Militant, il l'est avec passion. Pour en avoir la possibilité, il trouve un travail « au couffin », en portant du charbon depuis le poussier sur le quai jusqu'au pont du navire où on en déverse le contenu dans des cales du bateau. Il lit Marx, Lénine et se retrouve envoyé au 5ᵉ Congrès du parti, à Lille. Là, il ressent l'effet des conflits qui, à l'Internationale, opposaient Zinoviev, Staline, Trotski. « Elle seule saurait séparer le bon grain de l'ivraie. » Chargé des *Rabkors* – la correspondance que les ouvriers adressent au parti –, il suit à Marseille le conflit du Riff, l'action de Thorez et de Doriot contre la guerre au Maroc. Envoyé en stage à Bobigny, puis à Bruxelles, il assiste à la « bolchevisation » du parti, c'est-à-dire à sa rupture avec les socialistes, selon le mot d'ordre « classe contre classe ». « Cela sapait notre moral, à Marseille, car la plupart des militants avaient peine à admettre que les socialistes étaient tous devenus les valets de la bourgeoisie [...], notamment ces ouvriers qui travaillaient dans la même usine qu'eux [...]. Comment réaliser ensuite l'"unité à la base"... Le plus convaincant et "le plus dangereux à nous attaquer" était Simon Sabiani, ancien combattant et blessé de guerre, qui quitta le parti dès que le Komintern donna comme instruction d'attaquer, par priorité, les socialistes. »

À Moscou, où il passe trois mois en 1928, « l'émotion et les larmes aux yeux », il ne manque pas de voir pauvreté et misère, la pénurie aussi. Logé à l'hôtel Lux « à l'étage des hôtes de moindre importance », il n'en est pas moins sensible au sérieux de l'organisation de ces « cours de révolution » organisés par l'Internationale « loin de ce que j'avais pu voir dans les bistrots marseillais ou même à Bobigny ». Les cours pratiqués étaient divisés en deux parties : légale et illégale. Sensible aussi au charme et à la délicatesse de l'hôtesse qui lui est attribuée, dont il visite la famille et qu'il fréquente en tout bien tout honneur, « protégé par la double cuirasse qui me liait à ma compagne restée en France et par le respect de l'ascétisme révolutionnaire, si fortement recommandé par le parti. Il y avait calomnie à imaginer qu'elle fût, comme la rumeur le laissait croire, un indicateur de police ».

« Pour nous communistes, commente Victor Barthélemy, l'Internationale était ce que le pape et le Sacré Collège sont pour les Manouilsky catholiques. Et nous nous considérions volontiers comme les jésuites de cette nouvelle Église. » Or, au Plenum de 1929, Manouilsky déclara : « Hitler va détruire l'État capitaliste. En cela il devient notre allié. Après lui, nous pourrons prendre le pouvoir plus facilement. » Et puis, ne combattait-il pas, comme le Komintern, le traité de Versailles ? Avec la crise qui éclate et l'Allemagne si durement frappée par le chômage, « il fallait se rendre à cette évidence que cette situation bénéficiait plus au national-socialisme qu'au communisme ». Les événements donnaient ainsi raison, au sein du parti, à Doriot qui avait toujours stigmatisé la tactique du Front unique. « Je n'osais pas faire preuve de mes sentiments, mais je commençais à douter de l'infaillibilité de mon Église », et pensais qu'« une révolution authentique ne pourrait sourdre que du parti communiste » : il fallait donc que Doriot prenne le dessus sur Thorez, comme il semblait le vouloir dans son organe *L'Émancipation de Saint-Denis*. En 1932, le parti n'avait plus que 6,8 % de voix aux élections. Sa tactique était suicidaire. Cela ne pouvait pas continuer...

Lorsqu'en 1934-1935, le parti retourna enfin sa position et s'allia aux « petits-bourgeois » que nous bannissions depuis quatorze ans, sa position devint plus cohérente.

Mais était-elle encore révolutionnaire ?

V. Barthélemy pense que non. Car à l'origine de ce retournement, il y avait la défense de l'URSS désormais et d'elle seule.

V. Barthélemy est d'accord avec Doriot. Il juge qu'en signant avec Laval un pacte qui légitime le réarmement de la France, et sans discuter avec un communiste français, Staline a mis fin à la fonction du Komintern comme organisation révolutionnaire du prolétariat international. « Peu s'en fallut que ce coup de tonnerre ne me foudroyât : toute l'action antimilitariste se trouvait condamnée, aussi le travail illégal poursuivi avec tant de difficultés dans les usines travaillant pour la défense nationale[68]. »

D'une logique à une autre, contre le traité de Versailles, pour la paix à tout prix, contre la trahison de Moscou, Barthélemy, comme Fabiani, Doriot, en arrive à juger que la vraie révolution ne peut venir que d'ailleurs, du national-socialisme peut-être. Il n'est pas abasourdi par le pacte germano-soviétique puisque, pour lui, l'URSS a déjà trahi. La guerre que Hitler lance contre elle en 1941 est une « délivrance ». Malgré l'adhésion du parti populaire français à la collaboration, Barthélemy sait bien, et il le dit aux Allemands, que « jamais la politique de collaboration ne sera populaire en France », mais héritage de la tradition bolchevik, il pense que cela importe peu, puisque seule une minorité peut accomplir la révolution.

La majorité du peuple de gauche n'avait pas suivi Doriot en 1936 et la victoire du Front populaire requinqua « les partis de la classe ouvrière », les conquêtes sociales obtenues (quarante heures, congés payés, etc.) levant alors de grandes espérances. Certes, la gauche socialiste (Marceau Pivert) et les trotskistes jugeaient qu'on aurait pu aller plus loin, « que tout était possible », c'est-à-dire un changement révolutionnaire. Mais, dans la situation internationale, ni Thorez, piloté par Staline, ni Blum qui ne dispose pas d'une majorité absolue n'en jugent ainsi, ce dernier estimant qu'il a seulement le droit d'« exercer le pouvoir, pas de le prendre ».

C'est le début du désenchantement.

Les braves gens qui avaient découvert, avec les vacances, les premiers bonheurs de la vie, ne se doutaient pas que, quatre ans après, ils se retrouveraient prisonniers derrière des barbelés.

Au lendemain de la défaite, vu la survie du pacte germano-soviétique, la politique du parti communiste – ni Pétain ni de Gaulle – apparut inintelligible à bon nombre de communistes*.

* Voir le chapitre 3, « Dilemmes sous l'Occupation ».

De Guingouin à Ravanel, de J.-P. Vernant à Victor Leduc, ils entrèrent en résistance. Ce dernier explique en outre que, frustré de n'avoir pu mener, pour la cause de la révolution, les luttes clandestines dont il avait rêvé pour n'avoir pas, non plus, fait partie des Brigades internationales pendant la guerre civile en Espagne, ce fut la Résistance, avec ses risques, qui lui a fourni l'occasion. Et de fait, pour un certain nombre de résistants d'origine communiste, les combats clandestins contre les Allemands et Vichy portaient en eux l'espoir d'un changement révolutionnaire, mais à la française[69].

Les victoires des armées soviétiques donnèrent à cette espérance un fabuleux élan.

Revivifié par ces succès, associés à la Russie stalinienne, un flot d'adhésions gonfla les rangs du parti communiste. L'engagement de Gérard Belloin n'est qu'un exemple, mais significatif pour autant qu'il trouve son ancrage dans le tuf des luttes sociales et des rapports entre ville et campagne, ce qui est le cas de plus de la moitié des nouveaux adhérents au lendemain de la Libération.

Enfant de son village, durant ces années 1930, Gérard Belloin assiste à ces discussions lors des repas de famille. Son père avait quitté le travail à La Mazière, minuscule exploitation qu'avait acquise son grand-père. Il avait préféré devenir salarié, closier car sa journée finie, il était libre. Culpabilisé par cette « désertion », il travaillait dur pour montrer qu'il n'était pas un fainéant. Plus que déclassé, il se jugeait « debout ». Ce père allait à la fête des « Joyeux de La Mazière », et, au lendemain de la défaite de 1940, il répétait, énigmatique : « On était trop heureux en France. [...] Les gros étaient allés chercher Hitler pour mettre au pas les ouvriers français qui en prenaient trop à leur aise. » Les Français étaient heureux, les Allemands en étaient jaloux. Et la grand-mère était scandalisée que dès 5 ou 6 heures de l'après-midi, on entendît la musique de bastringue alors qu'elle était encore aux champs. Seuls les ouvriers les fréquentaient : « Il n'y en a que pour eux. Des feignants ! — Non, répondait le père : les paysans sont trop bêtes pour faire autre chose. » Le père avait obtenu d'être affecté spécial dans l'usine qui déjà depuis le début de la guerre l'employait. Il faisait ainsi figure de privilégié, alors que son oncle continuait à travailler la petite exploitation... Décidément, « les uns s'épargnent, les autres s'échinent ». Le père n'était pourtant qu'un manœuvre spécialisé, les grands-parents seulement des petits paysans en sursis.

Avec la débâcle, « les messieurs d'en haut », qu'on respectait parce qu'ils étaient l'autorité, « tout d'un coup ils étaient nus », et à Bléré, sur la ligne de démarcation, on était bien placé pour mesurer l'étendue du désastre.

Le grand-père, ancien de 14-18, avait annoncé : « Ils ne franchiront pas la Somme. » Or ils avaient franchi et la Somme et la Seine et la Loire. « Il faut partir », avait-il dit. Ils se préparaient tous à l'exode lorsque Pétain demanda l'armistice. Ils étaient tous soulagés. Une seconde fois, après Verdun, Pétain sauvait la France[70]...

Un an après qu'à Bléré des Allemands tout nus s'étaient baignés dans le Cher, à la guimbarde, et que des filles avaient fricoté avec eux. « Quel matériel ! Les salauds ! » disaient les garçons en reluquant leurs side-cars. Un an juste après, le père annonçait ce qu'il avait annoncé à la radio : « Les boches ont déclaré la guerre à la Russie...

— Alors ils sont foutus... »

On était forcément avec les Russes parce qu'on voyait bien que, si l'Angleterre résistait à l'invasion, elle ne pourrait pas libérer la France, se rappelle Gérard Belloin. Tandis que les Russes pouvaient affaiblir les plus forts... Napoléon en avait eu la preuve... Et puis les boches n'avaient pas pu prendre Moscou... À Bléré la famille ne mourrait pas de faim. Pourtant, pour être satisfaits, il fallait aller glaner quelques épis après la moisson, les broyer dans un moulin à café : c'était une humiliation, d'avoir à recourir à ce droit autrefois consenti aux pauvres. Le temps passait, et le grand-père n'aimait pas tellement les Américains ; déjà en 1918, ils avaient laissé les autres faire le boulot. Cela recommençait avec les Russes... On ne comprenait pas que tant de gens se méfiaient de ces bolcheviks. « Boches/bolcheviks. Pourquoi cette ressemblance ? Ces derniers n'étaient-ils pas avec nous contre les boches ? Nous, on ne comprenait pas. Et la famille se détacha de Pétain car avec lui les curés avaient l'air de pouvoir faire ce qu'ils voulaient. Et chez nous, on était anticléricaux... »

Gérard Belloin eut la grande déception de n'être pas présent quand il rata le spectacle de la tonte des Bléroises coupables de collaboration horizontale. Il approuvait ce châtiment... « Ces femmes étaient la honte du pays. » Le comportement de ces filles ne signifiait-il pas que les jeunes Français avaient manqué de virilité, ce qui avait été la cause de notre défaite. Par contre, coucher avec une Allemande – ce que firent des prisonniers – était une forme de revanche...

Âgé de quinze ans à la Libération, Gérard Belloin brûlait de se rattraper de n'avoir pas pu, en raison de son âge, participer à la Résistance. La guerre n'était pas finie et il fit sa préparation militaire au sein des Forces unies de la jeunesse patriotique... surpris d'y retrouver les JOC, Jeunesses ouvrières chrétiennes, qu'avaient formées les curés...

Or les plus en pointe dans le combat patriotique étaient les FTPF qui se posaient en dirigeants de la Résistance. « Et le critère d'appartenance à la Résistance se déplaçait : il avait de moins en moins à voir avec la part effectivement prise au combat contre l'occupant et de plus en plus avec la fidélité à l'esprit de ce combat et l'engagement dans les nouvelles luttes qu'il supposait. » Car, en amont de la trahison de quelques-uns, les « collabos », on se mit à parler des cagoulards, des croix-de-feu, des camelots du roi... Et la plupart de ceux qui évoquaient ces luttes « changèrent leur casquette et s'exprimèrent comme des militants communistes en continuité avec leur action pendant la Résistance ».

La haine de Belloin envers l'ennemi naquit avec le massacre de Maillé, un petit Oradour tourangeau, puis avec la révélation du nombre de résistants fusillés. « Elle avait une dimension plus tragique que celle des maquisards tombés les armes à la main, victimes des champs de bataille. C'étaient des héros. Et je fus particulièrement réceptif à la campagne lancée par le parti communiste sur le thème du parti des fusillés : soixante-quinze mille, selon les dires, soit la majorité des résistants tombés sous l'Occupation. »

Les mots d'ordre du parti sur l'alliance entre les paysans et les ouvriers, cette faucille et ce marteau, voilà qui comblait Gérard Belloin dont l'enfance avait souffert de leur antagonisme au sein de son foyer.

Stalingrad, le parti des fusillés, l'alliance du paysan et de l'ouvrier, l'URSS et ses kolkhozes d'où avait disparu la propriété privée, et la déchéance des « petits », voilà tout ce qui le conduisit à adhérer, à demeurer un militant enflammé, un vrai communiste.

Et pendant de longues années[71].

À ses *Mémoires*, il donne comme sous-titre : « L'enfance dure longtemps ».

Vivre la révolution, telle avait été bien sûr l'espérance d'une partie de ceux qui, tel Belloin, avaient adhéré au parti communiste après 1945. À cette date, de Gaulle avait refusé à ses dirigeants les postes qu'ils revendiquaient au gouvernement : l'Intérieur, les Affaires étrangères, la Défense nationale, un choix qui révélait leurs arrière-pensées, car le « parti des travailleurs » ne réclamait ni les Affaires sociales, ni l'Économie, ni la Santé publique.

Illuminés de reconnaissance envers l'URSS qui a brisé la machine de guerre nazie, ces militants sont déçus par le mot d'ordre « réformiste » de Thorez : « Produire est aujourd'hui la forme la plus élevée du devoir de classe. » Quelle désillusion à l'heure où des démocraties populaires s'installent à l'Est[72]. Lorsque le socialiste Paul Ramadier chasse les communistes du gouvernement, en mai 1947, ceux-ci s'imaginent qu'il s'agit là d'une péripétie et qu'ils reviendront « plus forts » au pouvoir, comme l'affirme Thorez quelques semaines plus tard à Strasbourg.

N'empêche : si une politique de rupture avec les gouvernements dits de la « troisième force » – ni gaulliste ni communiste – redonne un élan aux grèves révolutionnaires, comme en 1913 et comme en 1919, avec leur échec, « telle l'ombre qui s'allonge au déclin du jour, la prise du pouvoir paraît s'éloigner plus encore »[73].

Pourtant, jamais le parti de la révolution n'avait semblé si fort avec ses 814 000 membres. Sa présence active dans la vie intellectuelle où il exerce une sorte de dictature d'opinion, voilà qui, avec la gloire héritée de la Résistance, le prestige de l'URSS, fascine écrivains et artistes qu'en retour le « parti des 75 000 fusillés » valorise* ; il se veut l'incarnation de la France entière. Rien n'existe en dehors du parti : Roger Pennequin en témoigne : l'ayant quitté un peu plus tard, il découvre, surpris, qu'il existe des écrivains hors du parti communiste.

Comme l'a bien diagnostiqué Annie Kriegel, le monde communiste en France constituait vraiment une contre-société[74].

Ses intellectuels fulminent lorsque paraît l'ouvrage de Kravchenko, *J'ai choisi la liberté,* qui révèle l'existence de camps de concentration en URSS. On retrouve alors les accents haineux de l'accueil à Martov, à la Grange-aux-Belles en 1919 (voir p. 86). Livre outrageant pour l'URSS du fait qu'en pleine guerre froide, il a été d'abord publié aux États-Unis, qu'il était ainsi nécessairement calomnieux. Comment croire que le pays qui, allié aux démocraties, a vaincu le nazisme, puisse receler des camps de concentration ?... Et de fait, il n'y avait pas que les communistes qui raisonnaient ainsi... Si *Les Lettres françaises*, l'hebdomadaire communiste, perdirent le procès qu'elles firent à Kravchenko, « c'est que la justice, en France, était encore bourgeoise ». Et l'on ne voulut pas croire David Rousset, ancien déporté de Mathausen, pas plus que Margaret Buber-Neumann qui confirmèrent ses dires : ils gagnèrent aussi leur procès. Mais cela ne changea rien aux certitudes des croyants.

Et puis, qu'en était-il de ces témoins russes ou ukrainiens convoqués d'on ne sait où par Kravchenko et qui ne savaient

---

* De fait, le nombre de fusillés en France tourne autour de trente mille, et, bien sûr, ils n'étaient pas tous communistes...

même pas au nom de quoi et pourquoi ils avaient été condamnés. Ils étaient forcément coupables « quelque part »[75]...

À vrai dire, c'était l'État-parti, omniscient, qui s'était chargé de définir leur nuisance, comme il avait défini celle des dirigeants condamnés avant guerre, y compris l'assassinat de Trotski, tous ces actes que la victoire avait légitimés. Et puis tout comme aux lendemains de la révolution d'Octobre, n'avait-on pas à nouveau accumulé les mensonges sur l'URSS : qu'après l'exécution de Toukhatchevski, elle n'avait plus de bons généraux, que l'alliance polonaise valait mieux que celle avec l'Armée rouge, que la preuve de sa faiblesse avait été fournie lors de la guerre de Finlande, etc. ?

Ainsi, ce ne fut pas la connaissance de la vérité sur le régime soviétique qui, une deuxième fois en France, a détourné les masses de l'espoir d'un changement révolutionnaire. Pas plus que ne le furent l'excommunication de Tito, les procès de Rajk ou de Slánský, les écrits de Soljenitsyne : tout au plus ils ébranlèrent, une à une, les certitudes des intellectuels du parti ou leurs compagnons de route. Pour beaucoup, selon l'expression de Louis Fischer citée par Jeannine Verdès-Leroux, « leur Kronstadt » fut bien Prague 1968 plus encore que le rapport Krouchtchev (1956)[76].

Ce qui a joué beaucoup plus, outre les soubresauts du monde soviétique et du parti lui-même, c'est que la société française a connu une formidable mutation à l'heure des Trente Glorieuses, que la classe ouvrière a diminué en nombre et en homogénéité et qu'elle s'est peu à peu dérobée sous les pas d'un parti dont le radicalisme verbal n'était plus que gesticulation après que, suivant les directives de Staline, sa stratégie eut déçu et désemparé l'avant-garde la plus combative. De sorte que celle-ci n'a jamais eu la possibilité de participer « au grand soir ».

Comment l'Allemagne est devenue nazie

À cette question qui taraude à la fois les Allemands d'aujourd'hui et leurs voisins s'en ajoute une seconde : comment une société civilisée, sans doute la plus cultivée d'Europe, a-t-elle pu, peu ou prou, participer à des violences criminelles à pareille échelle, exterminer une minorité pour une question de race ? Car s'il est clair qu'un antisémitisme latent existait bien dans ce pays – comme dans une partie de l'Europe d'ailleurs –, nul régime n'avait fait de la disparition des Juifs une priorité, sauf le nazisme. Ce qui ne signifie pas d'ailleurs que pour les Allemands ce fût une priorité, même s'ils se sont associés, et plus largement qu'ils n'ont voulu l'admettre après coup, à la persécution et au génocide ordonnancés par le régime.

Telles sont les conclusions qui émanent de l'analyse des meilleurs spécialistes de cette époque : I. Kershaw, E. Jaeckel, J. Habermas, O. Bartov, H. Mommsen, N. Frei, E. Johnson[1]. En outre, il ne faut pas omettre de rappeler que le régime a été également responsable d'une politique d'extermination des handicapés et, pendant la guerre, de populations de l'Europe centrale et orientale : Polonais, Tziganes, mais plus encore Biélorusses et Russes.

En réduisant les crimes nazis à un antisémitisme enraciné dans le passé allemand, D. G. Goldhagen atténue la responsabilité de la génération des années 1940 et, plus encore, il disculpe par omission ces Allemands-là de leurs autres crimes. On comprend que son livre ait eu du succès outre-Rhin*.

On sait qu'un violent ressentiment anima les Allemands contre les attendus du traité de Versailles – notamment la clause qui rendait leur pays responsable de la guerre. Ce ressentiment visait également ceux qui avaient accepté de signer le traité. On sait également que, dès 1923, le putsch Hitler-Ludendorff était une manifestation de colère, que la terrible inflation de 1923 et la brutale montée du chômage consécutive à la crise de 1929 ont achevé de déconsidérer les dirigeants de la république de Weimar, qu'ils fussent sociaux-démocrates ou chrétiens (le Zentrum) nourrissant ainsi les effectifs du parti national-socialiste. Mais, à enfermer ainsi la montée du nazisme dans cette période d'après Versailles, comme le fait E. Nolte qui, de plus, associe ses violences à une réponse aux crimes du bolchevisme, on fait l'impasse sur ce fait que la volonté de puissance du IIIe Reich puisait dans les programmes expansionnistes, voire racistes qui dataient de l'avant-guerre[2].

Il reste que les violences commises en Allemagne même, dès mars 1933, moins de deux mois après la nomination de Hitler à la Chancellerie, ont frappé par leur simultanéité et leur soudaineté.

Thomas Mann, qui a cinquante-huit ans en 1933 et vient de recevoir le prix Nobel, explique en mars précisément que « le besoin de revanche des Allemands sur le traité de Versailles ne

* Un phénomène voisin s'est produit en Russie durant les années 1990 lorsque la responsabilité de crimes commis par le régime communiste s'est déplacée de Staline vers Lénine, ce qui dédouanait autant qu'il se peut la génération encore en place à la veille de la perestroïka (*cf.* l'article de Maria Ferretti, « La mémoire refoulée », *Annales HSS*, 6-1995, p. 1237-1257).

pouvait être pris sur ceux du dehors, et que les nazis ont pris en compensation leur revanche contre leurs propres compatriotes ; la violence fut réservée avec une volupté extrême à d'autres, aux soi-disant ennemis de l'intérieur, aux Juifs, aux républicains, aux socialistes ; ce fut un *Versailles intérieur*, copie répugnante de celui de l'extérieur. Les 49 % vaincus du peuple ne sont pas moins impitoyablement maltraités, humiliés, ruinés, devenant des sans-patrie[3] ». Voilà pour 1933. Mais la suite ?

Comment les méthodes d'une minorité de nazis ont-elles pu subvertir une majorité d'électeurs puis imprégner en quelques années la quasi-totalité de la population, telle est bien l'énigme de cette Histoire.

Pour l'approcher – comme l'indique notre premier citoyen anonyme –, ne sont retenues ici que les expériences vécues qui se sont reproduites par centaines ; bien que singulières, elles ne sont pas anecdotiques. Grâce aux observations qu'a notées Sébastien Haffner, on a vraiment le sentiment d'entrer dans le vif du sujet.

Comment réagir ?

« Avec l'histoire fortuite et privée de ma personne fortuite et privée, je crois – et je demande qu'on n'y voie nulle outrecuidance – que je raconte une partie importante et inconnue de l'histoire allemande – plus essentielle que de révéler qui était l'incendiaire du Reichstag ou de rapporter les paroles échangées entre Hitler et Röhm. »

Ce témoignage de Sébastien Haffner, écrit en 1938, révélé en 2000, porte sur les années 1914-1933[4].

Gamin pendant la guerre, ce fils d'un fonctionnaire prussien suit la carte de guerre, comme ses camarades de classe, avec la même passion que plus tard il suivra les résultats sportifs, ou, en 1929, le cours du dollar... En 1918, premier choc, à douze ans : après tous les communiqués de victoire, celui des conditions de l'armistice ne parlait pas le langage lénifiant des derniers bulletins mais la langue impitoyable de la défaite. « Que cela pût nous arriver à "nous", comme le résultat d'une longue suite de victoires, mon entendement se refusait à l'admettre... le monde entier était devenu pour moi distant et hostile. »

Pendant quatre ans, la guerre avait eu lieu sur le territoire ennemi, le sol allemand était demeuré inviolé. De sorte que, pour la population civile, la révolution de 1918 eut un effet inverse de celui de la guerre. « À l'arrière, la guerre avait laissé notre vie de tous les jours intacte jusqu'à l'ennui, tout en fournissant à notre imagination une nourriture riche et inépuisable. Ce fut la révolution [de 1918] qui apporta de nombreux changements dans la réalité quotidienne. Mais elle laissait l'imagination en friche... Elle ne se présentait pas avec cette simplicité lumineuse... Ces crises, ces fusillades, ces grèves, ces cortèges, ces putschs restaient incohérents et confus. Impossible de comprendre. »

Or, juge Sébastien Haffner, moins de dix ans après et sans qu'on en ait, alors, pris conscience, les corps francs étaient « déjà » des Jeunesses hitlériennes. Dans sa classe, les élèves avaient fondé un petit club qui s'appelait la Ligue des coureurs de la vieille Prusse (*Rennbund Altpreussen*) dont la devise était : « Contre Spartacus, pour le sport et la politique. » La politique consistait, sur le chemin du lycée, à administrer une rossée à ceux qui se disaient favorables à la révolution.

Le sol se déroba à nouveau sous les pas du jeune Sébastien Haffner lorsque le seul homme qui émergeait par son talent de l'ensemble des hommes politiques, Walther Rathenau, fut assassiné.

Comme si « l'avenir n'appartenait plus aux personnalités hors du commun, mais seulement à ceux qui apprenaient à tirer... À croire que rien ne réussit de ce qui s'entreprend à gauche ».

Et voilà qu'en plus ces jeunes se débrouillaient mieux que les plus âgés lorsque l'inflation atteignit des sommets inimaginables en 1923. « D'un seul coup l'argent se trouva entre leurs mains... alors que mon père s'enfermait dans la devise : un fonctionnaire prussien ne spécule pas. Il n'acheta pas d'actions... et je trouvais subitement borné un homme si intelligent. » On assistait ainsi à l'effondrement de toutes les règles.

Or, à une époque où le sport commence à fasciner les foules, ce sont ces jeunes qu'on acclame comme champions allemands : « On ne remarquait pas qu'ils arboraient sans exception des rubans noir-blanc-rouge, bien que les couleurs de la République fussent noir-rouge-or. »

Stresemann avait été un des premiers à se moquer « de cette aristocratie du biceps ». Mais ce partisan de la paix avec la France était mort, et l'on sentait bien que, face à la crise, au chômage, le chancelier Brüning n'avait rien à offrir que la misère, la morosité et que son existence était liée à sa lutte contre Hitler dont « l'aura personnelle était parfaitement révulsive pour l'Allemand normal : sa coiffure de souteneur, son élégance tapageuse, son accent sorti des faubourgs de Vienne, ses gestes d'épileptique, et ses discours où se mêlaient plaisir de la menace, plaisir de la cruauté, projets de massacres sanglants [...], ne cessant de surenchérir, devenant de plus en plus dément, de plus en plus célèbre : le monstre se mit ainsi à fasciner [...] ».

Une fois, se rappelle Haffner, convoqué comme témoin, il avait rugi à la face des juges qu'un jour il prendrait le pouvoir, que des têtes tomberaient. Rien ne se produisit. Le président de la cour, un vieillard aux cheveux blancs, n'eut pas l'idée de faire emmener le témoin. Candidat contre Hindenburg, il déclara que la campagne était de toute façon en sa faveur : Hindenburg avait quatre-vingt-cinq ans, et lui quarante-trois : il pouvait attendre. Rien ne se produisit.

« Six SA avaient attaqué dans son lit un homme qui ne partageait pas leurs opinions, le piétinant à mort. Condamnés à mort pour cet acte, ils reçurent de Hitler un télégramme de félicitations. Rien ne se produisit. Ou plutôt si : les six assassins furent graciés. Les SA défilèrent triomphants. »

Cette impudence fascinait et les jeunes ressentaient bien qu'il voulait ressusciter le jeu guerrier de 1914-1918 et le « sac anarchique et triomphant » de 1923 même s'il disait le contraire. Les anciens combattants éprouvaient le même ressentiment que lui et il en jouait, les appauvris également. Les autres – sociaux-démocrates, communistes, chrétiens du Zentrum – étaient discrédités, qu'on vote ou non pour eux. Sa conquête du pouvoir semblait aussi inéluctable que la guerre quelques années plus tard.

Ce qu'il y avait de spécifique, observe Sébastien Haffner, c'est que les SA (chemises brunes) apparaissaient à la fois comme une force révolutionnaire – organisant des soupes populaires où

Figure 3 : *George Grosz,* Hitler le sauveur, *dessin, 1923.*

tous, riches et pauvres, mangeaient à la même table – et comme une force répressive, violente, dont les Juifs étaient les premières victimes. Mais autrement, la vie continuait comme avant, au moins en apparence.

Le choc, le vrai choc, ce fut la « lâche trahison » de tous les chefs de parti auxquels, aux élections de mars 1933, s'étaient confiés 56 % d'Allemands. Derrière leurs « rodomontades », les communistes préparaient l'exil de leurs hauts fonctionnaires, les sociaux-démocrates avaient « couru derrière les nazis en soulignant qu'ils étaient de bons nationaux », et Otto Braun, leur homme fort le 4 mars, veille du scrutin, passa la frontière suisse. Les députés accordèrent leur confiance au gouvernement en chantant le *Horst Wessel Lied* : le compte rendu parlementaire note : « Applaudissements sans fin dans la salle et les tribunes ; le chancelier Hitler lui-même, tourné vers les sociaux-démocrates applaudit. »

Alors Sébastien Haffner décide de livrer un duel à cet État puissant, impitoyable, lui, « petit individu anonyme et inconnu ». Pas de l'affronter sur le terrain politique car il n'est ni un militant ni un conjuré, moins encore un ennemi de l'État puisque juriste conseiller référendaire : mais pour préserver sa personnalité, sa vie privée, son honneur que cet État attaque sans arrêt. Car cet État veut le faire renoncer à ses amis, s'ils sont juifs, lui faire abjurer ses croyances, ses convictions, l'obliger à saluer d'une façon dont il n'a pas l'habitude, à employer ses loisirs à des activités qu'il exècre… « et tout cela en manifestant un enthousiasme reconnaissant ».

La première passe d'armes fut une défaite, pire, une défaite pas même ressentie comme telle. Sébastien était dans le Grünwald avec sa petite amie, Charlie, qui se trouvait être juive ; tous deux se bécotaient gentiment quand passe une patrouille de SA, des garçons gais aux voix claires qui nous lancent comme un salut joyeux : « Mort aux Juifs. » « Dans les bras de cette jolie fille, on réclamait notre mort ; certes nous n'en sommes pas morts, et ils ont passé leur chemin. »

Vendredi 31 mars 1933, « je me rendis à la bibliothèque, comme si c'était un jour ordinaire et m'installais à ces longues tables et feuilletais des recueils de jurisprudence… J'aime l'extrême silence qui y règne, […] on y est comme dans un alambic. Nul souffle d'air extérieur… Quel fut le premier bruit nettement perceptible ? Une porte claquée ? Un cri rauque inarticulé ? Un commandement ? Tirés brusquement de leur travail, les présents tendirent l'oreille, dans un silence de peur et de tension. Dehors on entendit une cavalcade. Quelques personnes se levèrent, allèrent à la porte, revinrent. "Les SA…" Puis un autre, sans élever la voix : "Ils jettent les Juifs dehors" ; et deux ou trois personnes se mirent à rire. Ce rire fut à l'instant plus effrayant que la chose elle-même : dans un éclair, on comprenait que dans cette pièce, comme c'était étrange, il y avait des nazis : des référendaires comme moi ».

Ici, à la bibliothèque du tribunal, les huissiers montraient par toute leur attitude leur désir de s'effacer. Un ou deux allumèrent même une cigarette. Cela aussi c'était la révolution.

Tout s'était fort bien passé. Pas la moindre atrocité. Les juges juifs avaient retiré leur toge et quitté la maison avec une modestie courtoise. L'un d'entre eux s'était rebiffé – il avait perdu un œil à la guerre ; les SA le rouèrent de coups.

« Puis la porte de la bibliothèque s'ouvrit bruyamment ; les huissiers au garde-à-vous étaient prêts à porter la main au képi. “Les non-aryens ont à quitter la boutique” [*sic*], dit le chef. Mon cœur battait. Comment sauver la face ? Ne pas faire mine, ne pas se laisser troubler... [...]

Un uniforme brun se planta devant moi :

“Êtes-vous aryen ?”

Sans même réfléchir j'avais répondu : “Oui.”

Un regard investigateur à mon nez et il se retira.

Quant à moi, le sang me monta aux joues. Je ressentis ma honte, ma défaite. J'avais répondu “oui”. Bon, d'accord, j'étais aryen. Je n'avais pas menti mais seulement permis une chose plus grave. Quelle humiliation, quelle honte d'acheter ainsi le droit de rester en paix derrière mon dossier, en répondant à n'importe qui sur quelque chose – aryen – à quoi je n'attachais aucune valeur.

Recalé à ma première épreuve, je me serais giflé. »

Les Allemands non nazis se trouvèrent bientôt dans un état de totale impuissance ; toute résistance collective était impossible, la résistance individuelle vouée au suicide. Ils étaient traqués jusque dans leur vie privée et les non-nazis étaient exhortés non à se rendre mais à se rallier, à trahir, à faire partie non des poursuivis, des prisonniers mais des poursuivants, des vainqueurs. Beaucoup ont succombé à cet appel, à moins de fuir dans l'illusion, celle de leur supériorité sur « ces novices rustauds dont la faillite était inéluctable ».

« Regarde les Russes, dis-je à mon père, il y en a qui ont préféré être garçons de café à Paris plutôt que conseillers d'État à Moscou. » Quelques semaines plus tard, botté, orné d'un brassard à croix gammée, Sébastien Haffner marche dans les rues de Juterborg chantant en chœur avec les autres... « Dans les rues, les gens levaient le bras devant le drapeau ou disparaissaient en vitesse dans l'entrée d'une maison. Ils faisaient cela parce qu'ils avaient appris que nous, donc moi, allions les rouer de coups s'ils s'abstenaient [...]. Cette situation contient dans une coquille de noix le IIIe Reich tout entier[5]... »

La période de son service militaire ainsi achevée, Haffner put, dans l'entre-temps, faire viser son passeport ; bientôt il réussit à s'exiler en Grande-Bretagne où il devint journaliste à *The Observer*.

D'autres avaient fait de même, forcés ou contraints, telle Charlie sa petite amie juive, et bien d'autres Allemands juifs. D'autres aussi qui ne l'étaient pas. Sans défense, ils n'étaient pas sans honneur. Tel le jeune social-démocrate de Lübeck, Herbert E. K. Frahm, qui s'exile au Danemark, puis en Norvège où il prend le nom de Willy Brandt. S'exilent également, aux États-Unis, juifs ou non, ceux qui, pas anonymes ceux-là, jugent ne plus pouvoir travailler librement, ces cinéastes et autres écrivains ou artistes, tels Karl Jaspers, Thomas Mann, Bertolt Brecht, Max Reinhardt, Fritz Lang, etc.

Celui-ci était le cinéaste préféré de Hitler qui apprécia, entre autres, les *Nibelungen*, qui faisait vibrer le sentiment national allemand. Goebbels et lui savaient parfaitement qu'il n'était pas de souche aryenne, mais ils n'entendaient pas s'en séparer pour autant. Et puis sa compagne et scénariste Thea von Harbou n'était-elle pas nationale-socialiste ?

Fin mars 1933, Goebbels convoque les gens de cinéma à l'hôtel Kaiserhof pour les informer des axes de sa politique artistique, pour apaiser ce monde, où les Juifs étaient nombreux. Goebbels voulut convaincre Lang de participer à cette aventure, d'en prendre la tête. Celui-ci demanda un délai de réflexion, et, secrètement, quitta le pays le soir même.

De fait, il avait une connaissance parfaite de ce qu'était le nazisme, même s'il l'avait exprimé de façon allégorique dans *M le Maudit* (1931). Inspirée d'un fait divers, on connaît cette histoire de gamines assassinées à Düsseldorf : devant l'impuissance de la police, les truands eux-mêmes finissent par intervenir car toute cette agitation les empêche de « travailler ». Avec l'aide de l'organisation des mendiants, les bas-fonds trouvent le criminel, le condamnent à mort mais la police intervient à temps pour prévenir l'exécution de la sentence et faire juger le criminel : est-il seulement responsable ?

À la suite de S. Kracauer, on a pu voir dans ce film une sorte de reflet de la société, les truands représentant les nazis et leur chef, Shrenke, le Führer. De fait, grand amateur de cinéma, Hitler a été fasciné par la figure de Shrenke et un regard attentif aux actualités allemandes de 1931-1934 observe qu'il en a adopté certaines postures, par exemple sa manière de poser son coude, de s'interrompre quand il parle, etc. Or, dans le film de Lang, cette contre-société des truands n'est pas totalement affectée d'un signe négatif : il est vrai que le scénario est dû en partie à Thea von Harbou, la maîtresse de Lang, qui était nazie.

Lang n'en pense pas moins, il stigmatise ouvertement cette fois les nazis dans *Le Testament du docteur Mabuse* (1933).

Il venait d'être interdit par Goebbels parce que, selon lui, ce film prouvait qu'« un groupe d'hommes décidés à aller jusqu'à la dernière extrémité [...] peut bouleverser n'importe quel État par la violence ».

Fritz Lang est plus explicite : « À l'avènement de Hitler, je venais de tourner un film antinazi, *Le Testament du docteur Mabuse*, et ce film – où j'avais placé des slogans nazis dans la bouche d'un criminel fou – fut bien entendu interdit. Je fus convoqué par Goebbels, non pas comme je le craignais pour rendre des comptes au sujet de ce film, mais pour apprendre à ma grande surprise que le ministre de la Propagande du IIIe Reich était chargé par Hitler de m'offrir la direction du cinéma allemand. "Le Fürher a vu votre film *Metropolis* et a dit : 'Voici l'homme qui créera le cinéma national-socialiste.'"

Le soir même je quittais l'Allemagne.

L'interview avec Goebbels avait duré de midi à 14 h 30, les banques étaient déjà fermées. Je ne pouvais plus retirer d'argent. J'en avais juste assez chez moi pour m'acheter un billet pour Paris où j'arrivais sans un pfennig à la gare du Nord. Je retrouvais alors Erich Pommer qui avait quitté l'Allemagne juste avant moi[6]. »

Autre « grand » du cinéma allemand, plus engagé que Fritz Lang dans les milieux sociaux-démocrates et pacifistes (*Quatre de l'infanterie*, 1930, *La Tragédie de la mine*, 1931), Georg Wilhelm Pabst n'en décida pas moins de demeurer en Europe et de tourner en Allemagne sous le régime hitlérien : dans *Paracelse* (1943), les dialogues recèlent quelques relents nazis.

Dans le domaine théâtral seulement, environ quatre mille personnes – metteurs en scène, écrivains, etc. – quittèrent l'Allemagne au cours des grandes vagues d'émigration : 1933, 1938, 1940, après l'occupation d'une partie de l'Europe par les nazis. Plus d'un quart s'installèrent aux États-Unis.

Alors qu'un certain nombre tentèrent de refaire carrière dans l'industrie du film – indépendamment des cinéastes tels que Sternberg, Lang ou Pichel –, un grand nombre d'hommes de théâtre voulurent créer un théâtre d'exil représentatif « de la vraie Allemagne qu'avait détruite le régime nazi ».

D'une certaine façon, c'était refuser l'« intégration et l'assimilation » escomptées par les Américains.

Or, pour être reconnus des minorités allemandes germanophones et élargir leur audience, ces artistes durent modifier l'orientation de leur répertoire initialement centré sur un théâtre militant et d'avant-garde à vocation antinazie, produire des œuvres classiques avec une mise en scène traditionnelle ou encore des *Lustspiele*, comédies légères.

Et ainsi se renier.

Ou bien, tels Max Reinhardt, Erwin Piscator, Bertolt Brecht, essayer de transmettre aux Américains l'héritage de leurs pratiques. Mais il s'agissait souvent de spectacles connus pour leur gigantisme. En 1937, *Le Chemin éternel*, fruit d'une collaboration avec Kurt Weill, et N. Bel Gedden, spectacle de Max Reinhardt avec 230 acteurs et danseurs, d'après le texte allemand de Franz Werfel, racontait le périple du peuple juif fuyant les persécutions. Ce fut un fiasco financier. *Plus jamais la paix* d'Ernst Toller fut une pesante satire du régime nazi. Son échec confirma l'impossibilité pour les artistes allemands de faire apprécier leur production aux États-Unis[7].

Il est vrai que, comme critique d'un régime autoritaire, *Plus jamais la paix* n'avait ni la légèreté ni l'humour de *La Soupe aux canards*, avec les Marx Brothers (1933).

Quant aux intellectuels qui choisissent l'exil, ils avaient depuis longtemps pris la mesure de ce que serait le règne des nazis, sans imaginer pourtant l'autodafé de 1933 qui visait l'œuvre de bon nombre d'entre eux ainsi que celle des Allemands de confession juive.

D'Albert Einstein à Jacob Wasserman, de Walter Benjamin à Sigmund Freud, ou à Stefan George, beaucoup moururent en exil ou se suicidèrent. D'autres, incarcérés, furent assassinés ou se donnèrent la mort, tels Erich Mühsam ou Carl von Ossietski.

Un autre intellectuel, d'une famille juive assimilée, l'historien Ernst Kantorowicz, adopte une attitude tout à fait différente. Menacé par les lois raciales, il proteste, non contre les mesures antisémites prises par le régime, mais parce qu'on les lui applique. Il fait valoir qu'il est un ancien combattant engagé volontaire en 1914, qu'il a été membre des Freikorps contre les Spartakistes en 1919, et à nouveau contre les soviets de Munich. « Ma loyauté profonde envers ma patrie allemande atteste d'une attitude enthousiaste envers le nouveau régime [...] qui va bien au-delà de l'attitude commune. » Après la Nuit de cristal, en 1938, il doit néanmoins émigrer aux États-Unis où, au nom de l'indépendance des universités, et bien qu'anticommuniste, il s'oppose au maccarthysme. En 1949, il persiste et signe, en qualifiant de martyr celui qui, en 1914, est mort pour sa patrie[8].

À côté, un grand nombre décida de demeurer sur place pour procéder à une résistance active, par la plume ou autrement, tels Gunther Weisenborn, qui en 1953 publia *Der lautlose Aufstand* (« La révolte silencieuse », traduit sous le titre : *Une Allemagne contre Hitler*), Peter Suhrkampf, etc., qui subirent une incarcération de plusieurs années.

Du récit de Sébastien Haffner suintent des indices sur le comportement des huissiers, de ses collègues, sur la rupture qui s'accrut entre quelques-uns de ses copains, jusque-là bons camarades. Sébastien Haffner a décidé de partir, de combattre le nazisme de l'extérieur comme journaliste émigré. D'autres avaient procédé comme lui.

Bernt Engelman résiste sur place.

Quelques-uns des traits qui émanent de son témoignage rejoignent ceux de Haffner : le nazisme pénètre les classes populaires par en bas, et, de façon plus feutrée, la contamination atteint des fonctionnaires, des classes moyennes.

Bernt Engelman est un enfant en 1933 alors que Haffner avait vingt-cinq ans à cette date ; son analyse pourtant le complète.

« Quand Hitler vint au pouvoir, rapporte-t-il, j'avais douze ans... Les années qui suivirent, les uns les vécurent comme des supporters loyaux, aveuglément ; d'autres accompagnèrent le régime par opportunisme, d'autres furent seulement dociles, considérant qu'obéir aux autorités était leur devoir ; d'autres demeuraient lucides mais fermaient les yeux en étant, en privé, contre tout cela ; d'autres furent d'innocentes victimes ; d'autres résistèrent prudemment, passivement ou courageusement, tel mon oncle Erich, major von Elken... Et moi ? [...] [9].

Je me rappelle que le 30 mai 1932, un lundi, en arrivant à mon lycée, dans le quartier Wilmersdorf à Berlin, un drapeau à swastika flottait à son sommet... Il y avait une grande agitation dans la cour... Un des vieux professeurs cria au portier : "Montez, et descendez-moi cela, c'est scandaleux [...]." Le portier, de mauvaise volonté, dit insolemment qu'il n'avait pas la clef pour monter au grenier... Des étudiants se mirent à rire, "Peut-être Hitler est déjà Chancelier... alors le drapeau restera là", "Il y a des têtes qui vont tomber", dit l'un d'eux... le portier approuva... Le professeur fit celui qui n'avait pas entendu. Puis ce fut le silence, là-haut, un homme décrochait le drapeau, le docteur Levy, notre professeur de français.

Deux heures plus tard, en classe, le docteur Levy nous écrivait quelques verbes irréguliers au tableau... Pour terminer sa liste, il ouvrit le deuxième battant du tableau : deux mots étaient écrits en grandes majuscules : Salope Juif. Ce mot nous était inconnu... Le docteur Levy hésita un instant, nous demanda qui avait écrit cela... Personne ne répondit. “Salope est féminin, il y a une faute. Et juif signifie *'Jude'*”, dit-il. Il effaça “Salope”, et à la place il écrivit “Manchot” Juif...

Ce mot, on le connaissait. C'était le surnom de nos anciens combattants qui avaient perdu un bras pendant la guerre. Comme le docteur Levy, à la bataille d'Arras.

L'après-midi, trois élèves des grandes classes vinrent déposer une plainte contre le docteur Levy. L'un portait l'uniforme des SA, les deux autres celui des Jeunesses hitlériennes. Il s'agissait d'une provocation car il était interdit de porter le moindre signe ou vêtement politique à l'intérieur de l'établissement. Le principal aurait dû appeler la police. Il écouta les plaignants. Le docteur Levy avait déshonoré leur drapeau et un Juif n'avait pas à se mêler d'affaires allemandes. Le principal promit de faire une enquête... Le docteur Levy fut suspendu temporairement. La nouvelle se répandit aussitôt comme un feu de paille... La plupart des élèves furent scandalisés mais les nazis ricanèrent avec satisfaction, et le jour même, battirent un jeune élève, Philipp Löwenstein, qu'ils laissèrent par terre, sans connaissance, ensanglanté... »

C'est à partir de ce jour que Bernt Engelman, fils d'un chrétien libéral, neveu du major von Elken, devint un opposant, alors qu'il est à peine adolescent. Sa conviction de 1933 ? « On peut toujours faire quelque chose face à la tyrannie. » Résistant, bientôt opérateur-radio dans la Luftwaffe, il est incarcéré à Dachau, transféré ensuite dans un autre camp et libéré, en 1945, par les Alliés.

Rarement, dans l'histoire, répression fut plus soudaine que celle qui s'abattit sur les opposants au nazisme, à peine un mois après que Hitler eut été nommé chancelier. L'incendie du

Reichstag, sans doute fomenté par Goering, servit de prétexte à la chasse aux communistes, mais ils ne furent pas seuls victimes d'arrestations arbitraires, par les SA le plus souvent, avant de connaître la déportation ou la mort. Les succès que le nouveau régime remporta dans sa lutte contre le chômage, dans son contrôle de la jeunesse, voire dans sa violente dénonciation du traité de Versailles, voilà qui brisa dans l'œuf toute possibilité de résistance de la part des opposants.

Dès février 1933, le chef des socialistes de Prusse E. Heinann était incarcéré ainsi que E. Thaelmann, secrétaire du parti communiste allemand ; il en alla de même de von Ossievski, prix Nobel de la paix, qui mourut dans un camp en 1938. Ce fut Goering qui, dès 1933, institua ces premiers camps tandis que Himmler inaugurait celui de Dachau le 22 mars 1933. En Prusse seulement, il y eut près de 30 000 arrestations dès le mois d'avril ; en juillet, il y avait déjà 70 centres de regroupement de détenus sans jugement. Le nombre des internés dans les camps de concentration atteindra bientôt un million. Avant que ne s'y ajoutent les étrangers, une fois les guerres de conquête commencées.

Cette soudaineté diffère d'avec la répression que connurent les ennemis du bolchevisme et des soviets. Car, en Russie, avant même que la guerre civile et sa double terreur – rouge et blanche – eussent multiplié les victimes, dès le printemps 1917 la violence avait émané des milieux populaires, le parti bolchevik l'encourageant, puis l'assumant dès la prise du pouvoir, et s'appliquant lui-même à éliminer par la violence ses rivaux politiques. En Allemagne, au contraire, celle-ci fut entièrement programmée par en haut, tout comme plus tard le pogrom de la Nuit de cristal contre les Juifs, dont furent chargés les SA en 1938. Or, dans les deux pays, l'exercice de cette violence évolua de façon inverse. En URSS, peu à peu, les instances du pouvoir devinrent le seul foyer de la terreur, alimenté il est vrai par les dénonciations. En Allemagne, au contraire, si les dénonciations jouèrent également leur rôle, les foyers répressifs se démultiplièrent : ici, à Breslau, un camp de concentration s'ouvrait à l'initiative des SA ; là, à Stettin, à celle d'un Gauleiter, ailleurs des

SS, mais partout dans le sens des desiderata du Führer, « son autorité charismatique se superposant à la domination bureaucratique de l'État » (I. Kershaw). Elle suscita cette émulation.

L'impuissance des dirigeants classés au centre ou au centre gauche accentua le désarroi des militants antifascistes. D'abord, après les échecs de 1919, ils n'osent pas toujours répondre à la violence des SA et, de toute façon, ils sont moins jeunes et moins aguerris qu'eux. En outre, la croyance à gauche et dans les milieux politiques qu'éventuellement au pouvoir « Hitler n'y fera pas long feu », voilà qui rend compte en partie du diagnostic et de la position adoptés par le KPD communiste et par le Komintern : l'ennemi principal de la classe ouvrière ne serait pas le « fascisme de type hitlérien », mais « les sociaux-fascistes, aile gauche du mouvement de Hitler » (Franz Neumann). En outre, le ressentiment des communistes allemands contre les sociaux-démocrates qui ont tiré sur eux en 1919, et les ont à nouveau pourchassés en Prusse où ils régnaient, conforte encore cette attitude. Elle n'en décourage pas moins les manifestants ouvriers désemparés devant la stratégie et la division de leurs dirigeants.

Dans son admirable *Sans patrie ni frontières*, Jan Valtin rapporte comment Hans Westerman, dirigeant des marins de Hambourg, convaincu de l'impossibilité de préparer un soulèvement après une si soudaine répression, est alors exclu du KPD (parti communiste), puis dénoncé par ses anciens camarades et arrêté par les nazis : il se suicide au camp de Fuhlsbuttel.

Les organisations ouvrières démantelées, des noyaux passèrent à la lutte clandestine, les plus durs parvenant à survivre, mais d'autant plus désespérés que la grande majorité des travailleurs se ralliait au régime, eu égard à ses succès sur le terrain social. Des dizaines de procès détruisirent, peu ou prou, ces noyaux : pour 1933 seulement, on compte 489 090 condamnés, le cinquième étant défini par les nazis comme condamnés politiques. En 1939, 300 000 Allemands étaient maintenus en détention comme sociaux-démocrates, communistes, syndicalistes ou anarchistes ; sans parler des Juifs.

Seuls étaient susceptibles d'exercer une action collective les milieux religieux. Mais en quel sens ? L'Église catholique était hostile à l'idéologie nazie mais un concordat habilement négocié avec le pape par le cardinal Pacelli – le futur Pie XII que les succès nazis fascinaient et qui avant tout était antibolchevik –, voilà qui neutralisa en partie l'hostilité du clergé. Il y eut néanmoins une réticence, une résistance qui se traduisit par l'internement de centaines de prêtres, par la fermeture d'écoles, ainsi que par la mort de martyrs qui s'étaient élevés contre le sort fait aux Juifs et aux handicapés, tel le prieur, Lichtenberg. Les Églises protestantes aussi s'élevèrent contre les mesures racistes du régime mais, au départ, elles se félicitèrent surtout, comme l'Église catholique d'ailleurs, du triomphe du parti nazi pour autant qu'il éliminait les formations marxistes, condamnait la décadence des mœurs et la subversion des esprits que sécrétait l'« art dégénéré » de l'époque de Weimar. Pourtant, le risque de voir les chemises brunes (SA) infiltrer le protestantisme, l'athéisme des Rosenberg ou Bormann contaminer la morale chrétienne, suscita un sursaut qu'incarne, entre autres, la création d'une Ligue de détresse animée par le pasteur Niemöller. Mais comme, plus tard, elle félicita le Führer pour ses succès extérieurs, ce discours de révolte fut toléré par le régime.

Des mouvements totalement oppositionnels tels la Rose blanche, le Cercle de Kreisau, clandestins nécessairement, se constituèrent pour combattre le régime. L'Histoire a rendu hommage au courage de leurs membres : au moins ont-ils semé pour une Allemagne qui retrouverait ses valeurs[10].

Alors qu'en France occupée, l'opposition fut considérée comme une forme de patriotisme, en Allemagne, dès que la guerre eut commencé, pour la majorité des Allemands, l'opposition fut identifiée à une trahison.

C'est au sein du peuple allemand qu'il fut le plus dur, le plus courageux, d'être un résistant.

Ralliés et enthousiastes

Les cas et expériences qui précèdent émanent d'individus plus ou moins hostiles au nouveau régime ou aux mesures qu'il a prises. En entomologistes, en artistes ou comme adversaires, ils n'en ont pas moins décelé la mécanique des ralliements ou des abandons. Pour résister, ils sont partis ou ils sont restés.

Mais d'autres individus ont adhéré au nazisme ou s'y sont ralliés ; à moins de s'adapter, de s'en accommoder.

Après guerre, peu s'en sont expliqués ; pourtant une enquête effectuée en 1970 faisait ressortir que, racontant leur vie, leurs souvenirs les plus heureux se trouvaient associés aux années 1936-1939...

Sauf pour les réprouvés, bien entendu.

Le récit de Sébastien Haffner, analytique, émane d'un jeune juriste de Berlin ; l'épisode conté par Bernt Engelman se situe également dans la capitale. Fils de fonctionnaire, il avait été appauvri brutalement par l'inflation de 1923. Il en parle ; il ne dit rien de la montée du chômage, pourtant vertigineuse, mais qui concerne moins les siens.

Or la montée électorale des nazis suit très fidèlement celle du nombre des chômeurs. L'accompagne la frustration des groupes sociaux que la concentration industrielle ou commerciale détruit peu à peu.

« En 1926, je dus abandonner ma boulangerie, écrit ce fils d'ouvrier, victime des pratiques à la juive (*sic*) de mes créanciers. On reçut une petite aide de la municipalité. Puis j'eus un emploi de porte à porte. Quand on pense aux mesures que le gouvernement rouge a prises, avec son inflation, ses impôts, j'ai perdu mes chances de gagner ma vie. En guise de gratitude de notre patrie, nous, soldats du front, étions gouvernés par de la pâte molle (*Nutzniesser*) qui n'en prenait pas moins jusqu'à notre dernier pfennig. Vous comprenez qu'ainsi trahis, aigris, nous ayons bien accueilli ces organisations paramilitaires, notamment le mouvement hitlérien. Des anciens combattants ne pouvaient que l'apprécier[11]. »

Plus ou moins, on retrouve des données similaires dans le pays tout entier. Trois études faites sur le terrain le confirment ; dans une ville du Hanovre par W. S. Allen en 1965 ; en Bavière par I. Kershaw en 1983 ; en Franconie par R. Gellately en 1990 ; elles permettent de percevoir avec plus de précision la gamme des comportements des individus, voire de groupes sociaux, pendant ces années-là[12].

À Thalburg (en vérité Northeim), une petite ville du Hanovre, de « onze années de République, onze années de misère » on rend responsable la social-démocratie qui, pour les petites et moyennes classes, a incarné successivement la capitulation devant le traité de Versailles, puis l'incapacité à gérer le pays. À l'écoute de son discours, c'est elle qui, pour le public, incarne le marxisme, K. Kautsky, E. Bernstein et V. Adler en Autriche ne cessant de dire que Lénine et les spartakistes l'ont trahi. De fait, pour un temps au pouvoir, la social-démocratie a recherché la conciliation avec les partis du centre et a combattu à la fois les velléités révolutionnaires, qui au reste ne sont guère présentes à Northeim, et les formations nationalistes.

Walter Zimmerlah, propriétaire de la librairie de la Grande Rose à Northeim, « un homme doux, estimé, réservé », est le premier habitant de cette cité de dix mille habitants à avoir adhéré au nazisme. Avant tout, il est antimarxiste. Revenu de l'étranger juste après le soulèvement spartakiste, « dans le train, pratiquement toutes les vitres étaient cassées, et alors l'inflation atteignait des proportions fantastiques. Quand j'avais quitté l'Allemagne (en 1912), Guillaume II était à l'apogée de sa puissance et de sa gloire. Je revenais pour retrouver ma patrie en ruine, sous une République socialiste[13] ».

L'activisme des jeunes, le chaos qu'évoquait aussi Haffner, le font adhérer aux Jeunesses hitlériennes : « Je n'y fus poussé ni par mon père ni par qui que ce soit. Je décidais de le faire parce que j'avais envie de faire partie d'une association de jeunes nationalistes. Les Jeunesses hitlériennes faisaient du camping, des excursions... Il y avait des gens de tous les milieux, on ne faisait pas de distinction de classe... Pas d'endoctrinement (en 1930), cela ne viendra qu'après l'arrivée de Hitler au pouvoir. » La solidarité et la violence de groupe, toutefois, jouent leur rôle puisqu'on comptabilise 37 bagarres à Northeim entre 1930 et janvier 1933. Le parti, bien subventionné par les magnats manifeste lui aussi un activisme inégalé : pendant un seul semestre de 1931, il monte 1 910 réunions, contre 1 129 les communistes, 447 les sociaux-démocrates, 50 le Zentrum chrétien. Défilés de chemises brunes, défilés de chemises blanches là où les uniformes sont interdits, musique et fêtes : il faut certes des moyens pour cela, mais radicalisme et mobilisation permanente contribuent à créer une dynamique qui soutient ce mouvement alors que la crise, le chômage, l'impuissance déconcertent les sociaux-démocrates au pouvoir, les désarment, trahissent leur impuissance. Ils avaient déclaré qu'ils contre-attaqueraient lorsque avait eu lieu le putsch, qui serait la réédition de celui de 1923 : mais il n'y eut pas de coup d'État, puisque les nazis avaient changé de tactique, joué le jeu démocratique et, à Northeim comme ailleurs, la République fut anéantie sans qu'un coup ni un coup de feu fût donné pour la défendre. Aucun ordre ne vint de la capitale. On retrouve ici l'effondrement déjà signalé à Berlin – ou ailleurs. Plus : le Reichsbanner allait être dissous : « Puisqu'on n'était plus assez fort pour se protéger, on ne pouvait plus demander aux sociaux-démocrates d'être fidèles. »

Sans effort, arrêtant un à un les communistes, les syndicalistes, les Juifs, les sociaux-démocrates, 13 % de ces derniers à Würzburg, 100 000 internés dès 1933, les nazis avaient instauré un régime de terreur que confortaient leurs premières réussites, c'est-à-dire la baisse radicale du nombre des chômeurs.

Majoritaires au Reichstag, les nazis imposèrent leur loi, localement, même là où ils ne l'étaient pas. « Adhérez au parti [nazi]. *Pensez à votre famille*, il n'y a rien à gagner à se montrer héroïque », disait Willy Brehm, petit fonctionnaire, responsable des sociaux-démocrates à Northeim. « Après mon arrestation, la plupart de mes amis de jeunesse et les amis de ma famille me laissèrent tomber. Ils faisaient semblant d'ignorer mon existence... ils ne me disaient même pas bonjour. J'ai perdu de bons camarades. Seuls quelques amis politiques me restèrent fidèles[14]. »

« *Pensez à votre famille...* »

Devant la crise que connaît l'Allemagne en 1923, puis avec l'occupation de la Ruhr et le paiement des réparations, enfin avec la crise de 1929 et la montée du chômage, le comportement des magnats des grandes familles nous est connu par deux œuvres maîtresses, l'une écrite, générale, l'autre filmique portant sur une seule famille. Toutes deux ont marqué les esprits.

La première, *Fascisme et Grand Capital*, écrite à chaud en 1936 par Daniel Guérin, fait de la montée du nazisme l'œuvre des grands industriels, Kirdorf en tête, également du magnat de la presse, Hugenberg, ancien directeur chez Krupp. Le parti de Hitler leur paraît le seul qui sache mobiliser les masses et faire contrepoids au parti communiste, prévenir la réédition des événements de 1919 ou de l'« Octobre allemand » en 1923. Or ce grand patronat, de fait, est divisé et des industriels, des négociants, dont Cuno, directeur de la Hamburg-Amerika Linie, n'adoptent pas tous une position ultra-nationaliste et craignent le socialisme affiché du parti nazi, de Strasser et Röhm notamment. Pourtant, avec le déclin du parti national allemand, plus bourgeois, moins plébéien, ne cessant de perdre des voix entre 1924 et 1932, le monde des industriels se résout à jouer la carte nazie en croyant qu'il finira par contrôler ses dirigeants.

Le second est le film de Visconti, *Les Damnés* (*La Caduta degli dei*) de 1969, qui analyse explicitement le comportement d'une grande famille, les von Essenbeck, juste après la prise du pouvoir par les nazis en février 1933. Quelques situations sont empruntées à l'histoire de la famille Krupp et l'intrigue montre comment le baron von Joachim, patriarche de la dynastie, invite son neveu par alliance, Herbert, un libéral, à abandonner la vice-présidence du groupe vu son mépris et son hostilité, de notoriété publique, envers Hitler. S'y perpétuer mettrait en danger la vie du groupe. Première concession : à Herbert on substitue Konstantin, le SA de la famille, vulgaire autant qu'il se peut, et qui sera assassiné par les SS pendant la Nuit des longs couteaux. Après la mort du patriarche, le deuxième fils, diabolique et dégénéré, manipulé aussi par son cousin SS, Aschenbach, commet l'inceste avec sa mère pour se saisir de son pouvoir : en leur union morbide se croisent le nazisme et le capitalisme.

En montrant ainsi la dissolution d'une famille attachée aux normes de la tradition, et que l'imprégnation du nazisme subvertit la morale privée en exaspérant le désir de conserver sa puissance – par tous les moyens –, Visconti juge qu'il rend compte « du stade auquel est parvenue la lutte de classes arrivée à son extrême conséquence, la monstruosité ». Ancien communiste, antifasciste, Visconti rejoint ainsi certaines conclusions de Daniel Guérin.

Le chef-d'œuvre recèle pourtant deux lapsus. D'abord la « menace » communiste est totalement absente du film et du drame. Surtout on note que le seul nazi véritable du film, Aschenbach, est également le seul personnage qui ne transige pas avec son idéal, qui ignore compromis et concession, alors que Herbert, qui ne suscite que sympathie, bienveillance, manque du caractère trempé de son cousin et cède à la raison d'État.

Il reste aussi, dans la réalité de l'Histoire cette fois, que, domestiqués par les nazis, les magnats surent s'associer aux entreprises de Hitler tout en demeurant les maîtres de leur empire. Tel Krupp libéré trois ans après sa condamnation par le tribunal de Nuremberg ; l'empire des magnats survécut à la défaite de l'Allemagne.

Ici ou ailleurs, témoigne en 1947 H. B. Givesius, qui était auparavant à la Gestapo, « il y eut beaucoup d'aigreur et de méfiance. Mais il y eut au moins autant d'enthousiasme et de dévotion, pour ne pas dire de fanatisme. Rarement une nation abandonna ses droits et ses libertés, comme le fit la nôtre[15] ».

Bientôt la *Gleichschaltung*, ce besoin d'être conforme aux autres, de s'aligner, devint un raz de marée. « Aucun de ces nouveaux zélotes n'aurait dit à un autre si son motif était l'idéal ou l'opportunisme. Mais tous savaient qu'ils ne pourraient plus longtemps rester en arrière. »

Norbert Frei a retrouvé un article de Rudolf Heberle, enseignant à Kiel, rédigé pendant la première moitié de 1934, et qui établit une sorte de typologie des argumentaires du ralliement et des modes d'adaptation au régime. « Certains, honnêtes mais d'esprit assez confus, ont très consciemment fait le sacrifice de leur intellect, et rompant d'avec une position antérieure, ils se sont ralliés, collaborent avec le nouveau régime très activement et essaient d'assimiler l'esprit national-socialiste. Une deuxième catégorie réunit ceux qui, à l'automne 1932, considéraient encore Hitler comme l'horreur intégrale, mais affirment depuis le 5 mars ou le 1er mai* qu'ils ont toujours été nationaux-socialistes, qu'ils ne s'étaient simplement pas rendu compte de ce que représentait le "mouvement" et que c'était exactement ce qu'ils voulaient depuis toujours. Certains se mentent à eux-mêmes, d'autres mentent tout simplement, mais chez d'autres c'est la pure vérité : ces derniers avaient vu en Hitler le chef d'une révolution plébéienne semi-bolchevique dont ils redoutaient qu'elle soit la ruine de la société bourgeoise et ils se sont aperçus, tout d'un coup, que Hitler voulait précisément la sauvegarde de cette

---

* Le 1er mai est déclaré jour férié et de la réconciliation des classes.

société bourgeoise... Ce sont les petits-bourgeois qui ont été particulièrement enthousiasmés lorsque ont été officiellement annoncés la fin de la période révolutionnaire et le début de l'évolution : les démocrates, les gens du Zentrum et le Volkspartei. Les opportunistes sincères, qui déclarent ouvertement qu'il faut hurler avec les loups et ne cherchent aucune idéologie pour se justifier, sont rares. Les opposants silencieux, qui se tiennent à l'écart de toutes les cérémonies publiques et ne disent qu'entre quatre yeux ce qu'ils ont sur le cœur, sont déjà plus nombreux. Les nationaux allemands et les conservateurs en font partie. Comme ils sont réduits à l'inaction, leur opposition est stérile. [...] Il ne me semble pas que se soit manifestée de véritable volonté de résistance, ne fût-ce que sous la forme de résistance passive, ailleurs que dans la classe ouvrière[16]. »

Des rêves révélateurs

L'énorme pression qui s'exerce sur ceux qui ne sont pas nazis ou qui se sentent vaincus s'est traduite par des rêves qu'a enregistrés Charlotte Beradt[17] dès 1933. « Ce que j'ai fait, écrit-elle trente ans plus tard quand elle regroupe ses notes, je l'ai fait en tant qu'opposante politique [communiste] et non en tant que Juive récemment désignée comme telle. »

S'ils ne proposent pas une représentation réaliste de la réalité, ces trois cents rêves éclairent néanmoins sur la réalité qui les a sécrétés.

Ils expriment en tout cas comment une domination totale s'est imposée aux Allemands.

Dans leurs activités sociales d'abord, avec ce rêve d'un directeur d'usine, social-démocrate par ailleurs, et fier de la bonne marche de son entreprise. « Goebbels vient dans mon usine. Il fait se ranger le personnel à droite et à gauche. Je dois me mettre au milieu et lever le bras pour faire le salut hitlérien. Il me faut une demi-heure pour réussir à lever le bras, millimètre par millimètre. [...] Quand j'ai enfin le bras tendu, il me dit :

Figure 4 : *Elles doivent exprimer leur joie d'avoir un tel Führer.*

"Votre salut, je le refuse" et se dirige vers la porte. Je reste ainsi dans mon usine, au milieu de mon personnel, au pilori, le bras levé. C'est tout ce que je peux faire jusqu'à mon réveil. » Ensuite il expliqua : « Cette honte, je la ressentis et cherchais du réconfort sur le visage de mes employés ; je n'y trouve même pas de la moquerie ou du mépris, juste du vide... »

Cette domination concerne jusqu'à la vie privée, jusqu'aux pensées intimes comme en témoignent ces autres rêves. Celui d'un médecin de quarante-cinq ans, tellement impressionné par le sien qu'il le nota, en rêvant ensuite qu'on l'accusait de noter ses rêves. « Après mes consultations, au moment où je m'apprêtais à m'allonger sur mon sofa, la pièce, mon appartement perdent subitement leurs murs. Effrayé je regarde autour de moi : aussi loin que je porte le regard, plus de murs aux appartements. J'entends un haut-parleur hurler : "Conformément au décret sur la suppression des murs du 1er de ce mois...". »

Or, en y réfléchissant, ce médecin trouva la cause de son rêve : le surveillant de l'immeuble était venu lui demander pourquoi il n'avait pas pavoisé... « Je l'avais calmé en lui offrant un schnaps et en pensant "entre mes quatre murs, non, je n'ai pas lu de livre interdit..." ».

Un autre rêve est celui d'une femme, jeune, instruite, choyée, sans profession. « Je rêve, raconte-t-elle, que le laitier, l'employé du gaz, le marchand de journaux, le boulanger, le plombier font cercle autour de moi et me tendent des factures. Je reste tout à fait calme jusqu'à ce que je découvre parmi eux, à mon grand effroi, le ramoneur (ramoneur : *Schornsteinfeger*). Ramoneur, c'était le mot que dans le langage secret de notre famille on utilisait pour désigner un SS à cause des deux "s" et de son costume noir. Le bras levé ils me tendent tous leur facture et crient en chœur : "La faute est indubitable". »

Elle connaissait la cause de ce rêve : la veille, le fils de son couturier s'était présenté en grand uniforme avec une facture, elle lui avait demandé ce que cela signifiait. Il avait répondu que ce jour-là il portait l'uniforme par hasard. Elle avait commenté : « Mais c'est ridicule. »

Ce rêve exprimait son sentiment de culpabilité, de peur également.

Dans les *Conversations avec Hitler*, publiées en 1940, Hermann Rauschnig rapporte que le chancelier aurait dit : « La cruauté impressionne, la cruauté et la force brutale. L'homme de la rue n'est impressionné que par la force et la brutalité. La terreur est la méthode la plus efficace en politique. »

Le capitaine Pfeffer complétait et disait à ses SA, en 1926 : « La seule manière pour les SA de s'adresser au public est la formation serrée... La vue d'hommes nombreux et en uniforme qui marchent avec la volonté de se battre impressionnera et parlera au cœur de façon plus convaincante qu'un texte ou un argument. Calme et efficacité donnent une impression de puissance. Des groupes qui sont prêts, corps et âme, à se donner à une cause, ne peuvent défendre qu'une grande cause, une cause juste[18]. »

Avant 1933, les nazis avaient commencé l'expérimentation de ces méthodes à échelle réduite pour impressionner leurs rivaux, et les jeunes s'en donnaient à cœur joie, les SA essentiellement, ces chemises brunes multipliant les bagarres, et, une fois le pouvoir acquis au sommet, aidant à chasser les élus non nazis. À Würzburg par exemple, ville de 100 000 habitants, ils opèrent 108 perquisitions, en mars 1933, et on compte bientôt 40 152 internés, seulement pour la Bavière.

Au nom de la lutte contre les communistes, la terreur instituée juste après l'incendie du Reischtag, qui leur est attribué (alors qu'il est le fait des nazis), s'étend ensuite aux sociaux-démocrates et aux Juifs.

Robert Gellately observe qu'à la différence des membres du parti, les SA étaient préparés à prendre le pouvoir. Ils savaient où étaient sociaux-démocrates et communistes à force de s'être frottés aux premiers, d'avoir identifié les autres. Ils se moquent des « lois d'avant », jouent les supplétifs de la police, encouragent celle-ci à être intraitable.

Quand Hitler décide de briser les SA qui deviennent des rivaux de l'armée et ordonne la Nuit des longs couteaux (juin 1934) où ils sont massacrés par la SS, la force de sécurité intérieure du parti, les non-nazis y voient la fin des violences désordonnées, la SS apparaissant comme une police qui apporte le retour à une vie normale.

De fait, la traque des opposants au nazisme, celle des Juifs deviennent l'affaire de la police et de la Gestapo, et moins des SA.

La nouveauté, c'est qu'alors que la police pouvait jusque-là procéder à des arrestations seulement pour assister le procureur, la police secrète d'État – Gestapo – n'a plus besoin de cette caution pour « protéger l'État » contre ceux qui, juge-t-elle, la menacent. En Prusse, Goering en charge d'abord Rudolph Diels, puis cette mesure est instituée en Bavière, etc., avant d'être centralisée sous la direction de Heydrich. Les effectifs de la Gestapo sont limités – 32 000 en 1944 – et le trait important est que *peu d'entre eux, à l'origine, étaient nazis* – 3 000 sur 20 000 étant des SS –, la grande majorité est composée de policiers qui, grâce à la collaboration des SA, puis la participation des SS, voyaient leur profession valorisée, leur action confortée, alors que la république de Weimar n'avait pas su les soutenir.

Heinrich Moller, par exemple, policier à Munich était, avant 1933, au dire de Walter Schellenberg, un policier spécialisé dans la traque des militants de gauche. D'origine paysanne, il avait gardé des manières rudes, « grossières » ; il disait : « On devrait mettre tous les intellectuels dans une mine de charbon puis la faire sauter [...]. » Il est clair qu'il aurait agi contre des hommes de droite de la même façon qu'il faisait avec des hommes de gauche. Il faisait tout ce qu'on lui demandait pour être apprécié de son chef, il l'aurait fait dans n'importe quel système. En 1943, il jugeait que le régime nouait trop de compromis... alors que le système soviétique savait aller jusqu'au bout. « En ce sens Staline est encore mieux qu'Hitler », me disait-il.

Il n'était pas membre du parti nazi en 1933, ni en 1937. Heydrich le savait et préférait que la Gestapo ne fût pas entièrement greffée sur les SS ou même sur le parti.

Pas nazis à l'origine, mais de plus en plus dévoués à la cause nazie, ces forces de répression ne sont pas aussi nombreuses qu'on l'imagine. Mais l'enthousiasme civique des uns aidant, l'opportunisme et la rancœur des autres s'y conjuguant, la Gestapo n'a pas tellement besoin d'indicateurs pour quadriller la société – en Franconie il y en a 1 200 en tout –, les dénonciations suffisent.

« Vous n'avez pas idée du nombre qu'on en reçoit. » Une pluie de dénonciations : telle est la constatation qui ressort de l'analyse des archives de la Gestapo à Würzsburg (Gellately) comme à Krefeld (Erich Johnson). À Würzburg et en Franconie, dès 1933, un bon nombre visent les Juifs, bien plus nombreuses sont celles qui concernent des citoyens allemands qui ont pu être en rapport avec eux, pour raison d'affaires ou toute autre[19].

Deux des dossiers ouverts par Robert Gellately décrivent des comportements qui n'ont rien d'unique, puisqu'on comptabilise 91 dénonciations voisines, seulement à Würzburg, une petite ville, 41 se révélant fausses après enquête.

Le premier cas de dénonciation vise à la fois Ludwig Frankental, un marchand « juif » qui avait acheté une entreprise de saucisses Schubel avant 1933, et son associée Erika Muller, une « aryenne ». L'entreprise ayant eu des difficultés, ils partageaient une chambre derrière le magasin qui avait gardé son ancienne enseigne, le nom de Muller et Frankental figurant en plus petit sur la porte du magasin. En 1936, Frankental fut accusé de camoufler son origine juive et de concubinage avec Erika – arrêtée par la Gestapo le 12 juin 1936. Erika déclara son innocence et exigea qu'un examen médical témoigne qu'elle était toujours vierge ; il n'y avait donc pas de délit à caractère racial. Les autorités nazies firent valoir, ensuite, qu'en ce cas, la loi ne devait pas seulement protéger le sang allemand mais l'honneur allemand. En 1938, une deuxième dénonciation fit valoir qu'Erika et Ludwig mangeaient ensemble et qu'au lavoir, leurs pyjamas et mouchoirs respectifs étaient lavés ensemble. Erika fut arrêtée, Ludwig disparut. Quatorze témoins furent convoqués. Le délateur se manifesta : il avait perdu sa place dans la firme Schubel quand celle-ci avait engagé Erika Muller, avant 1933, et il avait appris qu'elle allait la racheter à Frankental. Erika fut innocentée, et sans doute Frankental avait pu entre-temps quitter l'Allemagne.

Le comportement du dénonciateur, pas plus que celui des victimes, n'avait de connotation politique particulière ; le premier ne s'en saisissait pas moins de la situation créée par le nazisme et les lois de Nuremberg, par le climat qu'il savait favorable à la réalisation de son dessein – les seconds résistaient dans le cadre des lois, prenant même des initiatives, étant entendu que le prévenu juif, reconnu innocent, jugea néanmoins plus sage de disparaître...

Autre comportement également, celui d'une victime d'une délation qui résista aux autorités en manifestant clairement son désaveu des méthodes employées par le régime, et qui, sans appartenir à une famille politique particulière, résista bec et ongles aux mesures qui visaient toute personne aryenne qui continuait à avoir des rapports avec des collègues, amis, ou clients juifs, ou simplement des relations de voisinage. Tel est le cas d'Ilze Totzke.

Cette jeune femme avait vu ses études de musique interrompues à la suite d'un grave accident de la circulation. De son père, elle avait hérité une petite rente complétée par les revenus de la location d'un petit appartement qui lui permettait de vivre. Cloîtrée chez elle, elle souleva la suspicion et fut dénoncée : elle fit savoir qu'elle ignorait la religion de son locataire, mais l'instruction révéla qu'elle voyait de temps en temps des Juifs avec qui, autrefois, elle avait fait de la musique, mais des femmes seulement, de sorte qu'elle ne tombait pas explicitement sous le coup des lois raciales. Un voisin, convoqué, rapporta qu'elle ne le saluait pas en faisant « Heil Hitler ! », qu'elle sortait la nuit et que son chien aboyait au petit matin à son retour, ce qui le réveillait. Une troisième fois, elle fut dénoncée pour ignorance de la loi, sans précision. Finalement, elle fut convoquée à la Gestapo, en 1941, qui lui demanda pourquoi elle fréquentait des femmes juives. « Les actes qu'on commet contre eux ne sont pas équitables. Je n'appartiens à aucun parti et n'ai jamais été communiste. Je vis à l'écart parce que je ne veux rien savoir de ce qui se passe dans le monde. Mais mon docteur m'a dit que je devrais plus me montrer. »

En novembre 1941, il devint un crime, pour les Juifs et les non-Juifs, de manifester de l'amitié les uns pour les autres. C'est à cette date que commença la déportation des Juifs de Franconie.

Ilze Totzke n'en voulut rien savoir et aida un de ses amis à filer en Suisse. La Gestapo l'ayant encore convoquée, elle déclara que les lois de Nuremberg, pour elle, n'avaient pas de sens. Arrivée en Suisse avec cette amie, elles furent restituées aux Allemands par la police de ce pays. Ilze Totzke expliqua qu'elle avait agi par humanité.

Condamnée, elle fut déportée et ne revint jamais du camp où elle fut emmenée[20].

Ainsi, parler de la passivité, ou de la léthargie du peuple allemand devant les mesures prises contre les opposants et les Juifs est sans doute excessif. Il n'en existe pas moins une minorité d'individus qui contribuent à accentuer la répression, à collaborer avec la police, inversement une infime minorité d'individus qui manifestent leurs dissensions envers les mesures discriminantes prises à l'encontre des Juifs.

Mais la grande majorité manifesta une indifférence dont rend compte, sans doute, l'héritage antisémite, qui bien sûr n'explique pas à lui seul le succès de la politique d'extermination. Il a été montré que ce ne fut pas le racisme antisémite des nazis qui avait le plus aidé à leurs succès électoraux, mais le chômage, le rejet des dirigeants passés, identifiés à la social-démocratie, l'action entraînante d'un parti jeune et déterminé, etc. Dès l'année 1933, la terreur politique accompagna les succès du régime dans sa lutte pour résorber le chômage et revendiquer hautement contre les iniquités du traité de Versailles – le sort des victimes du régime ne fut pas une priorité pour le plus grand nombre d'Allemands.

Il ne le fut pas non plus, quelques années plus tard, quand adossée à tous les succès obtenus jusqu'en 1941 par son Führer bien-aimé, cette même nation fut confrontée à la campagne de Russie, aux bombardements, et à la crainte d'une nouvelle défaite.

Des massacreurs au cœur léger

Un grand nombre de Juifs avaient pu émigrer avant 1939, environ 130 000 ; avec la guerre, les frontières du Reich fermées, la loi retint ceux qui avaient entre seize et quarante-cinq ans, qui furent pour ainsi dire pris au piège. En outre, alors que jusque-là ils n'avaient pas été les seuls à être victimes du régime, désormais ils en deviennent la cible principale. Ainsi on a pu compter 229 décrets les concernant entre la Nuit de cristal (1938) et le début de la guerre ; 525 autres décrets furent promulgués jusqu'à leur extermination quasi totale (il demeurait 14 500 Juifs allemands en vie en juillet 1944, or déportation et extermination durèrent jusqu'au printemps 1945). L'un de ces décrets, en septembre 1939, leur imposait le port de l'étoile jaune « pour qu'ils ne puissent plus, en public, tenir des propos défaitistes ou hostiles au régime[21] ».

Sauf les épouses aryennes des Juifs qui manifestèrent aux cris de « rendez-nous nos maris » – et elles obtinrent satisfaction –, il n'y eut pas de protestation véritable contre la persécution – sauf individuelle ; et, indépendamment de la participation indirecte mais réelle des services chargés d'appliquer les décisions du régime, des scènes ignobles eurent lieu, tel le rejet de

Juifs portant l'étoile et qui voulaient, au hasard d'un bombardement, se réfugier dans un abri « interdit aux Juifs ».

Se débarrasser des Juifs avait été l'obsession de Hitler ; aussi il les avait laissés émigrer, gardant en otages ceux qui restaient avant de les déporter à l'Est, en Pologne dès que ce pays fut occupé ; puis on imagine de les transférer en Sibérie au milieu des 30 millions de Russes qu'on remplacerait, en Russie même, par des colons allemands. Mais la guerre ne s'achevant pas comme prévu à la fin de l'automne 1941, « les Juifs allaient payer de leur vie une campagne qui aurait dû se terminer en septembre » (P. Burrin). L'extermination fut menée sous l'égide des SS, des *Einsatzgruppen* (groupes d'extermination) tandis que se construisaient les chambres à gaz. Les Juifs soviétiques furent les premières victimes de masse ; suivirent ceux de l'Europe entière[22].

Les procès-verbaux de la conférence de Wannsee, qui entérine et met au point le processus d'extermination dès janvier 1942, permettent de mesurer la résistance des fonctionnaires et militaires chargés de l'exécution, et leur manière de faire : à cette conférence, on sait qu'entre eux les nazis s'expriment crûment sur ce qu'ils ont déjà fait ou comptent entreprendre, tandis que, vis-à-vis des militaires ou des représentants de l'administration, ils pèsent leurs mots. Cela peut laisser un doute sur la nature exacte de certaines mesures, sur le projet d'extermination de *tous* les Juifs européens, même s'il apparaît peu à peu que la discussion sur les procédures – transport, internement, expérimentation des gaz – ne laisse pas d'ambiguïté sur le sort qui attend le plus grand nombre. Or, si le non-dit couvre cette procédure d'extermination évidente, ceux qui essaient de la contrecarrer – juristes, militaires, diplomates – utilisent seulement des arguments de leur ressort : difficulté de réunir les wagons dans les délais, cas des couples mixtes, compétence des autorités civiles, etc. Personne ne pose le problème de fond, on ne proteste pas, chacun demeure dans le cadre strict de sa compétence, aménage les exigences du Führer, représenté à Wannsee par Heydrich, mais s'y conforme. Les protocoles de la conférence de Wannsee permettent ainsi de sentir comment une « décision » descend la hiérarchie administrative et quel est le comportement des acteurs institutionnels vis-à-vis d'un acte qui émane du pouvoir.

On a su, après coup, que juste à la fin de la réunion, devant un verre de cognac, selon Eichmann, Heydrich dit : « Dans le cadre de la Solution finale, les Juifs aptes au travail seront conduits en longues files, avec séparation des sexes, opération au cours de laquelle il est certain qu'une grande partie d'entre eux disparaîtra par réduction naturelle... » Et Heydrich continua : « L'effectif éventuellement restant devra être traité en conséquence, puisqu'il s'agira indiscutablement de la partie la plus résistante, représentant une sélection naturelle qui, en cas de libération, pourrait être le germe d'une renaissance juive. »

Eichmann : « Être traité en conséquence est une idée de Himmler ; sélection naturelle était son dada. "Être traité en conséquence", ici cela signifie "tués", "tués", certainement[23]... »

En vérité la politique d'extermination était déjà en route. En septembre 1941 avaient eu lieu, en Pologne, des massacres de Juifs expulsés de Hongrie, puis à Vilno et à Riga en octobre. En novembre avaient lieu les premières exécutions aux termes du décret condamnant toute sortie du ghetto de Varsovie sans laissez-passer. Celui-ci avait été fermé en novembre 1940 et grossi de populations venues d'ailleurs : en mai 1941 on y recensait 430 000 Juifs alors qu'à l'origine ils n'étaient que 240 000. L'enfermement, la maladie, la faim, les persécutions et les exécutions par les SS accomplissent alors leur œuvre tandis qu'une partie des hommes et des femmes sont déportés, surtout à Treblinka. En septembre 1942, il ne reste que 60 000 Juifs dans le ghetto de Varsovie. Se représentant une fin inéluctable, une Organisation juive de combat se forme en octobre et livre ses premiers combats lors d'une grande rafle en janvier 1943. Il ne subsiste alors que 40 000 Juifs survivants dans le ghetto. Le 19 avril 1943, une insurrection répond à une attaque des SS soutenus par la Wehrmacht.

Pour les insurgés, il s'agit de sauver leur honneur, de mourir debout.

« Sur un des bâtiments en béton ont été déployés, comme appel à la lutte contre nous, les drapeaux juif et polonais. L'affaire des drapeaux avait pour nous une grande importance politique et morale, témoigne le général SS von Stroop, chargé de la répression. Les drapeaux et les couleurs nationales sont un instrument de combat de même importance qu'un canon rapide, qu'un millier de canons même[24]. »

« La situation est d'un grotesque achevé, écrit Goebbels dans son *Journal* le 25 avril 1943. Les Juifs ont essayé de quitter le ghetto en passant par des souterrains, qu'on a inondés. [...] Il est grand temps d'éliminer au plus vite tous les Juifs du gouvernement général. » Le 1er mai, il juge devoir signaler, toujours dans son *Journal*, « que des combats extrêmement durs se déroulent à Varsovie entre nos forces de police et même la Wehrmacht et les Juifs révoltés. [...] Le haut commandement juif va jusqu'à publier un communiqué quotidien. Cette plaisanterie ne va pas durer longtemps. »

Elle a duré vingt-sept jours ; les chefs de l'insurrection se suicident le 8 mai, alors que von Stroop incendie le ghetto et transfère les survivants à Treblinka où ils seront exterminés.

Sur le front de l'Est, l'extermination prend d'autres formes.

En 1995, Eric A. Johnson, chercheur américain, eut un dernier entretien, à Cologne, avant de rentrer aux États-Unis. Il rendait visite à Alfred E., âgé de quatre-vingt-huit ans, ancien policier à Berlin. « Pour l'occasion il s'était mis sur son trente et un, avec un foulard autour du cou. [...] » Passé gardien à Dachau au cours de la guerre, « il avait su l'existence de chambres à gaz. [...] Évoquer ce passé lui était agréable, notamment le fait qu'il avait échappé aux Britanniques et aux Américains en rayant la mention de sa profession sur sa carte d'identité, qu'il me fit voir au cours de l'entretien.

[...] Il s'assombrit en décrivant la lutte sur le front de l'Est : “Ces partisans étaient des femmes et des enfants juifs [...]. On les abattait d'une balle dans la tête [...]." Un après-midi, son détachement de six hommes en avait exécuté trois cents : "Le plus dur était de patauger dans la fosse, au milieu des corps pour leur donner le coup de grâce..." Par trois fois il se leva, portant la main au milieu de son mollet pour indiquer jusqu'où le sang montait.

"Vous imaginez un peu", ne cessait-il de répéter. "Vous imaginez un peu[25] ?" »

Il est clair qu'à Wannsee la société civile avait été convoquée. Dans le cas de l'*extermination des handicapés* la mobilisation avait fait appel à des volontaires ou des semi-volontaires. Mais l'action ne fut pas aussi secrète que l'historique politique et administratif le laisserait accroire. Car si, d'un côté, le « secret » était bien ordonné par Hitler qui, pour que cette action fût efficace, voulait la rendre autonome des autres instances de l'État, alors que d'un autre côté, Goebbels faisait produire des films qui légitimaient le massacre des handicapés et qui montraient combien de jolies petites maisons l'État pourrait construire avec l'argent qu'on dépensait jusque-là pour faire survivre des incurables.

La colonisation des milieux médicaux s'enracine dans un contexte qui rend compte du fait que les pratiques de l'époque nazie héritent pour une bonne part de conceptions et de visées antérieures que le régime, et Goebbels notamment, a prises en compte en déclarant que le régime assurera « le triomphe de la biologie appliquée ».

À la Société d'hygiène raciale, née au début du siècle, on aborde ainsi les problèmes de l'avortement, de la protection sociale, pratiques et mesures qui, selon elle, « affaiblissent le corps social », parce que, en ce qui concerne l'avortement, ce sont des enfants de parents évolués dont la société se prive – car les moins éduqués n'osent y faire appel ; et, en ce qui concerne la protection sociale, on juge qu'elle favorise la survie d'êtres « de moindre valeur ». La Société est également hostile à l'union libre, hors mariage, telle que la préconise la bolchevik Alexandra

Kollontai dès 1909, parce que cette liberté sexuelle favorise la vulnérabilité aux maladies vénériennes.

Une haute figure de la science et du mouvement féministe allemand, Agnes Bluhm, participe à ce mouvement *völkish* favorable à la stérilisation des débiles et malformés héréditaires et, en 1933, elle applaudit à la victoire des nazis[26].

L'attitude des milieux médicaux envers les handicapés constitue un révélateur qui permet d'observer comment ces milieux ont concouru au succès de la politique d'extermination.

Paul Weindling a bien montré que, sous la république de Weimar, dans le chaos de la lutte politique entre partis, syndicats, etc., des chercheurs et des savants, tels ceux du Kaiser Wilhelm Institut, spécialisé en eugénisme, en anthropologie et dans les problèmes de l'hérédité, ont réussi à étendre peu à peu le champ de leurs compétences, s'assurant notamment le contrôle, au ministère, de certains secteurs de la politique de la santé. Ces savants comptaient parmi eux des membres de toutes les confessions et opinions politiques et ils étaient loin de proposer les solutions qu'allaient préconiser les nazis. Plus encore, au sein de l'Institut, dès que le pouvoir administratif reprit le dessus sur le pouvoir médical, juste avant 1933, on se méfia de la mainmise politique, notamment des nazis. Mais, dès 1934, il y eut une pression permanente des nouvelles autorités sur l'orientation et sur la nature des recherches à l'Institut. Pour sauvegarder son autonomie et préserver ses conquêtes dans le domaine de l'administration sociale des malades, l'Institut suivit des directives qui ne correspondaient que pour une part à son programme. Il les appliqua avec zèle[27].

Ce furent d'autres institutions et instances qui furent chargées, dès l'été 1933, de la prévention de la transmission des maladies héréditaires. Von Papen ayant fait observer à Hitler que l'Église était hostile à la stérilisation, Hitler lui répondit que « toutes les mesures visant à préserver le peuple étaient justifiées ». Ce fut le Führer des médecins, le docteur Wagner, qui mit en place les dispositifs nécessaires à l'application de ces mesures d'interruption de grossesse : « Aucun médecin ne sera puni », précisait la circulaire de 1934. Il y eut ainsi 84 524 demandes faites par les familles et les médecins, en 1934 ; le tribunal de la santé ordonna 56 244 stérilisations, 31 002 furent pratiquées.

Aussi secret que le décret laissant à Himmler le soin d'instituer un état d'exception « pour se débarrasser des Juifs et des Polonais » dans les territoires annexés à l'Est dès le 7 octobre 1939, l'ordre d'euthanasie ne fut pas confié au Reichführer SS commissaire du Reich chargé du renforcement de la race allemande, car il aurait été plus difficile d'application en territoire du Reich : il ne fut confié ni à la SS ni à la police. Ce fut le médecin personnel du Führer, Karl Brandt, le chef de la chancellerie et son adjoint Philipp Boulher, et Viktor Brack qui en eurent la charge. Ils rassemblèrent les médecins favorables à l'euthanasie, leur promirent une immunité pénale et chargèrent les docteurs Linden et Conti de répertorier les malades susceptibles d'être euthanasiés, encore que le terme fût impropre puisqu'il s'agissait d'une mise à mort. On testa les techniques du gazage par oxyde de carbone et, en 1939, cette opération coûta la vie à 7 000 handicapés mentaux ; or l'existence d'un arsenal juridique pouvait malgré la « volonté du Führer » freiner ou contrarier les opérations d'extermination. C'est d'ailleurs ce qui rend compte du fait que les premiers camps de la mort furent construits hors du territoire du Reich.

Toutes précautions ainsi prises, les massacreurs purent agir d'un cœur léger.

Le docteur Friedrich Mennecke, alors âgé de trente-cinq ans, pratiquait l'euthanasie au camp de Sachsenhausen. En 1941, il correspondait avec sa jeune femme, qui venait d'avoir un enfant, et il l'appelait « ma très chère petite maman » :

« Il est 17 h 45 et j'ai terminé ma journée de travail. J'ai établi aujourd'hui 95 fiches [...]. *Le travail marche comme sur des roulettes* parce qu'en général les en-têtes sont déjà tapés, je n'ai qu'à ajouter le diagnostic, les symptômes principaux, etc. Le docteur Sountag relève pour moi des indications sur le comportement des patients à l'intérieur du camp ; un surveillant me les amène – ça marche à la perfection. Je suis au camp ; ce midi au menu, il y avait de la soupe de lentilles au lard, au dessert une crêpe.

« 19 h 50 – Me revoilà chez moi ma petite souris. La première journée de travail est terminée [...]. Il y a eu d'abord une quarantaine de fiches à remplir sur un premier groupe d'aryens sur lesquels mes deux autres collègues avaient déjà travaillé hier. Sur ces 40, j'en ai fait 15 [...]. Après le repas nous avons poursuivi. J'ai fait 105 pat[hologies], Muller 78. Le deuxième groupe est composé de 1 200 Juifs qu'il n'a pas été besoin "d'examiner" dans un premier temps et pour qui il suffit de reporter sur les fiches les chefs d'accusation (souvent nombreux !) qui sont dans les dossiers. J'en ai déjà fait 17, Muller 15. À 17 heures précises nous avons arrêté pour le dîner : assiette de cervelas froid (9 tranches), beurre, pain, café. Coût 0 mark, sans ticket.

Tends-moi ta petite bouche pour que j'y pose un petit baiser pour te dire bonsoir et donne-moi ton c... pour que je le fesse et puis dors bien. À toi. »

En 1946, le docteur Mennecke fut condamné à mort au procès Eichberg pour avoir fait disparaître au moins 2 500 personnes[28].

La Wehrmacht, à son tour...

Dans le film *Idi-i-Smotri*, de Klimov (1985)[*], est reconstituée l'invasion de la Biélorussie par la Wehrmacht en 1941 : 628 villages furent brûlés, anéantis, leur population massacrée. 628 Oradour-sur-Glane. Les archives militaires allemandes nous disent qu'en octobre seulement furent fusillés, en Biélorussie, 10 431 prisonniers sur 10 949 « partisans ».

Qui peut croire que le commandement allemand fût étranger à cette tuerie hystérique, qu'elle répondait seulement à une nécessité militaire ? Et qui peut nier que les soldats y participèrent sans rechigner ? Certes, entre 1939 et 1945, 15 000 soldats allemands ont été exécutés pour désobéissance ou désertion au combat (contre une cinquantaine en 1914-1918), mais la crainte de sanctions disciplinaires par les supérieurs, croisée bientôt avec la peur de l'ennemi rendent compte de la férocité du comportement des soldats de la Wehrmacht[29].

Le grand intérêt du travail d'Omer Bartov est en effet d'avoir montré que l'évolution de la guerre en Russie rend compte pour

* « Viens et regarde », traduit : *Requiem pour un massacre*.

une part de la nazification de l'armée, de l'ensauvagement des Allemands.

Nous disons bien « pour une part ». Car déjà en Pologne, dès 1939, le martyr de toute une population était mis en œuvre, effet combiné successivement des bombardements de la Luftwaffe, puis des exécutions dues à la répression par la Gestapo et les SS, l'armée se tenant alors relativement à l'écart, et une certaine distinction étant encore retenue entre opérations militaires et guerre idéologique raciste. Celle-ci disparut et l'armée devint une simple receveuse d'ordres alors qu'elle était demeurée un pilier du régime.

Mais sur un autre terrain, en Pologne aussi bien, dès septembre 1939 furent appliquées les premières mesures de destruction des êtres considérés comme indignes de vivre, avec les méthodes qui furent appliquées plus tard lors de l'exécution de la Solution finale de la question juive.

Figure 5 : *Affiche soviétique : le sort de la Wehrmacht, 1942.*

L'ensauvagement des officiers et des soldats de la Wehrmacht, qui couvraient de plus en plus les opérations de la SS ou de la Gestapo, ne se limita pas à la guerre à l'Est. L'avaient précédé des massacres de Juifs en Serbie dans une opération dite « de représailles », l'accompagnèrent d'autres massacres en Grèce où, à Komeno en août 1943, 317 civils de tous âges et des deux sexes furent exécutés à la suite d'une attaque lancée par des partisans. Après coup, un des participants déclara qu'il y eut des protestations, mais que l'exécution eut lieu néanmoins. Mais on n'a guère écho de réticences quand il s'est agi de villages russes ou biélorusses, pour n'évoquer ici que les exécutions commises par l'armée. Ultérieurement la France eut sa part de massacres collectifs – Oradour notamment –, puis l'Italie aussi, et la terreur nazie, exterminatrice, passa à l'Ouest tout en se perpétuant à l'Est[30].

Quoi qu'il en soit, les débuts de la campagne de Russie contribuèrent à cette nazification de la troupe.

Ce qui y contribua fut d'abord le fait, comme le montre Omer Bartov, que contrairement à tout ce que l'état-major et les soldats de la Wehrmacht imaginaient, la croyance en la supériorité technique de l'armée allemande se révéla très rapidement une illusion : dès septembre 1941, la boue d'abord, la brusque immobilisation du matériel roulant, comme congelé à l'arrivée du grand froid, bloquèrent en partie l'avancée des blindés, camions, canons, etc. Ce que nous montrent bien certaines images du *Deutsche Wochenschau* tournées à cette date-là. Voilà qui transforme la guerre de mouvement, telle qu'elle fut menée en Pologne puis en France, en une série d'opérations totalement imprévues. Or à cette détérioration des conditions matérielles de la guerre correspondit, à l'inverse, une capacité des Russes non seulement à mieux répondre à ce défi climatique – meilleures bottes, chapka de protection, moteurs équipés contre le froid, etc. –, mais à manifester leur aptitude à se moderniser techniquement, ce qui, plus que tout, surprit les Allemands. Certaines images, là encore, traduisent leur effroi lorsqu'ils contemplent ces T.34, monstres plus puissants que leurs Tigres. Cette inversion, totalement inattendue pour les Allemands, rendit plus nécessaire que jamais une discipline de fer : le soldat craignant désormais autant les sanctions s'il n'avançait pas, que l'ennemi.

En échange, si l'on peut dire, de sanctions aggravées, le commandement toléra les exactions et les violences commises contre l'ennemi russe, les civils notamment, et ce fut « grâce à ce retour à l'état sauvage (*Verwilderung*[31]) » des soldats qu'il fut possible d'imposer cette discipline de fer au combat sans provoquer ni esprit de révolte ni mutinerie.

« Préservez votre sentiment de supériorité absolue sur l'infanterie russe, qui vous a toujours été inférieure et l'est encore. Combattez durement et résolument tout mouvement de panique. Ne vous laissez pas entraîner par des attaques de chars ennemis à abandonner vos trous antichars et ayez toujours à l'esprit que l'ennemi voit très peu de choses dans ses chars. Maintenez une discipline de fer dans vos rangs, même quand vos camarades sont tombés[32]. »

À ce passage à une guerre archaïque, pour des soldats que les campagnes de Pologne et de France ont gâtés, s'ajouta la rigueur de l'hiver 1941-1942 qui, devant Moscou, détruisit les derniers éléments modernes de la Wehrmacht. La diminution de la mobilité signifia manque de vivres et de vêtements. L'effondrement mental se combina avec un complet épuisement, les soldats n'ayant plus l'énergie de résister à la sévérité de l'hiver.

Ce retournement, cette « démodernisation » alors que la puissance matérielle était de plus en plus forte côté russe, « contraignent ainsi de nombreuses unités à creuser des tranchées, ce qui suscita un épuisement, une tension, une lassitude excessifs – beaucoup d'hommes ont été ensevelis à cause des tirs d'artillerie. Le fait qu'on leur avait promis quelques jours de repos alors qu'ils se sont retrouvés dans des conditions plus dures qu'auparavant a eu un effet particulièrement grave. Les hommes sont complètement indifférents et apathiques, souffrent pour une part de crises de larmes et ne pourront être remontés par des paroles. La nourriture se limite à des quantités faibles... les cuisines roulantes ne passant plus[33] ».

C'est pour surmonter les effets de cette démoralisation que le haut commandement, désormais sous la surveillance des nazis – et lui-même déjà suspect de défaitisme, doit instituer une discipline d'une sévérité que peu d'armées ont connue. On dispose d'un témoignage.

Le centre des condamnés de la Wehrmacht se trouvait à Torgau. Les conditions qui y régnaient sont décrites par un ancien prisonnier, Werner Krauss.

« On m'utilisa pendant un certain temps comme greffier dans la compagnie ce qui me permit de consulter les dossiers du tribunal et de prendre connaissance dans les détails des terribles jugements qui y étaient prononcés. On avait l'impression que "l'atteinte au moral de l'armée" était utilisée le plus possible afin de rendre les jugements très sévères (il s'agissait, par exemple, de personnes qui doutaient de la victoire finale et du succès des armes secrètes, qui regrettaient que le 20 juillet n'ait pas réussi, qui insultaient Goebbels ou Leys). De telles déclarations coûtaient entre trois et huit ans de réclusion tandis que le vol, par exemple, et uniquement en cas de récidive, n'était puni que de quelques mois de prison. Les cas les plus graves passaient devant la section des prisonniers de campagne (FGA) et ils étaient traités de manière très différente : dans certains cas, ils étaient systématiquement privés de nourriture et lorsque l'un d'eux s'effondrait durant le travail, il était condamné à mort pour objection de conscience ; ces hommes épuisés étaient alors fusillés ou pendus sur-le-champ [...].

Les traitements infligés aux détenus des camps de travaux forcés étaient pires. Ils étaient systématiquement éliminés par la sous-alimentation et les mauvais traitements. Lorsqu'on ramena de Finlande les prisonniers d'un camp de ce genre, on compta 75 % de pertes [...].

Environ une fois par semaine, les condamnés à mort étaient emmenés à Halle dans une voiture fermée pour être exécutés. Les soldats, eux, étaient fusillés à Torgau. Une des punitions préférées consistait à emmener un soldat qui avait été condamné à mort, puis gracié, avec les autres condamnés à mort ; une fois arrivé à l'endroit de l'exécution, lorsque tous les autres avaient été tués sous ses yeux, on lui révélait qu'il avait été gracié [...]. Le 4 avril 1945, le tribunal de campagne de Leipzig, installé à Fort Zinna, requit contre moi la peine de mort, mais la peine fut commuée en treize ans de réclusion. Je bénéficiais de l'estime de mes camarades de l'armée : mes cinq blessures et mes médailles me permirent d'échapper à la mort[34]. »

Les soldats de la Wehrmacht voyaient bien que, contrairement à ce qu'ils s'imaginaient, les Russes avaient été capables de disposer souvent d'un armement supérieur au leur, en qualité d'abord et bientôt en nombre. Le paradoxe fut bien que la propagande nazie fut efficace et habile au point de convaincre ces soldats qu'ils combattaient des « sous-hommes » (*Untermenschen*) et qu'ainsi équipés des sous-hommes feraient peser sur le peuple allemand une menace d'autant plus périlleuse.

Il fallait donc faire subir aux Russes ce qu'ils pourraient faire subir au peuple allemand et en exterminer le plus grand nombre.

57 % des prisonniers russes moururent en captivité, soit 3,3 millions, dont 2 millions dès le début de 1942.

Sans parler des civils.

Regard croisé sur Stalingrad

« Chaque jour, quelqu'un se suicidait quelque part ; chaque jour, quelqu'un devenait fou. » Ce récit de l'Allemand Theodor Pliever sur Stalingrad rend compte, telles les *Dernières Lettres de soldats* morts durant cette bataille, des épreuves que rencontrent les soldats de la Wehrmacht[35].

Pour Gnotke, ce simple combattant, le mot de Stalingrad ne disait pas grand-chose, rien de concret en tout cas. Ce jour d'automne, le brouillard couvrait tout... Son commandant, Vilshofen, s'était toujours battu avec ses chars sur ce front nord de Stalingrad... Il en avait envoyé vingt-huit au feu, il en était repassé vingt devant lui, il attendait les autres... Du dernier, il appela le capitaine Thomas qui lui confirma que ses hommes avaient d'abord réduit au silence une batterie russe, mais ensuite l'attaque s'était effondrée sous le feu des pièces voisines. L'opération avait coûté deux cents hommes – quatre chars avaient flambé, quatre autres allaient être remorqués. « Vilshofen fit stopper la remorque, alluma sa torche électrique et regarda à l'intérieur de la tourelle à travers le trou de l'obus... Le conducteur était à sa place, décapité. Jusqu'à la ceinture, il avait été comme écorché vif. Le squelette était apparu. Les poumons et le cœur étaient à nu, visibles. Les mains étaient intactes. On ne pouvait plus rien distinguer des trois autres hommes. Une espèce d'écume sanglante tapissait l'intérieur de la cabine. »

Quelques jours après – nous sommes en novembre 1942 – Vilshofen interroge ses supérieurs qui viennent de faire sauter des dépôts de munitions. « Sur ordre, ils n'étaient pas transportables... — Mais que signifie cet ordre du Führer de “faire le hérisson” ? — Cela veut dire que nous sommes encerclés[36]. »

Le récit de Théodore Pliever accable Hitler et le commandement. Résolument antifasciste, on peut juger qu'il est écrit au goût du jour, durant les années 1950, lorsque cet écrivain de l'Est réécrit l'Histoire, attribuant aux siens sur des faits vrais des sentiments qu'ils n'avaient peut-être pas alors. Car changer de sentiment n'a pas été le fait seulement de ceux qui, en Allemagne de l'Est, après 1945, sont devenus communistes. Bien des gens ordinaires se sont ainsi libérés du passé.

Or ce récit s'enchâsse très exactement dans ces *Choses vues*, que Vassili Grossmann notait lui aussi à Stalingrad, le jour même, et elles furent ainsi enregistrées avant la capitulation du maréchal Paulus en mars 1943. Elles recouvrent elles aussi les derniers mois de l'offensive allemande.

Depuis, on sait qu'après la victoire de 1945, V. Grossmann est passé à la dissidence, et qu'il est sans doute le premier écrivain soviétique à avoir osé comparer le régime communiste au nazisme. Ses Mémoires publiés en 1945 constituent ainsi le témoignage de celui qui était alors un simple combattant, un peu comme *Le Feu* d'Henri Barbusse le fut pour la guerre de

1914-1918, dont les anciens combattants dirent, après coup, qu'il fut bien le seul à avoir retranscrit ce qu'était la réalité de la guerre. Il en a été de même de Vassili Grossmann pour Stalingrad, le Verdun des Russes, des Soviétiques.

La plume de l'écrivain se fait volontiers lyrique, patriotique, russe, soviétique ; le nom de Staline n'apparaît jamais, seulement ici celui des commandants de divisions, la sienne et celle de ses voisins.

Ici rien à voir dit-il avec la dernière guerre qu'il a connue tout jeune au Kouban, avec les attaques des divisions de chars, le feu terrible de milliers de canons et de mortiers, les raids forcenés des armées de l'air. De plus, les avions transportent des masses d'hommes d'un secteur du front à un autre. « Dès la première nuit, des centaines d'ouvriers armés de mitraillettes, de mitrailleuses lourdes et légères occupèrent la ligne de défense du faubourg nord de l'usine “Barricades”. Ils se battaient au coude à coude avec l'unité de mortiers lourds commandée par le lieutenant Sarkissian qui arrêta une colonne de chars allemands. Ils se battaient dans le voisinage de la batterie antiaérienne du lieutenant-colonel Guermann dont la moitié des pièces tiraient sur les bombardiers allemands en piqué et l'autre moitié sur les chars allemands[37]. »

Des scènes similaires, Français et Britanniques les ont connues aussi, à Dunkerque, en mai 1940, et Robert Merle les a décrites dans *Week-end à Zuydcoote*. Lui aussi avait alors vingt ans, comme Grossmann à Stalingrad.

Cette autre scène, par contre, seul le front russe l'a connue. La bataille pour la grande cité prend des formes mobiles, souples – tantôt le jour, tantôt la nuit. Ou bien c'est une attaque concentrée sur une maison, ou bien plus de cinquante chars se ruent sur une position et reviennent dix ou douze fois à l'attaque en une journée. Une ou deux fois les chars ont dû reculer devant la résistance de l'infanterie. « J'en ai vu quatre avancer tout près, raconte Gromov, et je commence à en viser un. Il s'approche lentement comme s'il flairait quelque chose. Je tire. Fusil épatant, presque sans recul. Quant au bruit, il est terrible ; on a beau ouvrir la bouche toute grande, on reste assourdi [...]. Bref, je le rate. Et ils continuent d'avancer. Je vise une seconde fois. Ah, je suis plein de joie et de rage en même temps... Je suis bien tombé, une flamme bleue glisse sur la cuirasse de l'Allemand, rapide comme une étincelle. Une fumée monte, les Allemands dans le char se mettent à pousser des hurlements, leurs cartouches se mettent à exploser. Un de descendu ! Jamais je n'ai éprouvé quelque chose de pareil. Je peux regarder tout le monde en face... » Et Grossmann de commenter : « Ses yeux verts n'exprimaient aucune bonté : ce laboureur était devenu un destructeur de chars. »

Ces « choses vues » n'ont rien de fanfaron, de romanesque...

De fait, ailleurs, c'est le drame. « Par moments, le fracas des explosions engloutissait tous les autres bruits. Écrasée, la batterie du lieutenant Svistovn tint bon vingt-quatre heures. Le 24 août au soir, quatre combattants amenèrent leur commandant blessé. C'étaient les seuls survivants. [...] Dans les ruines de la ville, raconte Grossmann, Tchekhov avait repéré le chemin par lequel les Allemands se ravitaillaient en munitions et se faisaient apporter leur ravitaillement, ainsi que l'eau pour boire et se laver. Ils mangeaient froid : pain et conserves. [...] À l'heure du déjeuner, ils ouvraient pendant trente ou quarante minutes un feu intense de mortiers, puis ils criaient en chœur : “Russes, manger.” Cette invitation à faire trêve mit Tchekhov en fureur. Que les Allemands cherchent à jouer avec lui dans cette ville morte tragiquement détruite semblait épouvantable à ce garçon jeune et gai. C'était offenser la pureté de son âme. Il ne voulut plus leur permettre de déjeuner ou de dîner... Il ne voulut plus que les Allemands marchent dans Stalingrad ; et bientôt ils ne marchèrent plus, ils couraient. Et bientôt ils y rampaient... et ils ne criaient plus : “Russes, manger.”[38] »

Côté soviétique, une autre manière de voir la guerre que celle des Allemands changeait la nature de la bataille. Vassili Grossmann s'en explique.

Selon lui, les Allemands croyaient que de l'enfer qu'ils avaient créé ne pouvait naître que la panique. Ils se frottaient les mains de voir les pertes que subissaient les Russes. « Ils se voyaient progresser de façon géométrique... [...] Depuis la campagne de Pologne, ils parcouraient chaque jour des distances plus grandes [...]. En Europe, ils avaient avancé d'après les lois géométriques du mouvement d'une avalanche ; or, aux abords de Stalingrad, ils avançaient d'après les lois de mouvement d'un chariot montant une pente abrupte. »

Mais il y a plus.

Les Allemands pensaient toujours, selon V. Grossmann, que, déprimés par les échecs, les Russes ne leur opposeraient aucune force sérieuse pour défendre une ville située sur une rive abrupte, avec, dans le dos, un fleuve large de quinze cents mètres. Les Russes savaient en effet qu'ils avaient derrière eux la Volga. Mais ils savaient aussi qu'avec la défense de cette ville, il s'agissait du sort de la Russie.

C'est en cela que les combattants de cette bataille rappellent ceux qui se battaient, en 1916, à Verdun. Ils n'étaient plus des jeunes hommes qui partaient au front, à la victoire. Ils étaient devenus, comme le furent après coup ceux de Stalingrad, citoyens et gardiens de leur terre. Jugeant l'événement cinquante ans après, le député démocrate et historien Youri Afanassief estimait que cette « victoire » avait été, de fait, « une défaite de la liberté », car elle contribua à pérenniser encore quarante ans le régime soviétique qui en sortit renforcé[39].

Jugement émis avec le recul, et qui témoigne à quel point peut différer la vision de l'Histoire par ceux qui l'ont vécue, et par ceux qui l'analysent après coup.

Autant que la défaite, ce qui préoccupa Hitler après Stalingrad fut le comportement du maréchal Paulus et de son état-major. Et d'apprendre qu'ils s'étaient rendus aux Russes et pas suicidés. Le confirma dans sa méfiance envers le haut commandement, la création d'un Comité national de l'Allemagne libre par le général von Seydlitz, puis d'une Ligue des officiers allemands exhortant les soldats de la Wehrmacht à cesser le combat.

Cette méfiance datait de loin alors qu'à l'origine, lors de la Nuit des longs couteaux, en 1934, il avait anéanti la tête des SA, et fait assassiner Röhm, en partie pour que les SA ne soient plus les rivaux de l'armée, et pour que la Wehrmacht devienne un des piliers de l'État.

Sa nazification par le haut avait été entreprise dès 1933 quand le Führer remplaça le général Kurt von Hammerstein-Equord qui dirigeait l'armée de terre. Celui-ci avait déconseillé à Hindenburg d'appeler Hitler à la Chancellerie. Ses remplaçants, von Fritsch et Beck se prononçaient pour une interprétation restrictive de la collaboration de l'armée avec le nouveau régime. Plus traditionalistes, ils furent bientôt supplantés par Blomberg, le ministre de la Guerre, et von Reichenau. Devant les rivalités qui opposaient l'armée de terre, la marine, l'aviation, Hitler prit la tête de l'ensemble en choisissant deux collaborateurs qui reconnaissaient son génie, Keitel et Jodl[40].

Des résistances à cette mainmise étaient apparues néanmoins dès 1933. Elles tinrent d'abord à la sauvegarde de l'autonomie de l'armée, de ses modes de fonctionnement, de son esprit, de ses pratiques et de sa réputation. Ensuite, elles prirent la forme de complots, dès qu'il apparut que les projets du Führer constituaient une aventure guerrière qui rendrait une victoire allemande impossible : telle fut entre autres l'action du général Beck, suspendu pour avoir contesté un ordre du jour de Hitler qui annonçait qu'il abattrait la Tchécoslovaquie par une action militaire. Un complexe très large comprenant cette fois des éléments syndicaux, des membres des Églises, etc., organisa un attentat qui échoua le 5 avril 1943. Certains d'entre eux, sous la direction du commandant-colonel von Stauffenberg, mirent sur pied l'attentat de juillet 1944, qui eut lieu certes, mais où Hitler fut seulement blessé. Un des conjurés, le général von Gersdorff, rappelant le rôle du colonel Henning von Tresckov, qui le premier envisagea la mort de Hitler, indique que « ses ordres monstrueux, terrifiants, hors de toute juridiction édictée », lors de la campagne de Russie, constituèrent une des causes du complot « car le monde entier va nous traîner dans la boue[41] ».

Surtout, à mesure que la défaite de l'Allemagne se profile à l'horizon, dès la campagne de l'hiver 1941-1942 en Russie, dès Stalingrad, pour la plupart des généraux l'idée qu'il faut signer la paix avec les Anglo-Saxons pour se retourner – ensemble, espère-t-on – contre l'URSS, s'impose à tous. Sauver l'avenir de l'Allemagne avant le débarquement allié devient le motif principal du complot. Le débarquement a lieu, le complot échoue en juillet 1944, et le maréchal Rommel que Hitler admire et chérit, tente alors une tentative personnelle. Lui-même qui incarne la tradition militaire – et qui avait tancé son fils d'avoir voulu, tout jeune, adhérer au parti, « ce qu'un militaire ne saurait faire » – est fasciné par le Führer et il subit, comme d'autres, son ascendant. Il espère pourtant le convaincre d'abandonner la lutte sur deux fronts, de signer à l'Ouest. Le Führer lui répond que lui, maréchal Rommel, a le choix : se suicider et avoir les honneurs militaires, ou bien persister dans sa conduite et être fusillé, sa famille ainsi déshonorée. Le maréchal Rommel choisit le suicide.

« Je me trouvais alors fortuitement à la maison, en permission, rapporte son fils devenu antinazi entre-temps, lorsque mon père nous dit, à ma mère et à moi, que les SS viendraient le chercher. Effectivement, une voiture s'arrêta devant chez nous et mon père nous quitta, puis de la voiture nous fit un signe d'adieu de la main. »

Il avala une capsule de cyanure et Hitler lui fit des obsèques grandioses, avec pension à sa femme[42].

À ces obsèques, bien des généraux sont présents, en parfaite connaissance de cause. Se demandent-ils jusqu'où va le devoir d'obéissance ?

Le traumatisme de la défaite : Allemagne 1945

Le traumatisme ressenti par les Allemands lors de leur défaite, en 1945, a peu d'équivalents. Sans doute, les Français, en 1940, ont-ils été aussi frappés par un désastre, dont les suites – Vichy, la collaboration – cinquante ans après les divisent et les tourmentent encore. Mais ce qui diffère est bien la grande union qui s'est faite derrière le Führer – les opposants étant dès 1933 parqués dans des camps de concentration –, alors qu'en France, la guerre civile intérieure couvait, au moins depuis 1934, et les gouvernements dirigeants de 1939-1940 ne bénéficiaient pas de la confiance et de l'ascendant dont disposait le Führer. Même si le doute a saisi bon nombre d'Allemands sur les chances de victoire, et cela dès la fin de 1941, si des opposants se sont manifestés, dans les milieux chrétiens assez tôt, dans l'armée dès que la défaite est apparue inéluctable, l'ensemble du pays a tenu bon, et jusqu'à la fin les Allemands ont fait confiance à leur Führer, rejetant les fautes sur ceux qui l'avaient mal servi, Goering notamment : « Il a soigné sa brioche au lieu de maintenir l'armée de l'air au sommet. Si tout ce que nous possédons est en cendres, c'est sa faute. »

Le dernier rapport rédigé par les services de sécurité de la SS à la fin du mois de mars 1945 établit que depuis la percée soviétique jusqu'à l'Oder, « la communauté nationale est soumise à une épreuve de tension terrible. Il n'y a plus de différences entre l'armée et le civil, le parti et l'extérieur du parti, les gens simples et les plus instruits, les ouvriers et les bourgeois, ceux qui soutiennent le national-socialisme et ceux qui le rejettent ». « Personne ne veut perdre la guerre, tout le monde a ardemment souhaité que nous la gagnions, des centaines de milliers de femmes sont sans nouvelles de leurs maris et de leurs fils... On ne sait pas s'ils sont en vie, s'ils ont été depuis longtemps tués par des bombardements ou massacrés par les soviets. [...] Plus personne ne croit que nous puissions vaincre. Tout le monde sent que la guerre totale s'effondre sous les coups des bombardements aériens ennemis. [...] La dernière étincelle d'espoir – celle d'une arme secrète est en train de s'éteindre. [...] De ce désespoir général, on tire individuellement les conclusions les plus diverses. [...] On profite au jour le jour des plus petits plaisirs qui peuvent encore s'offrir. N'importe quelle occasion est bonne pour ouvrir une dernière bouteille, que l'on avait mise de côté pour célébrer la victoire, le retour de l'époux ou du fils. Beaucoup s'habituent à l'idée d'en finir. La demande de poison, de pistolets est partout importante... [...][43].

Si nous perdons la guerre, tout le monde est persuadé que ce sera notre faute, pas celle de l'homme de la rue, mais celle des dirigeants [...]. Nous n'avons pas mérité cela. Nous n'avons pas mérité qu'on nous conduise à une telle catastrophe. »

« *Nous n'avons pas mérité cela* », tel est le leitmotiv que révèle ce dernier rapport. On en retrouve le sens les mois et les années qui suivent. Ne se rappelant pas que Goering, après le bombardement de Coventry en 1940, voulait « *koventrieren* » c'est-à-dire détruire complètement les villes anglaises l'une après l'autre, ce qu'il commença à faire à Londres, à Hull, etc., après que cela eut été le tour de Rotterdam aux Pays-Bas, etc. – les Allemands « commémorent » les bombardements de Francfort et de Dresde par les Anglo-Américains en mettant, pour cet anniversaire, leurs drapeaux en berne. Ils se jugent bien victimes, pas coupables, et victimes plus encore ces SS et ces policiers qu'on redoutait et qui bientôt craignent de passer en jugement. Ce sentiment, les assises du procès de Nuremberg le confortent : n'y figurent en jugement que les dirigeants nazis et les chefs militaires, ce qui, d'une certaine façon, innocente le reste de la population allemande des actes qu'elle a pu commettre. Elle ne nie pas les crimes du Reich, mais que ce sont des crimes.

Ainsi tout un travail de dénégation s'effectue. Bientôt il peut s'appuyer sur la connivence des Américains dans leur hostilité commune au communisme, à l'URSS qui, en Allemagne, date d'avant la guerre et la défaite ; celle-ci devient l'un des piliers de l'avenir du pays, de sa reconstruction.

À l'Est, les sévices subis du fait de l'occupation soviétique permettent un transfert : les Allemands deviennent la proie de barbares venus d'Asie. L'antifascisme affiché des autorités communistes a pour fonction, entre autres, de dissocier le peuple allemand des crimes commis dans le passé – le génocide des Juifs autant que les massacres commis à l'Est et en Serbie – et de protéger la population de la culpabilité comme des accusations que les survivants, parmi les victimes, pourraient formuler[44].

Dès la fin de la guerre, Alexandre et Margareta Mitscherlich ont figuré parmi les premiers analystes à soigner des patients qui ne comprenaient pas les données et les origines de leur mal.

K., qui souffre de maux d'intestins et qui, viril, ne le supporte pas, ne comprend pas de se retrouver dans cet état : il se portait bien jusqu'à l'an dernier. Alors, doté d'autorité aussi, il croyait et se voulait protégé, et il a fini méprisé, abandonné, malade. Il ne comprend pas sa déchéance alors qu'il avait tout simplement obéi, ce qui est le premier devoir d'un bon citoyen. Quand il parle de ces dernières années, il a oublié que les armées allemandes ont envahi la Tchécoslovaquie, la Pologne, la Russie où elles se sont comportées de façon plus cruelle que sur le front de l'Ouest. Il ne se souvient que de la lutte contre les partisans, en Russie.

E. est pris de vertiges, de crises de sueurs. Il n'a été membre d'aucun groupe nazi, sauf durant son enfance. Il exprime sa haine des Allemands puisque ce nom a cessé d'avoir de la valeur. Il est de l'Est, et « leur » politique lui a fait perdre sa province natale, ses biens. Quand il parle des victimes du nazisme, il ne pense ni aux camps d'internement ou d'extermination, ni aux massacres commis à l'Est ou dans les Balkans, mais à ce qui lui est arrivé à lui, qui a perdu sa maison, à cause des crimes commis par d'autres Allemands.

Comme un autre patient, son mépris va aux habitants de la zone occupée par les Russes : il reproche à la RDA d'avoir un régime autoritaire – mépris qui aurait pu le frapper pour l'époque toute récente où gouvernaient les nazis[45].

Ainsi le traumatisme était double. Celui de la défaite et de ses causes d'abord, avec ce retournement qui faisait de ces hommes des vaincus honteux qui devaient faire bonne figure devant leurs enfants, garder une certaine autorité ; celui de la sourde culpabilité dont les vainqueurs essayaient de les convaincre même si, pour des raisons de politique générale, cela ne s'exprimait pas de façon identique à l'Est et à l'Ouest. Ainsi, en zone américaine, un large contrôle moral individualisé fut mis sur pied, les habitants de plus de dix-huit ans ayant à répondre à un *Questionnaire* dont Ernst von Salomon analysa les effets sur les Allemands : « Ce *Questionnaire* déclencha en moi un malaise profond, qui correspondait sans doute le mieux avec celui d'un écolier pris en flagrant délit[46]. » C'est bien l'attitude des Allemands que montrent les actualités américaines de 1945, obligés par les autorités américaines, près de Essen, de défiler devant les cercueils ouverts des cadavres squelettiques de leurs victimes… Au cinéma, durant les mêmes mois, il leur fut montré après un film avec Lilian Harvey un court métrage de Billy Wilder, sur l'ouverture des camps, et leur horreur. C'était un test, et on avait mis à la disposition des spectateurs du papier et des crayons pour qu'ils disent leurs commentaires. « Le film commence. Dans la salle les gens deviennent nerveux. Ils se retournent, se regardent. Quelques-uns se lèvent brutalement et quittent le cinéma. À la fin de la projection, sur les 400 spectateurs, il n'en reste que cinquante[47]. »

Ces attitudes, ces réactions datent des premiers mois ou des toutes premières années après la défaite. Or le traumatisme se perpétua, et dans les familles, le rapport des plus jeunes avec leurs aînés fut difficile, comme en témoignent leurs mises en accusation à la sortie du film *Mein Kampf*, de Ernst Leiser (1962). Si l'énergie des aînés se dépensait dans la reconstruction – comme le figurent les films de Fassbinder[48] –, les plus jeunes rejettent toute culpabilité, que leurs parents aient ou non agi en conformité avec les exigences du régime nazi. Le travail de deuil s'effectua ainsi sur plusieurs décennies. Certes, le gouvernement de Bonn contribua à la diffusion d'un sentiment de repentance collective comme peu de sociétés ont osé le faire. Or, pour une minorité, dès la deuxième génération ce travail prit d'autres formes : terrorisme, antisionisme, naissance et développement d'un mouvement vert[49].

À Nuremberg

Et les dirigeants ? Nazis d'origine, adhérents ralliés par conviction ou ambition, manifestèrent-ils quelque repentance ? Les protocoles du procès de Nuremberg permettent de l'entrevoir. Encore faut-il rappeler que l'acte d'accusation porta sur l'incrimination de la guerre d'agression, les crimes de guerre et contre l'humanité commis à l'Est, et à l'Ouest, le plan concerté et le complot : de sorte que cette répartition excluait les crimes commis en Allemagne même. Le choix des accusés aussi faisait problème : devait-on incriminer les dirigeants nazis, eux seuls, ou avec eux les chefs militaires ? Ce fut la seconde option qui fut retenue. Mais on écarta les subordonnés qui avaient obéi aux ordres[50]. Comme ceux-ci ne furent pas jugés à Nuremberg, cela eut pour effet pervers de donner à la population allemande le sentiment qu'elle était innocente des crimes dont on accusait ses leaders, sauf des tortionnaires qui passèrent en jugement plus tard.

Ce fut sans critères véritables qu'une fois qu'on fut assuré que Hitler, Goebbels, Himmler s'étaient suicidés, que Bormann avait disparu, que dix-sept noms furent retenus. Parmi les accusés, deux laissèrent des Mémoires rédigés pendant le procès : le maréchal Keitel, qui les abandonna inachevés, ayant été condamné à mort et exécuté, ainsi qu'Albert Speer, qui les écrivit pendant les vingt ans de sa détention.

2 octobre 1946

« Cette nuit j'ai fait un calcul, écrit Albert Speer. J'avais vingt-six ans quand j'entendis pour la première fois parler Hitler qui ne m'avait aucunement intéressé jusque-là. J'en avais trente quand il mit un univers à mes pieds. Je n'ai pas concouru à le mettre en selle, ni financé son armement. Mes rêves n'allaient qu'à l'architecture, je ne cherchais pas le pouvoir… Je me soupçonne d'avoir mis tant d'opiniâtreté à souligner ma culpabilité par vanité et forfanterie. Vis-à-vis de moi-même, bien sûr, je me sens coupable, mais fallait-il en faire état devant le tribunal. […] J'avais quarante ans quand on m'arrêta, j'en aurai soixante et un quand je sortirai de prison[51]. »

Dix-huit ans plus tard, avant sa sortie de prison, la version de ses mêmes débuts se présente de façon un peu différente : « À l'époque, dans notre petit appartement de Mannheim, j'avais suivi à la radio la retransmission de la retraite aux flambeaux historique qui s'était déroulée sous les yeux de Hitler et de Hindenburg ; j'étais alors à cent lieues de me douter que je jouerai moi aussi un rôle dans la nouvelle époque qui venait de s'ouvrir ; je n'avais même pas pris part à la petite fête que la section du parti de Mannheim avait organisée pour célébrer la victoire. »

Ainsi, il faut entrer dans la dix-huitième année du *Journal de Spandau* pour apprendre qu'Albert Speer avait adhéré dès 1931 au parti nazi, ce non-dit qui constitue un des traits du plaidoyer qu'il a écrit en 1975, quelque vingt ans après sa défense et sa condamnation au procès de Nuremberg : il signifie aussi que sa dévotion envers le Führer est compatible avec une grande indifférence politique.

Il ajoute que quelques mois plus tard il a fait par hasard connaissance de Hitler, que dès ce moment son existence a été survoltée, et qu'avec une singulière rapidité il a renoncé à tout ce qui avait eu alors à ses yeux le plus de prix : sa vie privée au sein de sa famille, ses goûts, ses convictions en matière d'architecture, sans avoir le sentiment que cela représentait une rupture ou une trahison : « Au contraire, j'avais l'impression qu'il me permettrait de me libérer, de me réaliser, qu'il me faisait connaître la puissance » – et cette gloire qu'il avait savourée grâce à Hitler. « Si, depuis que je suis condamné comme criminel de guerre, écrasé par le sentiment de ma culpabilité, je dois vivre avec la conscience d'avoir bâti mon existence sur une erreur. Mais est-ce que sans lui, je me serais seulement fait un nom... Il m'aura fait entrer dans l'Histoire, et on ne pourra pas m'en chasser... »

Et Albert Speer de se poser la question : « Si, aujourd'hui, on me redonnait le choix entre devenir, trente ans en arrière, un architecte responsable à Augsbourg ou à Göttingen, avec une vie paisible, ou connaître encore une fois la gloire et la faute, construire une métropole mondiale et finir à Spandau, quelle décision prendrais-je ? Cette question me donne le vertige[52]. »

Albert Speer se dit incapable de donner une réponse. Pourtant, son dernier rêve en est une...

Libéré le 30 septembre 1966, il rêve qu'il retourne à Spandau pour voir quelqu'un. On le reçoit bien comme s'il s'était fait désirer. « Je suis consterné en voyant le jardin inculte [ce jardin qu'avec les autres détenus il a entretenu durant de longues années]. Les chemins ne sont plus soignés non plus. Au bout de quelques jours je m'apprête à rentrer chez moi mais on me signifie que non, je dois rester. J'ai été relâché par erreur... Au général qui vient en inspection, je dis que le traitement est satisfaisant. »

Ce jardin en ruine, c'est bien sûr l'Allemagne qui, avant sa libération, était propre et en ordre, une nostalgie de son passé qui légitime son maintien en prison.

Ce discours en sincérité, Albert Speer n'a pas manqué de le tenir au procès. L'homme qui a été le plus proche de Hitler, qui incarnait l'architecte que Hitler aurait voulu être, cet homme a surmonté un dilemme : jouer la loyauté, solidaire des autres accusés dont Goering redevient le leader ; ou reconnaître sa faute, mais comment la définir pour ne pas apparaître un lâche ou un félon ? Il ne veut pas, tel von Schirach, s'accuser d'avoir mis la jeunesse allemande au service de l'assassin de millions d'hommes...

S'il échappe à l'exécution, sa condamnation rend compte de l'impression qu'il donne : « Le plus servile des accusés, se mettant au travail comme un gosse, ou plutôt tel un cheval de course avec des œillères. Hitler répercutait sur lui tout ce que lui apportait le flux des hommages [...] et celui-ci encaissait la monnaie de la vénération qu'on lui portait. »

Speer reconnaît qu'expliquant comment il a pu subir la fascination du Führer, il a trop souvent évoqué les à-côtés attachants des virées en auto, des rêves architecturaux, son charme : « J'ai dû refouler que le procès m'a fait toucher du doigt de façon inoubliable les crimes monstrueux, les cruautés. » Quand il envisageait de déplacer des millions d'humains comme des pions : « J'étais plus sceptique sur les moyens d'y parvenir que moralement scandalisé. » Finalement, ce sont bien de ses crimes qu'était fait Hitler. Certes, Speer n'est pas antisémite et pourtant, « je passais sous les banderoles et n'en ressentais pas l'ignominie : mon indolence me culpabilise davantage car je n'ai pas eu connaissance du meurtre des Juifs ». Affirmation étonnante pour un homme qui se rappelle parfaitement combien de fois, calmement ou avec fureur, dès 1939, Hitler affirmait que cette guerre mènerait non à la destruction des Allemands mais à l'« anéantissement des Juifs ». « Je me vengerai sur eux », dit encore Hitler en 1943. Effet du cloisonnement des activités dans le IIIe Reich, ou génocide étouffé pour Speer, volonté de ne pas savoir ?

« Cette cécité me condamne », répond Albert Speer.

Pourtant, bien que, dès la mort accidentelle de Todt, en février 1942, il ait été mis à la tête de la plus formidable machine de guerre qui ait jamais existé, avec ce que cela impliqua de travail forcé pour les déportés que lui livrait Sauckel, Albert Speer est frappé « comme la foudre » quand il apprend qu'il figure parmi les criminels de guerre qui doivent être jugés à Nuremberg.

Il dissocie alors la défense qu'il met sur pied au tribunal de celle qu'il se construit vis-à-vis de sa femme, de ses enfants.

Au tribunal, tout en rappelant avec une certaine satisfaction que ses attributions l'ont mis à la tête de 260 000 ouvriers, il reconnaît l'échec du nazisme et la malignité de Hitler qui est résolu à punir le peuple allemand de ne pas avoir gagné la guerre en détruisant les ressources de la nation. À cela, alors, Speer s'oppose, envisageant même de préparer un assassinat du Führer : mais il était tenaillé par le remords de tuer l'homme qui avait tant fait pour lui, cependant laisser en vie l'individu qui voulait détruire l'Allemagne l'accablait tout autant. Soulignant que Hitler lui avait préféré Giesler dès 1943 comme architecte, son rival, et que dans son testament il le destituait de ses fonctions, il choisit de plaider non coupable, comme ses coaccusés, et pense ainsi garder bonne figure[53].

Du fait de cette relative repentance, il sauve sa vie.

« Mais qu'est-ce qui comptera le plus pour les miens ? Qu'est-ce qui pèsera davantage ? Le fait qu'en tant qu'architecte de Hitler j'ai non seulement élaboré des palais à sa gloire mais contribué à l'hypnose des masses… Ou encore que je fus ministre de l'Armement, employeur d'une armée d'esclaves […]. Ce qui me tourmente le plus est la conscience de la part que j'ai prise à l'injustice… Je pourrais me justifier de tout cela, mais je suis absolument sans défense lorsque le nom d'Eichmann est prononcé : je ne pourrai jamais me tenir pour quitte d'avoir été au service d'un régime qui a véritablement consacré son énergie à l'extermination d'êtres humains. »

Et que penser de son infidélité finale à Hitler ? Or la loyauté n'implique-t-elle pas un certain aveuglement vis-à-vis de l'éthique ? Pour qui sait distinguer entre le bien et le mal, la loyauté perd sa raison d'être…

« Tout le monde parlait de loyauté. Elle servait aux généraux à faire taire leurs doutes... Même Goering, déchu et toxicomane, me fit valoir que je pouvais plus facilement que lui me désolidariser de Hitler, lui qui devait rester loyal. [...] La loyauté n'est-elle pas un chiffon propre à masquer la carence de notre morale, la perte de notre libre arbitre, la perte des responsabilités, ce que nous appelons notre devoir ? »

Et Albert Speer de conclure : « Je n'ai compris que bien trop tard qu'il n'y a qu'une loyauté, celle que commande la morale. »

Dilemmes sous l'occupation[1]

À l'issue du traumatisme de l'exode et de la défaite, les populations, abasourdies, eurent à retrouver leur foyer, à s'enquérir du sort des hommes morts ou prisonniers. Elles eurent aussi à retrouver du travail. Plus de neuf millions de personnes ont vécu ce naufrage. On peut imaginer qu'elles ne furent pas immédiatement concernées par les changements politiques ou institutionnels de l'été et des débuts de l'automne 1940. Par contre, avant et *plus que d'autres*, dès l'annonce de l'appel de Pétain, le 16 juin, les militaires et autres combattants furent à l'épreuve : que faire, que décider ?

À l'issue du changement de régime, de la mort de la République début juillet, *plus que d'autres* les hommes politiques, les militants des partis eurent des choix à opérer, des dilemmes à résoudre.

Quand le régime de Vichy s'installa irréversiblement dans une politique de collaboration, *plus que d'autres* les fonctionnaires et agents de l'État furent d'une certaine façon à l'épreuve. Alors que s'instille une connivence entre Vichy et l'occupant, comment, au nom de la sauvegarde de la souveraineté, ne pas aller au-devant des exigences de l'occupant ? Que ce ne fût pas pour tous un dilemme relève à la fois de la responsabilité des dirigeants, et de ceux qui appliquèrent cette politique.

Quant à la masse des Français en zone libre, elle fit d'abord confiance à Pétain et lui manifesta sa ferveur : il avait mis fin au désastre et les sauvait de l'Occupation. En zone occupée et en zone interdite, elle l'ignora quelque peu, ayant d'abord à s'accommoder de la présence des Allemands. En Alsace on s'est très vite senti pris en main d'un côté, abandonné de l'autre. Quant aux « Français israélites » et aux « Juifs étrangers », pouvaient-ils imaginer proscription et déportation au pays de la liberté ?

Cependant, à côté des collaborationnistes ou de tous ceux qui tirent avantage de l'occupation, à côté de ceux qui trouvent les voies d'un accommodement, qu'ils soient consciemment attentistes ou non, sans être pour autant favorables aux Allemands, il y a ceux qui, plus que d'autres, déjà ont voulu s'opposer.

Mais à quoi, et comment ?

Le naufrage

Début juin 1940,

« Le grand magasin du Louvre ouvre à 9 h 15, rapporte Zoltan Szabo, étudiant hongrois à Paris. J'attends devant les portes dans l'espoir d'y trouver encore une bicyclette à vendre. En vidant mes poches, j'ai rassemblé 1 600 francs, de quoi acheter un vélo et de la nourriture pendant une semaine. Et après ? Après on verra. Tours est à 240 kilomètres, trois jours me suffiront pour y arriver. J'y retrouverai le ministère de l'Information et la légation de Hongrie, ce qui me permettra d'obtenir les papiers nécessaires et, éventuellement, de regagner mon pays. Le Louvre a encore trois bicyclettes, j'en prends une. [...]

Avec des bagages vacillants à l'arrière, je m'élance à bicyclette en direction du boulevard Raspail. Les voitures se dirigent toutes dans la même direction – vers le sud. Des libraires sont ouverts, les yeux écarquillés, ils observent la rue. Aussi loin que le regard porte, tout va dans la même direction : véhicules, camions, voitures, vélos, piétons... Tout le monde quitte la ville. Sinistre spectacle. La ville déverse les gens comme sac troué le blé. C'est au Lion de Belfort que je gagne la route nationale. Là, le spectacle est terrifiant et presque incroyable. Cet exode féroce y révèle toutes ses dimensions. Les avenues qui y débouchent en forme d'étoile déversent leur contenu au pied du mémorial comme si quatre rivières se jetaient les unes dans les autres au moment des crues. C'est une vague immense qui s'est levée au centre de la ville et qui a pris sur sa crête tout ce que l'on pouvait déplacer... Elle entraîne tout, comme l'eau chutant dans une seule direction entraîne les morceaux de bois, les souches inertes et les branches. [...] À Denfert-Rochereau, en direction de la porte d'Orléans, voitures, camions et vélos se bousculent sur six, voire sur huit files. C'est épouvantable. L'avenue est complètement bloquée. Tout en haut, les bâches des camions déménageurs vacillent bizarrement, de minuscules voitures particulières dont les toits sont capitonnés de sommiers et de garnitures de lit se tapissent sous les poids lourds. [...] Les cyclistes profitent d'improbables couloirs étroits entre les blocs serrés de camions, on ne rate aucune brèche de cinquante centimètres pour s'engouffrer. [...] La distance entre Denfert-Rochereau et la porte d'Orléans est à peine de quelques centaines de mètres. Et nous mettons trois heures et demie pour la parcourir... Mais on avance. »

Pas un mot à changer à ce témoignage de Zoltan Szabo[2].

Et nous, pourquoi sommes-nous partis ? D'où est venu ce mouvement de Panurge ? Certes, on avait su que déferlaient les réfugiés du Nord, et que le gouvernement s'en irait à Bordeaux – comme en 1914. Et alors ? La peur de l'arrivée des Allemands ? Non, ce n'est pas possible. Les bombardements ? Comme à Varsovie... Peut-être les gaz, obsession depuis six mois. Non, on n'y pensait plus. On est parti sans nos masques... Mais cette constatation qu'il n'y avait aucun plan prévu pour évacuer les enfants, que rien ne se passait aux alentours des fortifications, que le gouvernement était parti, bref qu'on était abandonné, avec seulement cet *avis* qu'il ne fallait pas « s'affoler »... Et, disait-on, les Allemands ont franchi la Somme. Nous sommes donc partis. Et la 11 CV Citroën de mon oncle Georges avance au rythme des autres. Toute belle avec son coloris grenat et ses roues à flancs blancs... Combien sommes-nous dans la traction avant : ma mère et moi, l'oncle Georges et Rosy ma tante, la cousine Fernande dont le mari est au front, la petite Nicole, deux ans, l'oncle Elie dont l'épouse, Yvonne, mon autre tante, nous attend avec Guiguite, sa sœur, dans leur maison de Vengeons, près de Sourdeval, pas loin de Vire. Le soir, nous dormons dans la voiture. Plus loin, à Verneuil, puis à Argentan, on croise des réfugiés venus de Rouen... Les Allemands seraient-ils déjà là ? Enfin on arrive à Vengeons... Mais les Panzers avaient franchi la Seine, et la famille décide de se replier dans le Sud, au-delà de la Loire. Sauf que cette fois il y a trois personnes de plus. Où se réfugier ? Je pointe mon doigt sur la carte : Aigre dans les Charentes, au nord d'Angoulême. On s'y retrouvera. Guiguite et moi, les plus jeunes, partons à vélo... On arrive à la gare de Rennes, et un bombardement y détruit nos vélos. On poursuit à pied, en train, en stop : on se retrouve à Aigre quelques jours plus tard, dans une ferme qui nous abrite.

Mais déjà, sur la route, les Allemands nous avaient rattrapés...

Alors nous avons décidé de revenir sur Paris. Sauf qu'après Poitiers, il n'y avait plus d'essence... Alors, rigolards, les Allemands nous en ont distribué. C'était la première fois qu'on les voyait : gais, propres, aimables, charmants. La rumeur allait bientôt courir : « Mais ils sont corrects[3]... »

Au vrai, ils ne le demeurèrent pas longtemps...

Fin juin, pour avoir sectionné le câble qui reliait la Kommandantur de Rouen et le terrain d'aviation de Boos, Étienne Achavanne, un ouvrier agricole, était fusillé.

Cet effondrement, on avait pu en rencontrer les signes avant-coureurs tout au long de la route. D'abord, pas un avion allié pour contrecarrer l'action en piqué des Stukas ; mais ici des dizaines et des dizaines de chars sagement rangés sur la rive gauche de la Loire ; plus loin, à Quiberon, ces canons de 340 marines demeurés là, alors que leurs voies ferrées en épi les attendaient près de Hagueneau. Et, en vis-à-vis, ces affiches : « La route du fer est coupée », allusion à la malheureuse campagne de Norvège dont il ne restait que Narvik. Et cet autre placard, dérisoire, qui l'accompagnait depuis peu : « Nous vaincrons parce que nous sommes les plus forts[4]. »

Et tandis qu'à l'aller se croisent les soldats qui vont au nord et d'autres qui se replient, au retour on rencontre ces Allemands joyeux qui, torse nu, se rafraîchissent et saluent les premières cohortes de réfugiés qui s'en retournent chez eux.

À côté de Zoltan Szabo, dans l'autocar qui l'emmène on ne sait où, ses voisins se disputent : « On a été trahis. » Ils ne s'entendent que là-dessus, note-t-il, et là gît « le secret de cette impossible défaite ». « C'est la faute aux officiers », dit l'un ; « Au Front populaire », répond l'autre ; « Aux bourgeois qui par peur du Front populaire ont été jusqu'à sympathiser avec le fascisme » ; « Non, dit un autre, aux lois sociales qui ont empêché les usines d'armement de rivaliser avec celles de Goering » ; sans oublier les Anglais – car il faut qu'il y ait un traître, un coupable... « La bourgeoisie ? Non, les politiciens. » À chaud, Marc Bloch a analysé les données de *Cette étrange défaite*.

Au vrai, pour bien des Français anonymes, celle des esprits avait précédé la débâcle militaire. Déjà, les images d'actualités les montrent, gare de l'Est, en septembre 1939, blêmes et sans ferveur. Les femmes, sœurs ou épouses, pleurent – quel contraste avec juillet 1914 ! Sans doute, les images sont trompeuses comme les lettres de soldats d'ailleurs – mais le contraste est saisissant. Lisons, par exemple, ce témoignage rédigé précisément à l'heure de la débâcle par Jean de Baroncelli. Il a choisi ce moment-là pour se rappeler son départ au front neuf mois plus tôt : c'est édifiant.

Nous faisons mouvement demain, avait dit le colonel, après qu'on nous eut rappelés. Et nous étions 26 dans le peloton, 26 hommes et 26 motos. Elles venaient de la réquisition, de tous les âges, de toutes les marques.

« Nous voilà partis, disaient-ils... à cause d'Hitler, de la Pologne, de Dantzig... Les Polonais ne veulent pas laisser prendre Dantzig par Hitler. [...] Nous non plus... Il faut lui faire croire que nous sommes décidés à la guerre. Il faut lui faire peur. S'il a peur, il ne fera pas la guerre. Non, il n'y aura pas la guerre, les journaux ne croient pas à la guerre. [...] Tout va s'arranger, comme après Munich. Il y aura une conférence avec Mussolini, le pape et Roosevelt, peut-être Staline et on nous renverra. C'est une chose certaine. Il suffit de réfléchir pour le comprendre. Mais on ne réfléchit jamais assez. Chez soi, on est tout le temps dérangé. On lit les journaux, on écoute la TSF, les nouvelles se contredisent. [...] Donc Hitler fera semblant de ne pas vouloir céder. Les Polonais mobiliseront. Nous mobiliserons. Tout le monde mobilisera. Et puis, à la dernière minute, armistice, conférence, traité. On retournera à la maison et ce sera à nouveau la vie douce d'autrefois, il y aura des airs de danse à la radio, et la femme ne pleurera plus la nuit[5]. »

Autant est ancrée, ici, l'idée qu'on ne se battra pas, autant dans *Un balcon en forêt* est fixée l'impression de l'inutilité de cette attente interminable pendant les mois qui suivent, jusqu'au jour où, subitement, sans qu'on sache pourquoi, il faut déguerpir de cet observatoire dans les Ardennes. On y a su l'offensive de 12 kilomètres en Sarre « pour aider les Polonais ». Et puis plus rien. Si, un repli en octobre « puisque les Polonais étaient battus » (Julien Gracq).

Pas de soutien aux Polonais – et quel lourd silence sur cette lâcheté. Auparavant, il y avait eu le « Waterloo » de la diplomatie alliée, le pacte germano-soviétique et, juste avant, une autre lâcheté, le silence devant l'entrée des Allemands à Prague. Et juste avant encore, le lâchage des Tchèques à Munich que de victimes on fit passer pour des fauteurs de guerre. Cet abandon avait accompagné celui des républicains espagnols, de Schuschnigg en Autriche juste avant, de la Rhénanie qu'on avait laissée remilitariser en 1936.

Cette guerre, où la France était entrée à reculons, comment la définir sinon par une série d'échecs, avec combien de lâchetés et avant une débâcle.

L'ensemble des Français ne connaissait pas le sens de ces événements, le dessous des cartes où s'étaient combinées la peur de la guerre et la tentation de se concilier Hitler pour qu'il se retourne contre l'Union soviétique – mais le pacte Ribbentrop-Molotov avait mis fin à ces illusions. Or l'ensemble des Français sentait bien que le pays payait le salaire d'une politique de poltrons. Sa dernière figure en avait été qu'une fois la guerre déclarée, on pourrait ne pas la faire. Pressentant un désastre, Daladier avait dit à Villelume, son conseiller militaire : « Je n'ai qu'un désir, tout arrêter. » Et, à ces « mous », le Parlement avait substitué Paul Reynaud, plus cassant que dur et qui se débarrassa de Gamelin croyant pouvoir s'appuyer sur Weygand et sur Pétain[6].

Mais le défaitisme a gagné les esprits au point que lorsque la foudre s'abat et qu'avec la percée des Ardennes les Panzers prennent la moitié des armées alliées dans une nasse scellant la catastrophe, alors qu'une bonne partie du pays erre sur les routes de l'exode, on ne peut même pas imaginer – et soixante ans après on ne le croit toujours pas – que cette même armée s'est bien battue, qu'elle a fait cinquante mille morts chez l'ennemi, qu'elle en a perdu le double.

Seul le commandement sait qu'à Montcornet, un colonel de chars a réussi à faire reculer les Panzers de Guderian.

La guerre des soldats inconnus

Maintenant, il est là, au milieu de cet exode tragique, dans ce climat délétère, nommé depuis peu sous-secrétaire d'État à la Guerre. Au cœur du spectacle de cette déroute indescriptible, les ministres et le gouvernement s'étaient repliés, dispersés ; les populations assistaient hébétées au déferlement en désordre d'une armée en déroute. Seul l'accompagnait le vol strident des Stukas. Sur ces routes non loin de Bordeaux, ce nouveau sous-secrétaire d'État à la Guerre, Charles de Gaulle – seulement connu à cette date de quelques étroits milieux politiques et militaires pour ses thèses sur les blindés –, rencontre son président du Conseil, Paul Reynaud ; il le sent fléchir sous les coups des partisans d'un armistice, Weygand et Pétain surtout. Il lui dit : « Je vous ai donné mon modeste concours, mais c'était pour faire la guerre. Je me refuse à me soumettre à un armistice. Si vous restez ici, vous allez être submergé. Il faut gagner Alger au plus vite. Oui ou non, y êtes-vous décidé ? »

De Gaulle rencontre ensuite Dominique Leca, chef de cabinet de Paul Reynaud, et il s'informe. Dominique Leca évoque la formule qu'il avait imaginée avec le président Reynaud : « La scissiparité du pouvoir, c'est-à-dire le partage entre une autorité légitime, Pétain ou un autre, en qualité de bourgmestre, qui recevrait les Allemands, et nous, en Afrique du Nord. Alors les paupières de De Gaulle s'abaissèrent vers moi avec mépris : "Il s'agit de savoir si on se bat ou si on ne se bat pas.

Oui ou non, y êtes-vous décidé ?

Oui ou non, on se bat ou on ne se bat pas[7] ?" »

Sa détermination, de Gaulle n'a pu la transmettre... Déjà il avait noté l'irritation de l'amiral Darlan, commandant de la flotte, quand il lui avait demandé, le 12 juin, de préparer le départ de 900 000 hommes en quarante-cinq jours vers l'Afrique du Nord. « Trente mille peuvent partir ce soir », avait néanmoins répondu Darlan. Et de Gaulle avait pointé en lui un mou, un Gamelin de la marine. Alors, envoyé à Londres pour que les Anglais aident à ce redéploiement envisagé auparavant quand il avait été question de défendre un « réduit breton », de Gaulle prend connaissance avec Jean Monnet*, l'ambassadeur de France Corbin et, côté anglais, avec lord Vansittard et Winston Churchill, de ce projet d'Anglo-French Unity, qui, à Bordeaux, apparut au gouvernement Reynaud-Pétain-Weygand une tentative de « réduire la France à l'état de dominion ». Il fut durement rejeté. « On ne fusionne pas avec un cadavre », ajoute le maréchal Pétain[8].

Lorsque, le 16 juin au soir, de Gaulle quitte Londres, en avion, pour retourner à Bordeaux, il ignore qu'entre-temps Paul Reynaud a donné sa démission. Ce qui signifie qu'il n'est plus sous-secrétaire d'État.

Il retourne néanmoins à Londres, en avertit Paul Reynaud qui, dans l'intérim du pouvoir, lui a confié 100 000 francs de fonds secrets.

À Mme Jean Monnet qui lui demande alors « quelle mission au juste il remplissait » : « *Je ne suis pas en mission, madame. Je suis ici pour sauver l'honneur de la France*[9]. »

---

* Qui dirige le comité d'achat franco-britannique.

Le même jour, Churchill accepte qu'il puisse s'adresser aux Français et met les micros de la BBC à sa disposition. Mais de Gaulle n'en avertit ni Jean Monnet ni Corbin. Il lance alors cet Appel, dont on a retenu une phrase, au reste introduite quelques jours plus tard dans une autre version : « La France a perdu une bataille, mais la France n'a pas perdu la guerre. »

À Londres, où il n'est qu'un simple général deux étoiles depuis le début de juin, de Gaulle sent le vide s'élargir autour de lui. Corbin, et plus encore Jean Monnet, qui auraient pu vouloir jouer les premiers rôles, se désolidarisent de lui, même s'ils partagent ses sympathies, à la raison qu'un comité de Français de Londres apparaîtra soumis aux intérêts de l'Angleterre. Ni André Maurois ni Kerillis ne veulent non plus s'engager ; les réticences du microcosme français alors à Londres – les journalistes de gauche Émile Buré, Pertinax, d'autres encore, se méfient d'un « général politique ».

Surtout, tous les militaires qui s'étaient déclarés hostiles à l'armistice, le général Noguès au Maroc, M. Helhauser à Beyrouth demeurent sourds aux invites de De Gaulle. Seuls y répondent le contre-amiral Muselier, brouillé avec Darlan, le général Catroux, trois étoiles, que Vichy a destitué de ses fonctions de gouverneur en Indochine, et qui se met modestement sous les ordres de De Gaulle.

Ces militaires de l'Empire, préservés des affres de la débâcle, avaient certes dit leur détermination. Mais pas pour dépendre d'une autorité qui, à Londres, ne pouvait que s'appuyer sur l'« ennemi héréditaire » qui contrôlerait alors ce qui restait de territoires français encore libres...

Quand le colonel de Larminat esquisse, en Syrie, un mouvement vers les Anglais, le général M. Helhauser le fait mettre aux arrêts.

Sommé par Weygand de revenir en métropole, une fois sa famille en sécurité en Angleterre, de Gaulle s'y refuse, accomplissant un acte de désobéissance ouverte. Bientôt condamné à mort par contumace : « Vous êtes tout seul ! lui dit Winston Churchill, eh bien, je vous reconnais tout seul ! »

À Vichy, pendant ces dernières semaines après l'armistice, l'insubordination de De Gaulle n'est pas considérée avec une attention particulière, car nul n'imagine que la Grande-Bretagne seule puisse tenir face à l'Allemagne au faîte de sa puissance. Au vu de ses anciennes relations avec lui, Pétain est, certes, irrité, mais l'ascendant que de Gaulle a pu exercer sur lui autrefois a laissé des traces et, bientôt, il lâche : « Ah ! si de Gaulle au moins attaquait les Italiens... » Weygand, au contraire, rejette avec raideur les tentatives que de Gaulle a faites pour le rallier à sa cause, en se mettant sous ses ordres, et il renvoie ses missives qui ne lui ont pas été adressées par la voie hiérarchique...

Toutefois, l'obéissance de rigueur envers le Maréchal n'est pas toujours approbation. Ainsi, alors qu'une partie de la classe politique, puis la tradition républicaine ont pu stigmatiser le changement de régime le 10 juillet, les 80 opposants gardent silence sur l'armistice ; au contraire, les militaires, pour autant qu'ils se sont manifestés, n'ont mis en cause que l'armistice – il est vrai, ceux qui avaient été loin des combats plus que ceux qui avaient participé à la débâcle... de Gaulle étant l'exception, l'autre exception étant le général de chars Delestraint, dont le colonel de Gaulle avait été le subordonné, et qui se fait gaulliste, réunissant les « anciens des chars » : bientôt plébiscité par Frenay, Moulin, d'Astier, il est nommé chef de l'Armée secrète et se met sous les ordres de l'homme de Londres[10]. De Charles à Charles, « Je vous embrasse », répond de Gaulle (1942). Mais la plupart des autres généraux, traumatisés par une défaite qui les touche dans leur honneur, s'abritent désormais derrière le prestige et l'autorité des deux grands chefs, qui sont tels dans l'armée, chez les officiers notamment, qu'à leur endroit un acte de désobéissance est considéré comme sacrilège.

Au vrai, comme l'a bien montré Robert Paxton, la survie d'une petite armée d'armistice, même châtrée, apparut à la très grande majorité des officiers comme une sorte de revanche. Avant la défaite, le corps des officiers n'exerçait plus d'autorité dans l'État : « Silencieuse et attristée, souvent écœurée, l'armée se tenait à l'écart de la politique, de ses haines, de ses laideurs, de ses scandales d'incohérences », écrivait un de ses chefs dans *La Revue des Deux Mondes*. Or, à Vichy, elle fut à l'honneur comme jamais ne l'avait été une armée vaincue. Ses chefs n'en étaient que plus reconnaissants envers le gouvernement du Maréchal qui comptait plus de militaires qu'aucun gouvernement n'en avait jamais eu[11].

Quant à la marine, invaincue mais meurtrie depuis Mers el-Kébir – le 4 juillet 1940 –, elle se pavane et occupe les hauts rangs du pouvoir.

Revalorisée, ce n'est pas seulement pour faire la guerre qu'existe l'armée, répétait le général de la Porte du Theil, chargé des Chantiers de jeunesse, un des grands œuvres du régime. Elle a pour fonction d'assurer l'ordre, l'ordre moral s'il se peut.

Sur le territoire national, le premier et seul haut gradé qui se révolte publiquement contre l'armistice fut le général Cochet. « Moins de deux heures après avoir entendu le message du maré-

Figure 6 : *Le général Delestraint, supérieur hiérarchique du colonel de Gaulle, et qui se met plus tard sous ses ordres.*

chal Pétain, le commandant des forces aériennes de la 5ᵉ armée rassembla ses hommes qui l'avaient suivi jusque dans le Velay, et, au Puy, leur donna ses consignes de résistance : poursuivre la lutte, se dissimuler. Il signe ses appels de son nom et les distribue, seul au début, en circulant avec sa voiture personnelle, à travers la zone non occupée. Le journaliste Rémy Roure, plus tard au *Monde*, les tape sur sa machine à écrire. Au début, il ne manque pas de donner un coup d'encensoir au maréchal Pétain ; mais, dans son Appel daté du 6 septembre 1940, il appelle à trois attitudes : veiller, résister, s'unir. Un seul ennemi est désigné, « le Boche », et il invite à l'union de tous les Français, quel que soit leur ressentiment contre ceux sur qui ils rejettent la responsabilité du désastre[12]...

Naturellement, son action ouverte lui vaut de la part du ministère de l'Air des menaces de sanction : il n'en a cure et apparaît comme un chef tout désigné pour ceux, tel ce groupe des « Ardents », qui, en janvier 1941, veulent préparer la Libération, ou encore cet élève de l'École polytechnique, bientôt chef de la Résistance dans la région toulousaine, Serge Ravanel. En mai 1941, le général Cochet est arrêté par la police de Vichy, incarcéré, relâché, arrêté à nouveau, il juge alors impossible de diriger l'Armée secrète, de fait celle de l'organisation Combat : « On se fera tous rafler, cela ne peut donc se faire que de l'extérieur », dit-il en octobre 1942, passe à Alger où il exercera ultérieurement de hautes fonctions pour la zone Sud, avertissant le Vercors du danger qui le menace[13]...

Toujours en 1942, après la bruyante évasion d'Allemagne du général Giraud, lors des négociations avec les Américains en vue de sa participation au débarquement allié en Afrique du Nord, un autre général, de Lattre de Tassigny, désobéit aux ordres et entend s'opposer à l'invasion de la zone libre par les Allemands, en novembre 1942. Jusque-là solidaire du régime de Vichy, il en assume toutes les valeurs et participe activement à l'œuvre de « régénération » morale, dans l'esprit de ce qu'accomplissent les Chantiers de jeunesse, mais « pour créer de vrais chefs ». Mieux, pour ranimer l'esprit de devoir, il crée à Opmé, près de

Clermont, sa propre école spéciale de cadres avec les jeunes appelés, des prisonniers libérés, des restes de son ancien régiment : il entend qu'on leur inculque esprit de discipline, foi dans le rôle du chef, passion du commandement, souci du bien-être de ses hommes. Devenu commandant de la 16e division militaire à Montpellier, de Lattre de Tassigny croit qu'un débarquement allié aura lieu en Roussillon, en coordination avec celui d'Afrique du Nord. En cas d'invasion allemande, les ordres émanant de Pétain et de Bridoux sont d'« éviter tout contact avec les Boches », d'emporter « toutes les munitions », bref que l'armée d'armistice ne résiste pas mais ne soit pas « ignominieusement prise au lit ». Puis vint le contrordre, émanant de Bridoux : par crainte de « troubles communistes » dans le Sud-Ouest, les troupes devaient demeurer encasernées. De Lattre décide de désobéir. Selon le fils du colonel Decôme, de Lattre lui dit : « Toutes les troupes de la division vont se concentrer dans le réduit des Corbières pour y résister à l'invasion. Je pars moi-même avec mon état-major léger. [...] » Et c'est le lendemain la randonnée sans issue du général de Lattre, suivi de la seule École des cadres du capitaine Quinche, qu'il appelle « ses cadets », de ses deux officiers d'ordonnance, et de son canon de 37. Aucun des régiments qui devaient gagner le réduit des Corbières, ceux d'Albi, de Castres, de Perpignan, de Montpellier n'exécute les ordres du plan B. de Lattre erre sur les routes à la recherche de ses régiments, les préfets le supplient de rentrer. Il est à Lodève quand il est arrêté par la gendarmerie (selon une autre version, il se rend à la sous-préfecture). Jugé, il est condamné à la peine maximale – dix ans de prison[14].

Trois capitaines pour sauver le pays

Sans doute le traumatisme de la défaite a-t-il frappé les militaires plus que les autres catégories de la population car, dans une certaine mesure, ce désastre s'identifiait à leur activité même, à leur raison d'être et les touchait dans leur honneur.

Pour le capitaine Pierre Dunoyer de Segonzac, tout s'est joué, ce 18 mai 1940, lorsque son escadron a été chargé, à la sortie des Ardennes, d'arrêter une colonne blindée ennemie. Son propre char atteint et immobilisé, il a continué à diriger les manœuvres en courant d'un char à l'autre avant que 19 sur 20 ne soient détruits... Il assiste alors au spectacle d'une armée en déroute, « pauvre bougre de capitaine pleurant sa troupe perdue... n'osant plus regarder ses compagnons dans les yeux comme à l'accoutumée ; car je leur avais communiqué ma foi réelle dans l'armée française, dans la supériorité de notre matériel. Or nous avons été battus ». Fils d'officier, élevé dans l'esprit des Équipes sociales et des Scouts de France, nourri de ferveur catholique et chrétienne, entendant servir comme s'il était le chevalier d'un ordre laïque qui veut faire renaître la France chrétienne, ce saint-cyrien s'était retrouvé, en 1934, dans le service d'ordre qui protège le Palais-Bourbon, insulté par ces anciens combattants qui auraient pu être les siens, ses parents. L'état de révolution qu'il ressent au camp de Suippes, avant la guerre, où l'officier est pressenti comme l'ennemi, voilà qui l'interpelle sur son rôle social, et enracine sa détermination, dès la défaite, d'intervenir comme il le pourra pour aider à la formation des cadres dont la nation a besoin pour se régénérer. « Car avant de reprendre la lutte, il faut que le pays se reprenne. » Il demande à être placé en congé d'armistice pour ne pas être relégué, l'arme au pied, dans une garnison de temps de paix.

Son propos n'est pas d'entrer dans une ère politique nouvelle – cette « divine surprise » que saluent Charles Maurras, Henri Massis et l'extrême droite –, lorsque Pétain prend le pouvoir ; ni de juger que l'armistice est trahison car, comme militaire, il estime qu'il était inévitable et il désapprouve la désobéissance du général de Gaulle. Pour lui, après la déroute de mai-juin 1940, « la guerre doit continuer par d'autres moyens ». Quant à Vichy, c'est une donnée de fait, et il n'éprouve que loyalisme envers ses deux chefs, Pétain et Weygand. Il se veut – et se croit – apolitique, pur patriote : Péguy est son maître à penser, ses lectures, Proudhon et Maurras.

Il a en tête un projet éducatif que, par l'intermédiaire du commandant Lachapelle, il transmet à Georges Lamirand, ministre de la Jeunesse. À côté des Chantiers de jeunesse, il souhaite créer une école pour les cadres. Il regroupe ainsi des intellectuels, des non-conformistes des années 1930, anciens d'*Esprit* ou de la *Jeune République* avec des hommes tels que Emmanuel Mounier, Hubert Beuve-Merry (qui fonde *Le Monde* après guerre), Jean-Marie Domenach, Joffre Dumazedier, le théoricien des loisirs, Chombart de Lauwe ; ainsi que l'abbé de Naurois, bon connaisseur de l'Allemagne, et qui rend compte, mieux que cela ne se faisait jusque-là, de la spécificité criminelle du nazisme. À l'école des cadres d'Uriage, on est ainsi plus antinazi qu'antiallemand, on est également antiparlementaire, antifasciste, à la recherche d'une « troisième voie » émanant d'un humanisme chrétien de gauche[15].

De sorte qu'à mesure que la politique de collaboration s'enracine, l'École des cadres s'éloigne à la fois de la politique de Vichy et de ses Chantiers de jeunesse ; « son enseignement est un défi à la révolution nationale », juge Gaston Bergery, l'ancien député radical en proie à une tentation fasciste. À Uriage, on demeure néanmoins fidèle à la personne du Maréchal et au programme de lutte contre l'occupant en rendant les esprits indépendants de toute colonisation par le régime où domine l'esprit de l'Action française.

Lorsque l'amiral Darlan rend visite à l'École des cadres, en 1941, brutalement apparaît l'écart entre le projet d'Uriage et ceux, cyniques, de l'amiral avec les Allemands, car il pratique, dit-il, la politique du donnant-donnant. On sait qu'il est responsable de l'éviction du général Weygand, dont la raideur vis-à-vis de l'occupant compte plus, aux yeux d'Uriage, que ses idées franchement réactionnaires. Lorsque Pierre Laval revient au pouvoir, en avril 1942, Segonzac s'élève publiquement contre la politique de relève, il condamne les mesures contre les Juifs, et l'instauration du STO (Service du travail obligatoire en Allemagne). Se situant dans la mouvance du général Giraud, qui vient de s'évader d'Allemagne, Segonzac se prépare à une action militaire clandestine. Sa rencontre avec Henri Frenay, fondateur du réseau Combat, un vieux camarade de Saint-Cyr, le convainc de la nécessité de fournir une doctrine à ce mouvement.

L'incompatibilité entre Vichy et l'entreprise de Dunoyer de Segonzac aboutit à la fermeture et à la dissolution de l'École des cadres, dont bien des activistes sont déjà engagés dans la Résistance. Quand, par l'intermédiaire de Frenay, Segonzac rencontre de Gaulle à Alger, au printemps 1944, la froideur de l'accueil témoigne de ce que son École est marquée du péché originel de pétainisme. Les milieux gaullistes jugent que son œuvre, par sa valeur même, a porté de l'eau à Vichy, et a « servi à l'équivoque du régime ». Il obtient un commandement militaire FFI en montagne Noire et dirige la capture du train spécial dans lequel la garnison de Mazamet tente de s'enfuir, puis la capitulation de celle de Castres.

Au pays même de son rayonnement, à Grenoble et aux alentours, leur pétainisme d'origine et l'heure tardive de leur ralliement à Alger ont nui aux hommes d'Uriage, aux stagiaires qu'ils ont formés, que, à tort sans doute, les résistants appartenant à d'autres familles ont jugés avec suspicion, craignant qu'ils ne soient de connivence avec l'appareil répressif du régime[16].

Autre capitaine, Henri Frenay demande lui aussi, le 24 janvier 1941, à être placé en congé d'armistice. Il a pris connaissance de la rencontre Laval-Pétain à La Ferté-Hauterive, perçue comme une sorte de réconciliation, et il s'ouvre à sa mère pour lui expliquer que « rien ne pourra être construit dignement sous la botte de l'Allemagne hitlérienne ». Il appartient à une famille de militaires, hostile à toute idée de révolution mais pas antirépublicaine, conservatrice et pauvre et qui, au lendemain du traumatisme de la défaite, accueille Pétain comme un père, un libérateur. Ses excuses et ses explications à sa mère, qui manque le dénoncer dès qu'elle soupçonne son fils de ne plus être un inconditionnel du Maréchal, voilà une situation qui nous rend compte des tourments et des états d'âme de ce jeune officier patriote, d'une famille très traditionaliste[17].

En juin 1940, sourd aux premiers discours de Pétain annonçant qu'« il faut cesser le combat », son chef, le général Lescanne, décide de résister et de se battre : son 43e régiment tient jusqu'au 24 juin sur un dernier recoin d'Alsace. Son ordre du jour, avant d'être fait prisonnier, s'achève par cette phrase : « Restez fiers, fidèles les uns aux autres. Les jours de deuil auront leur fin. » Déjà, Henri Frenay s'est procuré des cartes d'état-major au 1/50 000 pour s'évader. Il ne trouve aucun officier pour l'accompagner, sauf l'adjudant Bourget : des affiches allemandes font savoir que tout prisonnier évadé capturé après le 30 juin sera fusillé. En passant par la forêt de Luxeuil et après quatorze jours de marche clandestine à travers monts et bois, il est à Lyon, ayant perdu 11 kilos. Pour lui, pas de doute, Pétain a signé l'armistice pour gagner du temps. Le pense également sa bonne amie Bertie Albrecht, militante de gauche qui, avant guerre, avait contribué à faire son éducation politique, tout comme René Capitant au Centre d'études germaniques de Strasbourg. Chacun à sa manière l'avait persuadé de la spécificité criminelle du nazisme, qui privait les individus de leur liberté, pas citoyenne seulement, mais morale, mentale. Redevenu un homme libre et persuadé d'être en harmonie avec les projets du Maréchal, le capitaine Henri Frenay entre dans les services secrets, germanophobes par fonction et par conviction. Sa connaissance des milieux allemands leur apporte l'éclairage qui leur était nécessaire sur les pratiques et les projets des nazis, une clarification qu'à part nombre d'intellectuels et d'hommes politiques, la plupart des Français n'ont pas clairement opérée.

Comme eux, d'ailleurs, Henri Frenay attribue les excès de la politique de collaboration à Laval, et son retour, en avril 1942, lève les illusions de ceux qui croyaient que le double jeu était une stratégie alors qu'il était devenu un masque. Beaucoup se détachent de Vichy avant de se détacher du Maréchal. En août 1942, Frenay écrit au général Giraud, qui venait de s'évader d'Allemagne, pour le convaincre de rejoindre de Gaulle. En octobre, il écrit à Roosevelt pour expliquer comment la politique du Maréchal, à laquelle il a cru, l'a « odieusement trompé », interventions qui précèdent l'invasion de la zone libre à laquelle Pétain ordonne de ne pas s'opposer – un nouveau traumatisme pour l'armée. À petits pas ensuite, et par étapes, Henri Frenay se rallie à de Gaulle. Avec Jean Moulin, venu d'ailleurs. Il a ainsi constitué un des grands pôles de la Résistance de l'Armée secrète.

À la fin de l'été 1940, pour Henri Frenay, l'idée est bien, ce qu'il explique à Chevance-Bertin, que « ce que Pétain ne peut pas faire lui-même, nous allons le faire officiellement ». Bien d'autres militaires le pensent, chacun agissant à sa manière : le colonel Groussard obtient l'accord du ministre de la Guerre pour organiser des unités militaires clandestines, s'opère par ailleurs le réarmement clandestin, lui aussi, de l'armée, le camouflage de son matériel sous l'égide de plusieurs généraux, Frère, Closon, Weygand, etc.[18].

Mais l'ambition de Frenay va plus loin : organiser dans le secret une armée invisible qui, le jour venu, « comme aux Vêpres siciliennes, frappera l'armée ennemie dans le dos » : tel sera « le choc », accomplissement de tout un travail de propagande et de renseignement. La lutte doit être menée en France, la France libre de De Gaulle « pouvant lui être associée » ; l'essentiel étant, au départ, le renseignement et la propagande en zone libre, avec un journal *Les Petites Ailes de France*, devenu *Vérités*, puis *Combat*, et que s'opère ainsi une coordination entre les « sixaines » créées au départ et qui doit aboutir au MLN, Mouvement de libération nationale.

Pour recruter, Henri Frenay possède une grande force de conviction. Il l'a éprouvée lors de ses conférences à Marseille ou à Toulouse, juste avant guerre, quand il expliquait « quel danger mortel constituait le nazisme ». Désormais, il met cette force au service de son organisation ; mais avant de constituer ses groupes, il s'assure que chacun de ses membres croit inéluctable à la défaite de l'Allemagne : cette conviction doit être un préambule d'engagement.

Un fait est frappant : il s'agit toujours de la victoire des Anglais que doit aider la puissante Amérique. Jamais, dans ses tracts et dans ses publications, il n'est fait allusion à la guerre contre l'URSS, sinon pour stigmatiser « les propagandes nazies et communistes qui ont sapé le moral du pays ». Cet anticommunisme de Frenay, son antisoviétisme rendent compte de ses graves divergences à venir avec d'autres foyers de Résistance.

On a observé qu'en juin 1940, aucun officier n'avait accepté de se joindre à lui quand Frenay avait voulu s'évader. Ce même refus a été adressé au sous-lieutenant Robert Salmon : « Vous savez, lui a répondu l'un d'entre eux, les Allemands ont fait des réalisations sociales très intéressantes. » Faut-il multiplier les cas semblables[19] ?

Ainsi, dès l'origine s'opposent déjà deux clans, note en 1947 Guillain de Benouville, « deux races d'hommes qui s'affrontent avec des injures étouffées : celle des résignés, qui se frappent la poitrine en suggérant que nous n'avons pas volé la correction que nous venons de recevoir [...] et puis, isolée, silencieuse, rageuse, la race de ceux qui se refusent à la servitude[20] ».

Cet autre soldat inconnu, Dewavrin, entre à nouveau en guerre dans des circonstances différentes.

Chez Dewavrin, un capitaine lui aussi, pointe comme pour Frenay l'idée d'une armée clandestine. André Dewavrin est un polytechnicien qui, au début d'avril 1940, se déclara volontaire pour un poste de combat et partit ainsi en Norvège où il se trouva sous les ordres du général Béthouart ; il quitta Harstad « laissant derrière lui tout un peuple aux yeux remplis de larmes. Il n'y eut pas un d'entre nous qui osât regarder sans rougir ces braves gens que nous abandonnions... Et pourtant nous nous sentions victorieux, ayant chargé l'ennemi jusqu'aux frontières de la Suède ». « Les nouvelles de France étaient mauvaises ; quand on arriva à Lorient, la rumeur nous apprit que le maréchal Pétain avait demandé l'armistice. » « Chacun criait à la 5e colonne... Personne ne voulait y croire... Et quand les Anglais commencèrent à rembarquer, je retrouvais dans les yeux des Français qui les regardaient la même tristesse, parfois la même rage que j'avais observées quelques jours plus tôt en Norvège. » « Le 18 juin, rapporte André Dewavrin, le général Béthouart revint du GQG, selon lui, "une assemblée de vieillards assistant sans réaction à la mort de la France". Conduits à Brest, on embarqua sur le *Meknès* qui fit route, nous le pensions, vers l'Afrique du Nord ; décrire la rage et le désespoir qui nous étreignaient est impossible. [...] Nous essayions de nous cacher notre émotion et nos larmes pendant qu'au loin les incendies éclairaient de leurs flammes les remparts de la ville ; une épaisse fumée noire recouvrait le goulet, grâce à elle on put échapper aux avions ennemis... En mer, le *Meknès* n'eut plus de carburant, quand on brûla le pont pour alimenter les chaudières... et après deux jours de navigation, il accosta à... Southampton[21].

Là, les chasseurs alpins qui ne pouvaient pas sentir les Anglais ne pensaient qu'à retourner au pays. Les légionnaires étaient partagés entre leur commandant et leur lieutenant-colonel. Demeurés entre eux, les officiers sans troupe jugèrent, avec le capitaine Faure, qu'il fallait rejoindre l'Afrique du Nord, "car si la France continuait la guerre, notre place était là-bas ; et, si l'armistice était signé, l'Angleterre n'en avait pas pour six semaines avant de mettre bas les armes". »

Ce diagnostic corroborait celui de l'état-major, en métropole, que « l'Angleterre aurait bientôt le cou tordu comme un poulet ». Sauf qu'avec l'armistice, il entendait mettre fin à tous les combats...

Un certain colonel Williams vint inviter les Français qui le désiraient à s'enrôler dans l'armée anglaise, pour qu'ils ne demeurent pas regroupés car le War Office suspectait leur loyalisme. Certes, on parlait aussi d'un certain général dont on ne se rappelait plus le nom, et qui, avec l'accord de Winston Churchill, avait lancé un appel aux Français, « mais cela n'était mentionné par les Anglais que comme un fait sans importance et sans lendemain ».

Le 25 juin, raconte Dewavrin, « j'entendis par hasard à la radio l'enregistrement nasillard d'un appel du général de Gaulle. Bien peu connaissaient son nom, et la nouvelle de sa nomination comme sous-secrétaire d'État n'avait pas atteint la Norvège ».

À son retour à Londres, le général Béthouart dit sa sympathie pour l'appel du général de Gaulle. Mais il ne pouvait y répondre car son devoir l'appelait à rester avec ses hommes qui désiraient rentrer en France. Il laissait les officiers et les hommes libres de leur conduite, « car la notion de devoir est subjective ». Il ajouta que des cargos feraient route le 30 juin vers Casablanca.

Ceux qui avaient entendu le général au camp de Trentham Park se divisèrent, se disputèrent : « Vendu aux Anglais », « Le brillant vainqueur de Verdun... ».

« J'hésitais jusqu'au dernier moment, puis après une ultime conversation avec Béthouart, qui m'encouragea dans mon projet, je décidais de rejoindre le général de Gaulle. »

Le 1er juillet 1940, Dewavrin est reçu, à St Stephen House, un immeuble triste et sale, dans un appartement minable où rôdent trois ou quatre personnes, dont un de ses camarades de la campagne de Norvège : « La forme immense du général de Gaulle se détend et se lève pour m'accueillir. Il me pose quelques questions et me nomme directeur des 2e et 3e bureaux de son état-major. La conversation n'a pas duré quelques minutes. L'accueil a été glacial. »

Cet homme, que l'Histoire a connu sous le nom de colonel Passy, ignore tout des activités clandestines, il est en effet chargé de créer le BCRA (Bureau central de renseignement et d'action). Il monte en quatre ans une machinerie des services secrets sans exemple dans notre Histoire (J.-L. Crémieux-Brilhac) : les 950 coupures effectuées sur les voies ferrées qui mènent en Normandie, en juin 1944, les 1 500 agents qui transitent entre la métropole et l'Angleterre, la difficile coopération entre la Résistance intérieure et la France libre, telle est la charge qu'il maîtrise, son service passant de 4 officiers en 1940 à 421 en 1944. Homme de l'armée clandestine, il eut « à tenir la barque à flot contre le déferlement des intrigues, des déceptions. C'est pourquoi je l'ai maintenu en place contre vents et marées », témoigne le général de Gaulle.

Les accusations d'avoir été cagoulard et d'avoir transformé le BCRA en Gestapo ne reposent sur rien, mais elles accréditèrent pendant plus de vingt ans la légende d'une France libre, gérée par des réactionnaires, qui répugna à armer la Résistance intérieure. Or au sol, pour bien des maquis FTP, elle avait un accent de vérité. Enfin, en 1946, Passy fut arrêté pour avoir secrètement constitué un trésor de guerre, dont il ne dévoila pas l'existence à son successeur, Jacques Soustelle. Le fait était vrai, pour autant que de Gaulle, craignant alors une troisième guerre mondiale avec l'URSS, lui aurait dit ne pas souhaiter « être aussi démuni que la dernière fois ». La caisse noire de Passy, cet officier indigne, devait servir à menacer la République, écrivirent conjointement les organes des trois partis qui, derrière Passy, soupçonnaient et accusaient de Gaulle de préparer un coup d'État.

Après avoir publié ses *Mémoires*, le colonel Passy, amer, garda le silence jusqu'à sa mort, en 1998[22].

Pour autant que le régime procéda à une épuration indirecte, par abaissement des limites d'âge, la connivence fut totale entre les chefs militaires et le régime – sauf les conflits qui éclatèrent, en son sein, sur les formes et le degré de la collaboration, entre Darlan et Weygand, entre Weygand et Pétain, et, plus tard, avec Bridoux et l'amiral Platon, les collaborationnistes extrêmes.

Sauf de Gaulle dont les cadres de l'armée et quelques parlementaires avaient connu les écrits sur les blindés, tous ces hommes étaient des inconnus de l'Histoire.

Sans doute, comme militaires, ils se sentaient plus impliqués que d'autres dans cette défaite, mais ils n'étaient qu'une poignée à avoir adopté dès l'origine une attitude d'insurgés.

Chasser l'ennemi allait de soi, mais l'attitude à adopter vis-à-vis de la politique de Vichy et du Maréchal les différenciait les uns des autres, de Gaulle étant le seul à n'avoir aucune illusion sur le comportement de Pétain dont il pressentait qu'il serait capable de toutes les lâchetés pour demeurer au faîte des honneurs. Au reste, quand la politique de collaboration prend forme, c'est Weygand qui manifeste la fermeté dont l'opinion créditera à tort Pétain : et celui-ci s'en débarrassera, le laissant arrêter par les Allemands et déporter sans protester. Il n'avait pas plus réagi quand ceux-ci avaient arrêté Groussard qui, avec les services secrets, camouflait du matériel et gardait quelque contact avec Londres et la France libre.

Examinant l'entrée en Résistance, Laurent Douzou observe que, pour que les sentiments d'opposition à l'occupant puissent se transformer en une action et être suivis d'effets, il faut certes l'intention explicite et formulée de chasser l'ennemi, mais c'est l'antériorité de l'engagement qui consacre l'autorité de ceux qui l'animent, la France libre et Combat s'imposant ainsi à beaucoup ; or une troisième condition devait être remplie, la capacité par le maillage de ses relations, de recruter, de s'associer, de monter réseaux ou mouvements. L'appartenance à l'armée, à ses services, permet de monter des réseaux tandis que d'autres maillages, ceux des partis politiques, des syndicats, des municipalités, des universités sont plus aptes à créer des mouvements, à publier tracts et journaux, à gagner l'opinion[23].

Les résistants isolés sont demeurés des héros solitaires que l'Histoire a souvent ignorés.

Elle a au moins retenu le nom du socialiste Jean Tecxier qui, en août 1940, écrivit ses *Conseils à l'inconnu occupé*, et le groupe du musée de l'Homme, le premier vrai réseau, composé d'intellectuels de gauche tels Germaine Tillon, Boris Vilde, Pierre Brossolette, Paul Rivet, qui fut détruit par les Allemands dès 1941…

Sur le territoire métropolitain, à la rareté de ces réseaux et mouvements en 1940 succède bientôt un pullulement puisqu'on en comptabilise respectivement 220 et 40 en 1944 même si, dans la population, la clandestinité est demeurée minoritaire et plus encore l'action armée[24].

Passant des villes aux campagnes, celle-ci prend son essor en 1942 avec l'instauration du STO, ce qui peuple les maquis et durcit la répression par les Allemands et par Vichy. L'absence de résistance à l'invasion de la zone libre achève de rompre le peu de fonds que certains réseaux et mouvements pouvaient encore nourrir sur le régime, même si les services de Vichy continuent à fournir de faux papiers aux prisonniers évadés et à aider au passage d'une zone à l'autre.

À l'action émanant de la France libre se juxtapose ainsi, dès 1940-1941, une sorte de refus multiforme, ébauche de la Résistance qui sourd du territoire métropolitain, affirme son autonomie et dont de Gaulle ignore longtemps les formes et l'ampleur. Le contact ne s'établit qu'avec le voyage du syndicaliste Christian Pineau à Londres, au début de 1942, avant que la greffe ne s'opère, puis l'unité sous l'égide de Jean Moulin.

À moins que ne les ait rejoints, en Grande-Bretagne ou plus tard en Afrique du Nord, un flux de volontaires indépendants qu'anime l'idéal patriotique, mâtiné du goût de l'aventure aussi bien. Ces isolés, sans appartenance politique ou autre, jeunes le plus souvent, se débrouillent comme ils peuvent pour atteindre la France libre. Henri de Lattre en est un exemple.

Il avait une vocation d'aviateur qu'avait allumée la lecture des exploits de Saint-Exupéry et de Mermoz. En 1939, à dix-huit ans, il peut s'engager comme radio-navigant. Frappé alors par une péritonite, il est hospitalisé quand, avec la débâcle, les Allemands entrent à Rochefort. Démobilisé à Nîmes, il rejoint ses parents à Houilles, près de Paris. « Je fus étonné de les entendre évoquer une défaite possible des Allemands en liaison avec une allocution de De Gaulle annonçant le ralliement de l'Afrique équatoriale. » Il trouve un emploi d'aide-comptable caissier mais ne pense plus désormais qu'à faire des économies « pour donner suite au projet [qu'il] nourrissait au fond de son cœur ». Ce n'était pas facile et on chuchotait bien que des filières pouvaient conduire en Angleterre avec la complicité de pêcheurs bretons, « encore fallait-il pouvoir entrer en contact avec eux ». Grâce à l'opération due à sa péritonite, en 1942, il est exempté de STO. « J'aurais pu alors tranquillement rester dans mes activités, mais ma décision était prise », et il ne vit là qu'un signe supplémentaire vers la réussite de son projet. Son camarade Raymond Doré avait trouvé une filière pour l'Espagne, celui-ci y partit seul ;

tenant sa promesse, « un mois après, un contact téléphonique me donna rendez-vous rue de Charonne ». Une demoiselle Calmens l'emmènerait à Toulouse, où, entre-temps, ils séjourneraient : « Comme les hôtels étaient surveillés par les Allemands et la Milice, il fallait en changer pour ne pas être en butte à la curiosité du patron ou de ses employés [...]. » « La filière de Saint-Girons était devenue inexploitable, il fallait aller à Pau, puis à Oloron-Sainte-Marie », « mais les conditions de passage en Espagne parurent insuffisamment crédibles et nous fûmes sept candidats à décliner la proposition. Je ne peux que me rappeler avec une grande tristesse que mes pressentiments étaient fondés, puisque malheureusement tout le groupe se fit prendre après Oloron et tous ses membres déportés en Allemagne[25].

Un autre point de passage fut plus propice par le village d'Arneguy situé à un kilomètre d'un poste allemand... Il ne fallait pas faire de bruit sur ces chemins muletiers, très pierreux. Enfin la petite troupe put franchir la Nive, mais avec de l'eau jusqu'au-dessous de la ceinture alors qu'au lieu prévu, elle ne devait pas dépasser les mollets [...]. Les guides furent payés comme convenu, 7 000 francs, soit trois à quatre salaires mensuels moyens de l'époque. Arrivés à Valcarlos, en Espagne, nous devions aller au poste de police... Les carabiniers, puis les policiers nous conduisirent à la "Prison provinciale" de Pampelune, puis au *Campo de concentración* de Miranda, aux conditions sanitaires déplorables, où les Polonais évadés entre 1940 et 1942 jouaient le rôle de leaders pour les autres prisonniers. La paillasse était bourrée de punaises et de toute la vermine possible. » Bientôt, un de ses camarades, qui avait des parents en Espagne, fut libéré, Henri de Lattre le fut à son tour grâce à une intervention de la Croix-Rouge... « peut-être en échange de sacs de blé fournis par les Alliés ». De Málaga, il put rejoindre Casablanca, puis les forces de la France libre et bientôt il s'engagea dans la 2e division blindée, celle du général Leclerc.

Ils avaient été 15 000 à 20 000 à passer ainsi en Espagne, à y être internés comme lui. Son récit, bien qu'écrit après coup, corrobore les autres parcours de ceux qui, isolés, veulent participer à la libération de leur pays en passant par l'Angleterre ou l'Afrique du Nord. Des réseaux existent, cela est dit. Mais pas leur identité, car c'est bien ainsi que cela se passait pour ceux qui n'appartenaient à aucune organisation et n'avaient d'autre guide que leur patriotisme.

« Ils ont traversé les Pyrénées ou les Alpes, au gré des flots par chalutiers et voiliers, dans les eaux bleues du Pacifique, par les airs tels ces aviateurs audacieux ; et auparavant devant les Panzers allemands qui envahissaient la France, ceux qui, par une course à la mer, tentent leur chance à partir de la côte, et atteignent l'Angleterre[26]. »

Le parti, la patrie

À Vichy, avant même que la République ne se suicide, ou soit exécutée et que, par un vote de 569 voix contre 80, ne s'instaure l'État français, ce qui frappe est bien l'absence, le silence ou l'abstention de ceux qui jusque-là dirigeaient la République. Premier à disparaître, Édouard Daladier, muet, désemparé depuis la faillite de Gamelin et la percée de Sedan ; suit Georges Mandel qui sent pointer l'antisémitisme et craint qu'à suivre de Gaulle on ne l'accuse de déserter, comme ceux qui sont partis sur le *Massilia* croyant que le gouvernement Reynaud allait se replier au Maroc. Paul Reynaud également s'efface, à Vichy, victime d'un grave accident de voiture. Pendant que Laval et Flandin interviennent sur les pouvoirs à octroyer à Pétain et sont sur le devant de la scène, ni Blum, ni Herriot, ni Jeanneney, présidents des deux Assemblées, ni Albert Lebrun, président de la République ne sont intervenus.

Or, le 10 juillet, les 80 s'opposaient au juste à quoi ?

À un coup d'État autoritaire qu'ils pressentaient ? À Laval, mais pas à Pétain que leur motion salue. Le « refus républicain » émana aussi bien du royaliste Leonel de Moustier, hostile à l'armistice, que de « Marc Sangnier et du Sillon, plus que des héritiers de Jules Guesde ou de Jean Jaurès, de Ledru-Rollin ou de Gambetta[27] ».

Parmi les 569 « oui », on compte la majorité des députés socialistes présents, des radicaux, le centre surtout, les communistes ne votant pas, déchus depuis le 20 janvier 1940.

Et puis que pèsent ces 569 et que pèsent alors les 80, voire les 28, c'est-à-dire les premiers, tel le radical Vincent Badie, à mettre en cause les projets de Laval : sa motion ne parlait ni de l'armistice ni de la guerre. De fait, abasourdis par la débâcle, par le chaos de l'exode à une date où il y a peu de retours et près d'un million et demi de prisonniers, quels sont les Français qui ne consentent pas à la défaite ?

Quelques militaires, déjà, on l'a vu.

Mais également, hormis l'Appel venu de Londres, les 80 ont essaimé des graines de résistance. Dès le 10 juillet, l'un d'entre eux, Jean Odin, sénateur radical de la Gironde, conçoit l'idée d'un groupe clandestin. Plus tard, un autre radical, Paul Bastid, manifeste hautement son opposition au régime, sa volonté de chasser l'occupant. L'accompagne Tony Revillon.

Mais, chez ces radicaux, les vrais leaders sont déconsidérés : Camille Chautemps qui a contribué à mettre sur orbite « Napoléon et Jeanne d'Arc » – Weygand et Pétain – joue les ambassadeurs aux États-Unis, Daladier et Herriot – que les Lyonnais dont il est maire viennent de huer – demeurent tapis et on ne les entendra pas jusqu'en 1942. Quant à Pierre Cot, il a voulu rejoindre de Gaulle mais celui-ci a jugé qu'il devait le repousser : l'ancien ministre de l'Air « était trop voyant pour être désirable ». Au moins fit-il confiance à son fidèle, le préfet Jean Moulin, qui, dès le 18 juin 1940, commet un premier acte de résistance en se tailladant la gorge pour ne pas signer un procès-verbal de la Wehrmacht qui accusait à tort des soldats sénégalais d'avoir commis des viols alors que les morts qu'on lui présenta avaient succombé à des bombardements[28].

Dès l'été 1940 c'est la nébuleuse démocrate-chrétienne qui conteste avec le plus de vivacité le nouveau régime et sa politique. Dans *Temps nouveaux*, Stanislas Fumet, dans *Témoignage chrétien*, le révérend père Chaillet se lient à Frenay, collaborent à ses *Petites Ailes*. Très tôt, la collaboration avec Vichy est identifiée « à la collaboration au triomphe des principes nazis ». Sans équivoque, on y stigmatise la persécution des Juifs et l'on prend part à leur sauvetage à travers *L'Amitié chrétienne*. Plus tard, un des leurs, Georges Bidault, joue un rôle central dans le processus d'unification de la Résistance.

Dans l'histoire traditionnelle, il est courant de juger que Vichy était « à droite et la Résistance à gauche ». Certes, ce schéma a été très vite corrigé mais il demeure une matrice. Or, si les tout premiers dirigeants bien proches de l'Action française (mais ni Laval ni Darlan) rôdent alors autour du pouvoir, militent ouvertement pour la collaboration, Doriot, qui avait été communiste et fonda le PPF (Parti populaire français ouvertement fasciste), Déat, socialiste qui est entré au gouvernement Pétain en 1944, et a fondé le RNP (Rassemblement national populaire, avec son journal *L'Œuvre*), Gaston Bergery, ancien radical et pacifiste, tous les trois avaient, avant 1936, préconisé une sorte de Front populaire, le Front commun, qu'avaient rejeté leurs différents partis. Au gouvernement Pétain, il y avait également le socialiste bon teint Spinasse et le syndicaliste Belin, et, à côté, Du Moulin de la Barthète, son directeur de cabinet[29].

Or si la part de ces gens de gauche devenus vichystes ou fascisants est reconnue, il existe une sorte de tabou sur la part jouée par les royalistes dans l'opposition ou dans la Résistance.

Montrer que pas mal d'entre eux ont été, tel M. de Moustier, « plus républicains que les élus du Parlement » est pourtant une vérité, même si l'esprit de la droite a bien dominé à Vichy, par des personnalités, tels Alibert, X. Vallat, Menetrel, etc., qui n'étaient pas des parlementaires – Pétain étant hostile « à ces gens-là ».

Si, institutionnellement, la droite n'eut des représentants auprès de De Gaulle que tardivement, tel Charles Vallin, adjoint du colonel de La Rocque, de nombreuses individualités de cette droite entrèrent très tôt dans les réseaux de la Résistance, « des aventuriers sociaux », les définit J.-F. Sirinelli, tels Loustanau Lacau, ancien cagoulard, André Mutter, etc.[30].

Faut-il rappeler, en outre, que, sans parler de De Gaulle réputé avoir eu à certains moments des sympathies pour la monarchie, bon nombre des combattants de la France libre en ont eu aussi, les généraux de Lattre de Tassigny, de Hauteclocque (Leclerc), de Montsabert, également Edmond Michelet, Colette – l'homme qui a tiré sur Laval –, Bonnier de la Chapelle, qui a tué Darlan, sans parler de Daniel Cordier, adjoint de Jean Moulin, de Claude Roy, Debu-Bridel, etc.

Mais ils n'ont jamais été regroupés sous cette étiquette[31].

Quant au parti socialiste, il est dans le coma. Depuis la non-intervention en Espagne, le sentiment de culpabilité que nourrit une partie de ses membres, l'agression constante dont il est l'objet de la part de la presse d'extrême droite qui, de *Gringoire* à *Je suis partout* et au *Pilori*, l'accuse, Blum en tête, d'être responsable de la guerre et de la défaite, le voici divisé, décomposé lors du vote des pleins pouvoirs à Pétain (90 pour, 36 contre, 6 abstentions).

Si le parti est effondré, paralysé, il est de ses membres – mais pas les pacifistes, tels Felicien Challaye, Georges Lefranc, Paul Faure – qui veulent réagir et agissent.

Ils le font dès l'été 1940, mais masqués.

Déconsidérés en tant que socialistes, ils entrent dans les différents mouvements de résistance mais à titre personnel, politiquement anonymes : on les retrouve partout, à Libération Nord, à Combat, à Libération Sud, à Londres également.

En zone occupée surtout, leur premier dilemme est de savoir si maires et conseillers municipaux en exercice doivent rester en fonctions.

Non, juge Augustin Laurent, partisan du refus. Pas de compromission, pas de risque d'engrenage vers une quelconque collaboration.

Si, juge Jean Lebas, maire de Roubaix en zone interdite et bientôt destitué : « car on ne doit pas se séparer d'un outil qui peut être un instrument de défense des populations » (A. Guérin). Il ne faut pas voir là un premier pas vers la collaboration, car il est arrêté, déporté et meurt dans un camp en mars 1944[32].

Le deuxième dilemme porte sur l'identité du parti qui, en tant que tel, se dissout, ses membres envisageant de changer son étiquette.

Mais la forte intervention de Blum au procès de Riom, au printemps 1942, où il défend l'action du Front populaire et montre les erreurs commises auparavant par Pétain au ministère de la Guerre, revigore le sang des socialistes, et, dans la Résistance, ils imaginent de se battre désormais sous leur propre drapeau.

C'est Daniel Mayer, le second de Léon Blum, qui incarne ce courant tandis qu'à Londres, Pierre Brossolette juge que l'heure des anciens partis est dépassée, qu'il faut reconstituer, avec de Gaulle, de nouvelles organisations animées de l'esprit de la Résistance. De Gaulle pencherait plutôt dans ce sens, mais Jean Moulin lui fait admettre que la participation, à ses côtés, dans le futur Conseil national de la Résistance (CNR) des anciens partis, et notamment du parti socialiste, lui donnera la caution démocratique et républicaine dont il a besoin au regard de Churchill, mais plus encore auprès de Roosevelt[33].

De sorte qu'au travers de cette nécessité, les partis allaient retrouver leur capacité à revendiquer le pouvoir : Georges Bidault y travaille pour la démocratie chrétienne, Daniel Mayer pour le parti socialiste, quant au parti radical, son leader, Édouard Herriot, après avoir renvoyé sa légion d'honneur à Pétain en 1942, déclare à de Gaulle, l'interrogeant en 1944 sur l'avenir du pays, qu'il commencerait par régénérer le parti radical...

Pour tous ces partis et leurs leaders, il y avait urgence car, dans la Résistance, le parti communiste avait pris plusieurs longueurs d'avance sur eux, et après-demain se poserait le problème du pouvoir...

Les communistes

En août 1939, l'annonce du pacte germano-soviétique avait frappé les communistes français comme la foudre[34]. Ils y virent comme une tactique de Staline pour gagner du temps, mais aussi une victoire de la paix puisque, selon eux, la capitulation de Munich avait pour but ultime de détourner l'agressivité de Hitler contre l'URSS. Dès que la guerre commence, pour autant que *Les Cahiers du bolchevisme* la jugent « impérialiste » et en rendent responsables les gouvernements français et britannique, Édouard Daladier met la presse communiste hors la loi, et bientôt la Chambre des députés destitue les députés communistes de leur mandat bien qu'ils aient voté les crédits militaires. Il y a 3 400 arrestations.

Au lendemain de la défaite, les communistes ont la tentation d'imaginer que la situation de la France vaincue pourrait reproduire celle de la Russie de 1917 puisque l'ennemi est le même, et qu'il y a une vacance de l'État. « Thorez au pouvoir », lancent les affichettes des communistes qui nouent langue avec les autorités allemandes – on est à l'époque du pacte – pour que reparaisse *L'Humanité* et que reprennent leurs activités « légales » ce que récusent les autorités françaises[35]. Il n'est pas question d'organiser une résistance à l'occupant.

De fait, la répression exercée par la IIIe République, l'exil des leaders (Thorez en URSS, d'autres en Belgique), le grand nombre de militants prisonniers, voilà qui a démantelé la machinerie du parti, ses réseaux. Selon un comptage effectué par Stéphane Courtois, sur 81 communistes ayant des responsabilités à Paris, 23 ont été arrêtés, 24 mobilisés, 12 se sont retirés, 8 sont clandestins, 7 ont quitté le parti depuis le pacte, dont le haut responsable Marcel Gitton, bientôt décédé dans des conditions mystérieuses, et un intellectuel du parti, Paul Nizan.

Reconstituer le parti, toujours illégal, tel est bien l'objectif des dirigeants en place, l'objet de leur opposition à Vichy, aux autorités. Et ce sont ces activités-là que le parti mit ensuite au crédit d'une lutte antiallemande.

On sait maintenant que le collaborationnisme du parti était le fait de Jacques Duclos et de Tréand qui croyaient se faire ainsi les interprètes de la volonté du Komintern. Mais Thorez leur fit savoir qu'il n'en était rien, et le parti adopta désormais une ligne plus antiallemande ; voire, début 1941, antinazie[36].

L'attaque de l'Allemagne contre l'URSS, en juin 1941, fut à la fois un cauchemar – la patrie du communisme était menacée – et un soulagement, le pacte n'ayant jamais été accepté au fond des cœurs communistes.

Ce cadre reconnu, saisissons les réactions d'un simple militant à ces dispositions du parti. Le cas de Georges Guingouin permet de les cerner et bon nombre d'entre eux partagent ses sentiments.

Mi-juin 1940. À l'hôpital militaire Sainte-Madeleine de Moulins, un blessé est venu haletant : « Les Allemands arrivent, on ne pourra pas évacuer tout le monde. » Alors, un de ces blessés, l'uniforme souillé de sang, quitte volontairement l'hôpital : il ne veut pas être fait prisonnier. Comme il porte la lisière rouge qui donne droit à une civière, il peut se faire hisser sur un camion qui quitte la ville pour Montluçon. Cet homme, instituteur à Saint-Gilles-les-Forêts, est le secrétaire du rayon communiste d'Eymoutiers. Il se dénomme Georges Guingouin. Il se trouve qu'on est le 18 juin 1940... Militant communiste déterminé, destitué de ses fonctions par Daladier au lendemain du pacte germano-soviétique, ayant répondu à la mobilisation et envoyé au front, il a profité d'une permission en février 1940 pour repasser à Saint-Gilles afin de reconstituer le réseau de son parti qui avait été démantelé et de camoufler le matériel du rayon : machine à écrire, papier, stencils, encre, etc., son obsession[37].

De retour en Limousin, l'armistice le révulse, l'anime l'esprit de Gambetta, d'Erckmann-Chatrian. L'instauration de l'État français par le maréchal Pétain, le 10 juillet, lui a rappelé le coup d'État du 2 décembre 1851. Dès la fin de juillet, il a reconstitué par bribes ce qui survit des réseaux du parti. En août 1940, il distribue un premier tract qu'il a rédigé lui-même : « Messieurs les assassins, installés à Vichy, pourront sans crainte détruire les dernières libertés du peuple de France... faire leur révolution grâce aux baïonnettes allemandes. »

Militant depuis 1935, abonné à *Correspondance internationale*, organe du Komintern, Guingouin connaît ses classiques. Il prend alors connaissance d'un document signé Thorez-Duclos, dit-il, les dirigeants du parti : « Ni Londres, ni Berlin... ni soldats de l'Angleterre avec de Gaulle, ni soldats d'Allemagne avec Pétain, à bas la guerre impérialiste. » « C'est retardataire... cela pouvait s'appliquer à la drôle de guerre, mais la situation est nouvelle. Mettre sur le même plan l'Angleterre et l'Allemagne, de Gaulle et Pétain, cela ne peut être une ligne politique juste. Ne s'agit-il pas d'une guerre de libération, d'une guerre antifasciste à mener ? Marx et Engels, en 1870, après Sedan, n'avaient-ils pas considéré que le caractère de la guerre franco-allemande avait changé ? » juge-t-il. En outre, Guingouin comprend à la lecture de documents arrivés clandestinement que la direction nationale envisage un retour à la légalité : « Des manifestations pour le retour des municipalités communistes ont eu lieu à Ivry, Gennevilliers. » « Vu le transigement [*sic*] des occupants, nous avons plus de possibilités d'action. [...] Nous sommes le parti de la fraternité des peuples, nous devons être sans haine vis-à-vis des soldats allemands. [...]. » « C'est comme si la terre se dérobait sous mes pieds », commente Georges Guingouin.

Il n'en continue pas moins à reconstituer les réseaux du parti, à distribuer des tracts et des publications, contraint, dès le début de 1941, de prendre une fausse identité, André Dupuy, bientôt appelé Raoul, car la police de Vichy resserre ses investigations dans cette région d'Eymoutiers, où elle multiplie ses descentes toujours à sa recherche... et à celle de son matériel caché... sous du foin. N'a-t-il pas organisé une descente pour se saisir de nouvelles cartes d'alimentation sans lesquelles les clandestins du parti n'auraient pu survivre ?... Il s'est fabriqué une planque souterraine dans les grands bois des Soudaine-Lavinadière (avril 1941). Entre-temps il a écrit à sa fiancée qu'il était obligé de rompre, son devoir l'appelant à la Résistance.

Avec l'attaque de la Wehrmacht contre l'URSS, les mots d'ordre du parti ont changé : « Paysans, cachez vos récoltes, plus rien pour Hitler. Prenez les fusils pour faire passer le goût du pain aux inspecteurs qui se hasarderont dans les greniers... » Mais les activités de Raoul, également, qui a mis sur pied, grâce à son réseau, l'organisation armée des FTPF, sont bientôt devenues, en Corrèze, le premier maquis de France. Ainsi, jusque-là, tout en tenant un discours patriotique, Guingouin ne s'en prend pas directement aux Allemands mais à leurs agents de Vichy.

Au printemps 1942, un des cadres du parti, Gabriel Roucaute, vient à Saint-Germain-les-Fossés pour s'informer de la situation dans la région. Il rencontre Guingouin, qui lui rend compte de son travail : préparer une armée de partisans pour aider ensuite les insurgés qui se soulèveront dans les villes. Or la direction du parti a jugé que c'est dans les villes que doit se concentrer le fer de lance des groupes militaires, pas dans les campagnes. C'est la rupture. « Tu obéis, lui dit Roucaute, ou on te relève de tes fonctions, et je dirai aux Corréziens de couper avec toi. » Guingouin se demande alors s'il ne va pas partir en Angleterre, mais vu sa connaissance du terrain et ses réseaux, sa conviction aidant, il décide qu'il faut rester en métropole. Il retourne en Haute-Vienne où formellement il n'a pas perdu ses fonctions de représentant du parti et retrouve ses camarades. Gendarmerie et police y voient une provocation, sa tête est mise à prix, car il y fortifie l'organisation FTP et ses tracts appellent à la vengeance contre la répression du régime de Vichy. Le degré d'action de ses hommes est monté d'un cran : dans une opération de commando avec de la dynamite qu'il s'est procurée il détruit les câbles souterrains téléphoniques, multiplie les sabotages et les raids dans le triangle Saint-Léonard-Eymoutiers-Châteauneuf, toutes opérations menées par les maquisards des « Trois Chevaux », en juillet 1943.

La base opérationnelle de celui qui s'appelle désormais le « préfet du maquis » atteint bientôt 3 500 hommes qu'aguerrissent toutes sortes de coups de main. Au printemps 1944, le parti croit l'heure venue de se saisir de Limoges. Guingouin refuse, préférant investir la cité. Au lendemain du débarquement, le 6 juin, les FTP de la région de Tulle, qui ne dépendent pas de lui, se saisissent de la ville. La suite fut le massacre dont furent victimes les habitants de Tulle par les hommes de la division Das Reich qui remontaient du Sud-Ouest vers la Normandie. À l'inverse, en coopérant avec Salesman, représentant des Alliés, Guingouin coordonne son action avec les instructions émanant de la direction des FFI d'Alger. Les troupes de Guingouin encerclent Limoges tenue par la milice, une grève générale se déclenche à l'appel du maquis et, le 21 août, les troupes allemandes encerclées se rendent aux résistants. Opération magnifiquement réussie. En septembre, Guingouin rend ses pouvoirs au commissaire de la République nommé par de Gaulle. Bientôt il est triomphalement élu maire de Limoges.

Quelques années plus tard, avec le ressac de l'après-libération, la droite s'en prend à Guingouin, à son « soviet limousin, exécuteur de patriotes » et met en cause les excès de la Résistance[38].

À l'un des procès qui lui sont faits se retrouve un des magistrats du tribunal qui l'avait condamné en 1943 à vingt ans de travaux forcés. Un comité de défense animé par Claude Bourdet et Emmanuel d'Astier de la Vigerie organise alors sa défense sous l'égide de deux jeunes avocats, Robert Badinter et Roland Dumas. En 1959, un non-lieu est prononcé, et bientôt, parallèlement, était réhabilité le premier maquisard de France.

Mais, pour lui, le vrai problème était ailleurs.

En premier lieu, comme bien d'autres communistes, il avait cru que le pacte germano-soviétique constituait un sursis pour la paix. Il avait ainsi continué à militer clandestinement, après l'interdiction du parti par le gouvernement Daladier, puis il avait répondu à la mobilisation, militant encore pendant ses permissions...

Au lendemain de la défaite, l'identification par le parti de De Gaulle à Pétain le choque tout comme l'appel à un retour à l'action légale. Cette analyse du parti n'est pas « juste », écrit-il – en résonance avec le sentiment de bien d'autres communistes, qui le pensent mais ne l'écrivent pas.

Ce sacrilège – écrire que l'analyse du parti n'est pas juste – s'accompagne bientôt d'un acte de désobéissance au parti : organiser la Résistance dans les campagnes et pas à la ville, sanctuaire de la classe ouvrière, comme l'exige le dogme du parti. Plus grave encore est son refus de libérer Limoges trop tôt – comme ce fut le destin tragique de Tulle, victime ensuite de la répression –, attitude dont le bien-fondé apparaît quand la capitale du Limousin tombe, presque sans coup férir, et que les Allemands se rendent au maquis...

Suspect pour avoir eu raison, et pour avoir ensuite prétendu faire rendre raison à ceux qui l'ont condamné, Marrane, Roucaute, etc., Guingouin a commis un autre affront, il reconnaît directement l'autorité de la France libre qui, à la Libération, le décore et l'honore.

Ceux qu'il a malmenés, ex-vichystes et autres, et ceux qui sont les siens se sont ainsi conjurés « objectivement » pour le déshonorer.

Un tract daté de 1945 et un article de *L'Écho du Centre*, quotidien communiste, daté de 1952, témoignent de la façon dont Guingouin a été successivement glorifié et déshonoré, pour en faire un réprouvé. Le tract fut édité par le parti en mars 1945 à l'occasion des élections municipales de Limoges. Georges Guingouin était présenté tête de liste, à une heure où sa popularité est extrême.

« Georges Guingouin, instituteur, dans la commune de Saint-Gilles-les-Forêts, mobilisé le 23 août 1939, est blessé le 16 juin 1940. Il organise dès son retour la Résistance civile dans le Limousin et dirige lui-même une imprimerie clandestine. Révoqué en octobre 1940, il fait l'objet d'une étroite surveillance et le 11 février 1941 un mandat d'arrêt est lancé contre lui.

Il échappe à la police et alors commence pour lui une vie d'homme traqué. Il doit travailler dans les pires conditions, imprimer la nuit dans les bergeries (Mouret, mars 1941), vivant seul dans des cahutes construites en plein bois et dans des caves souterraines. Il n'est ravitaillé que deux fois par semaine. Les recherches de la police l'obligent sans cesse à changer de refuge.

Son activité lui vaut sa première condamnation aux travaux forcés à perpétuité le 26 janvier 1942. Sa tête est mise à prix.

Fin 1942, les premiers coups sont portés à la machine de guerre allemande. Il prend part lui-même aux premières actions.

Les premiers maquis qu'il dirige, dans la forêt de Châteauneuf, sont redoutés de l'Allemand, bien qu'ils ne possèdent que des fusils de chasse, car il faut attendre le parachutage du 18 mars 1943 pour avoir les premières armes automatiques.

Les actions des groupes armés se multiplient. Dans tout le département, ce sont 8 000 francs-tireurs et partisans français qui obéissent aux ordres de Guingouin et c'est une véritable petite armée, avec ses compagnies, bataillons et régiments.

[...] Cependant il a la sagesse, en juin 1944, de ne pas essayer de prendre Limoges, à l'instar de Guéret en Creuse occupé par les hommes de l'Armée secrète, de Tulle en Corrèze, bien qu'il en ait reçu l'ordre.

Le 12 août il donne l'ordre d'investissement de Limoges. Par l'intermédiaire de la mission interalliée, Guingouin accule le général Gleiniger à la capitulation. Son but était d'éviter à ses troupes et à Limoges des combats sanglants et il y est parvenu. »

Comparons maintenant ce texte au document rédigé par le comité fédéral du parti communiste de la Haute-Vienne et publié le 12 novembre 1952 par *L'Écho du Centre*, le quotidien du parti édité à Limoges.

« Guingouin tente aujourd'hui, avec le recul du temps, de s'octroyer le mérite et la paternité d'une grande initiative qui ne lui appartient pas : la naissance des premiers groupes de FTP en Haute-Vienne. Guingouin ose se présenter comme le précurseur de cette grande œuvre patriotique du parti communiste français. C'est là l'expression de prétentions sans bornes dans laquelle aurait sombré Guingouin.

Aujourd'hui Guingouin met en avant ses titres acquis dans la Résistance. Il les oppose au parti, commettant de ce fait une nouvelle vilenie. Il est sûr que Guingouin a péché dès l'abord par une absence totale de modestie, bientôt doublée d'une fatuité extraordinaire. [...]

Il prétend qu'il a sauvé Limoges et par cela même, il accuse les libérateurs de Tulle. C'est un mensonge odieux. Il est permis aux libérateurs de Tulle et de Guéret et aux habitants de ces villes de penser qu'une action conjuguée contre les troupes allemandes, leurs voies de communication et les convois aurait rendu leur tâche plus facile. L'argumentation développée par Guingouin pour justifier son attitude n'est pas valable. »

La confrontation entre ces deux textes, à sept ans de distance, le premier édité par le parti et celui qui annonce son excommunication, permet de déceler quelques-unes des données de ce procès de Moscou en France.

Le refus, par Guingouin, de prendre des risques suicidaires, comme les FTP l'ont fait à Tulle, est une manière de mettre en doute l'infaillibilité du parti, une phrase que ses amis communistes de Limoges lui avaient recommandé de supprimer. Mais, dans ce tract qu'il a rédigé, Guingouin l'a maintenue, car il n'entendait pas céder à la loi des dirigeants, le parti ayant dû accepter la totalité du texte tant était grande la popularité du « préfet des maquis », élu à Limoges avec 43 % des voix et la totalité des sièges grâce au mode de scrutin majoritaire.

Si Guingouin a tenu bon en cette heure de gloire, faisant avaler cette couleuvre à l'appareil du parti – mais toujours fidèle à son parti, au nom duquel il se bat –, c'est que lui-même a dû en digérer quelques-unes.

De fait, quelques mois plus tôt, Thorez était venu à Limoges pour présider une réunion du conseil fédéral et il n'avait pas rendu visite à Guingouin alors à l'hôpital à la suite d'un assez grave accident de voiture, au reste assez suspect ; il y avait là un signe qui ne trompe pas et qui signifiait bien qu'en dépit ou à cause de sa gloire, Guingouin n'était plus en odeur de sainteté. Comme le rappelle le texte de 1952, le parti veut le dessaisir des initiatives qu'il a prises après juin 1940 pour mieux accréditer l'idée que c'est le parti qui est à l'initiative de la Résistance en France.

Or Guingouin veut montrer que l'Histoire lui a donné raison.

Et cela, évidemment, les instances du parti ne peuvent pas l'admettre, puisque, selon le dogme et la loi du lénino-stalinisme, c'est la direction du parti, greffée sur Moscou et investie par Staline, qui, expression de la classe ouvrière, incarne le devenir de l'Histoire, donc la vérité historique. Adossée à la force et au prestige fantastiques de Staline qui a brisé la Wehrmacht et réduit le nazisme, cette direction revendique une infaillibilité qu'au sein du parti peu osent lui contester.

Mais il y a plus. Non seulement Guingouin a coopéré avec les FFI, mais il a souhaité une unité avec eux dans le combat, puis a été hautement salué par de Gaulle, se ralliant aux autorités à l'heure de la Libération. Sacrilège, là encore, à l'heure où le parti n'a pas de stratégie bien définie vis-à-vis du gouvernement.

Ensuite, en Limousin libéré, Guingouin fait mener aux communistes qu'il contrôle et à ceux, ses associés, qui ne le sont pas, une politique qui pourrait ne pas être en accord avec la stratégie de Moscou ou de la direction du parti.

Son action va toujours dans un sens plus autonome. Et, pour les dirigeants du parti, voilà qui rappelle Doriot, qui avait déjà jugé, en 1936, que le parti se mettait aux ordres de Staline et que cela nuisait à l'action révolutionnaire en France. On sait ce qu'il en était advenu et, comme le feu, les communistes français craignent que cela ne se répète et veulent « casser les reins » à celui qui se dénommait déjà le « Tito » français, et à tous ceux qui, tels Charles Tillon, André Marty, etc., pourraient penser comme lui.

La popularité de Guingouin gênait. Alors, le parti va le déraciner des attaches qui, dans le parti, pourraient asseoir son autorité. N'est-il pas déjà solidaire de Tillon, de cette nouvelle génération de chefs que la Résistance a fait grandir – face aux bonzes et autres apparatchiks tels que Duclos, Mauvais, Thorez même... Comme Tillon, on le pousse hors de l'appareil : ainsi, en juin 1945, on ne le propose pas au comité central ; ensuite on l'écarte de la liste des candidats à la première assemblée constituante que mène Marcel Paul. Argument, le cumul des mandats – mais il ne s'applique pas à Cristofol, maire de Marseille.

Et puis, lui explique-t-on, non sans perversité « tu es trop critiqué, vulnérable... ».

Bref, il en a la nausée, surtout quand il observe qu'à Paris on ne veut pas lire son long rapport sur les événements de 1939-

1940, voire lui en rendre compte loyalement. Il constate aussi que Léon Mauvais, le secrétaire à l'organisation (la fonction qu'avait Staline en 1924) lui barre la route en toutes circonstances.

Alors il envisage de démissionner.

« Non, camarade, on a besoin de toi. » Au vrai, pour pouvoir le changer de cellule et en trouver une qui accepte de l'exclure[39].

« Tu as trop d'ennemis », lui avait dit Chaintron.

Certes, il en avait, et dans son camp.

Or ses autres ennemis ne se trouvent pas seulement dans les beaux quartiers, ce sont tous ceux qu'épouvantent son profil et son parcours. Pour lui, communiste et patriote, qui se revendique héritier de la Commune, d'Erckmann-Chatrian et de Marx, la lutte de libération nationale, comme en 1871, doit s'accompagner « de la Sociale », que 1936 a failli accomplir. Les comités locaux de libération sont des sortes de soviets qui contrôlent les zones rurales, fixent les prix des produits agricoles, punissent les trafiquants... et, dit-il, demain « les comités ouvriers de gestion remplaceront les patrons ». La campagne électorale de 1945 a fait peur alors qu'avec la Libération Guingouin s'était montré très légaliste, en bons rapports avec les autorités de la République : les communistes ne siégeaient-ils pas à cette date au gouvernement ?

Le rejet, bientôt hystérique, dont Georges Guingouin fut l'objet dans la bonne société de Limoges s'explique pourtant. Qu'il fût communiste et résistant n'est pas une raison suffisante. Le préfet Chaintron se fit accepter, sans ostracisme. Mais qu'une cité qui était socialiste avant guerre se voie enlever la mairie par un instituteur de campagne, voilà qui constituait une sorte d'affront pour ses rivaux, avec à leur tête un agrégé de lettres, appartenant, comme lui, à ce monde des enseignants, où règnent simultanément un discours démocratique et une mentalité féodale. En outre, ses rivaux ont pour chef de file Le Bail, soutenu par l'ancien courant pacifiste de Paul Faure, ce munichois attentiste au temps de Vichy, se disant à son tour, ensuite, de cœur avec la Résistance.

Or il y a Résistance et Résistance.

Faire des faux papiers pour des proscrits, communistes, prisonniers évadés, israélites – pour la bonne société voilà qui pouvait être accepté. Distribuer des tracts, les rédiger constituaient un pas de plus qui mettait en danger ceux qui en étaient les destinataires : déjà cela devenait rédhibitoire.

Mais faire de la Résistance dans les bois, seul ou en groupe, non. « C'est une folie » et cela met en danger toute une jeunesse, car c'est une action sans issue ; voilà ce que pensent beaucoup de gens, mesurant la puissance de l'ennemi.

Mais il y a plus. Quand on est fils d'un notaire, d'un professeur, d'un industriel, pour agir ainsi, aller vivre dans les bois, il ne faut plus appartenir à la société civilisée : surtout lorsque, tel Georges Guingouin, on y est parti seul, qu'on a vécu dans un trou, qu'on a un caractère rugueux, intraitable, et qu'on ne fréquente même pas les bistrots.

Certes, de Gaulle avait fait Guingouin compagnon, commandeur de la Libération, mais il était clair que lors de son tour de France, au lendemain de la Libération, il commença par faire assumer sa légitimité par la nation qui la lui reconnut, il renforça l'autorité des commissaires de la République, mais la troisième fonction de cette tournée était tout autant d'enterrer les maquis. Il honora la marine à Toulon, la police et la garde républicaine, mais il n'honora guère les résistants, alors qu'il décora bien des officiers-naphtaline, ceux qui avaient sorti leur uniforme à l'arrivée des troupes alliées. Succès remporté sur les communistes et leurs alliés, ceux-ci durent accepter de laisser intégrer FFI et FTP dans l'armée.

Ainsi tranquillisée, la droite peut relever la tête, surtout celle qui a résisté et qui se sent libre de stigmatiser les « excès » commis par Guingouin aux temps de la Résistance. Qu'il y en ait eu, c'est sûr. Mais dans son étude sur l'épuration française (1944-1949), l'Américain Peter Novick a montré d'abord que l'épuration en France avait été plus mesurée que dans la plupart des pays occupés (10 800 exécutions et non 100 000 ou 30 000 comme la légende du livre de Robert Aron l'a laissé croire), ensuite qu'en

Haute-Vienne, il y eut 260 exécutions sommaires (et non 1 000), moins qu'en Dordogne ou dans le Rhône : dans l'ensemble en France, les deux tiers eurent lieu avant la Libération et, en Haute-Vienne, échappèrent souvent à l'autorité de Guingouin qui, dès l'instauration d'un régime de droit, déféra les accusés collabos et délateurs devant les instances de la République.

Mais le tintamarre fait autour de ces excès contraste avec le silence qui, au temps de Vichy, avait accompagné l'exécution ou la déportation des victimes de la répression. Pour eux, il n'y avait pas eu de pétitions. Pour eux, il n'y eut pas d'éditoriaux dans *L'Époque* ; car, désormais, la presse était libre. Son directeur, Jean-Louis Vigier, grand résistant, philo-soviétique mais anticommuniste, craint la mise en tutelle du pays par le parti et entend discréditer tous ceux qui pourraient accompagner une prise de pouvoir par les communistes comme à Prague en 1948. C'est la guerre froide qui commence.

La droite a bien vu qu'en Limousin, le parti est en train de lâcher Guingouin pour des raisons qu'en vérité elle ne maîtrise pas. Mais épaulée par les vichystes qui sortent de terre, elle stigmatise le « soviet limousin, foyer de violences et de turpitudes », son chef s'étant enrichi de l'or « d'un wagon de la Banque de France qu'un de ses maquis aurait capturé ». Bientôt, le dossier s'épaissit de toute une série de crimes ; certes le parti a dû se montrer solidaire une première fois, mais sans mener l'action avec détermination et puis le parti lui fait un autre reproche : Guingouin, pour manifester son innocence quant à d'autres forfaits qui lui sont attribués, ne fait-il pas appel « à la justice bourgeoise » ?

Le fait se retourne contre lui et son action passée, la droite pouvant juger qu'il est affaibli puisque « même le parti l'abandonne » ; car, au travers des accusations qui se multiplient contre lui, c'est toute la Résistance des communistes qu'on veut déshonorer. Maître Isorni, l'avocat de Pétain, évalue à 2 000 les victimes de Guingouin ; on l'incarcère, on le rend fou.

Seul, dans *France Observateur*, Claude Bourdet prend la défense de Guingouin. « Si l'accusé n'avait été qu'un militant local, les vichystes et les réactionnaires n'auraient pas pu tirer grand-chose de l'affaire, mais un compagnon de la Libération, "quelle aubaine". À partir de là, on pourra remettre en cause la moindre action de la Résistance. »

C'est bien ce qui s'est passé, le cinéma prenant la relève de la presse et des partis : de *Manon* de Clouzot, aux *Honneurs de la guerre* de Dewever, les résistants sont souvent des salauds ou des irresponsables.

Au moins grâce à Bourdet, à d'Astier de la Vigerie et au talent de ses avocats, l'honneur de Guingouin, ce moderne Cincinnatus* a-t-il été sauvé : depuis, il s'est réfugié dans le silence.

Georges Guingouin a pu trouver les chantres et les avocats d'une cause qu'il avait incarnée. D'autres n'ont pas eu cette possibilité. Anonymes, ils ont certes poussé un cri, mais ce sont les historiens qui ont ressuscité leur drame, leur amertume.

Lié au martyre des fusillés de Châteaubriant, en octobre 1941, le cas de Gilbert Brustlein et de quelques autres soulève un problème qu'ont élucidé Jean-Marc Berlière et Frank Liaigre : pourquoi commémore-t-on les fusillés de Châteaubriant et pas ceux de Nantes exécutés au même moment[40] ?...

À l'été 1941, Gilbert Brustlein figure parmi les jeunes volontaires prêts à participer à la lutte armée et fait partie des Bataillons de la jeunesse, ces communistes que forme un ancien de la guerre d'Espagne, Pierre Georges, dit Fredo, dit Fabien. Par tous les moyens, il s'agit d'aider l'effort de l'Armée rouge qui se défend contre l'attaque allemande. Or abattre du nazi est une décision difficile à exécuter, car le soldat allemand peut être un camarade communiste, un ouvrier de Berlin, et cet officier pourrait être un professeur antihitlérien. Fabien veut mettre fin à ces tergiversations. Le 21 août 1941, il abat l'adjudant Moser à la

* Lucius Quinctus Cincinnatus, héros romain, soldat et paysan, qui, ayant chassé l'ennemi, refusa les honneurs et retourna à sa charrue (ve siècle av. J-C).

station de métro Barbès-Rochechouart. Il était accompagné de Gilbert Brustlein qui assurait sa protection. « Gautherot et Tyzelman fusillés le 1er pour avoir participé à une manifestation antiallemande sont vengés », peuvent dire les jeunes des Bataillons, qui comprennent parmi leurs membres Odile Arrighi, Pierre Daix, Jacques Pescio. Sous l'égide d'Albert Ouzoulias et de Fabien une opération est montée, confiée à Brustlein : convoyer de Nantes à Paris plusieurs kilos de dynamite, faire dérailler un train, tuer un officier allemand. L'affaire est importante car jusque-là les opérations des Bataillons de la jeunesse se sont encore limitées à des arrachages de panneaux allemands, des dégâts sur les voies ferrées. Cette fois, comme au métro Barbès, il faut frapper l'opinion : or Brustlein est discipliné, on ordonne, il exécute les ordres du parti. Et puis la preuve est faite qu'il est intrépide[41].

À Nantes, le 20 octobre 1941, Brustlein, Spartaco et Boudarias font sauter des rails, comme prévu, puis se mettent à la recherche de l'officier allemand à abattre. « Subitement, à 7 h 45 du matin, Spartaco me donne un coup de coude : deux magnifiques officiers allemands traversent la grande place. Nous nous rapprochons, nous tirons… En s'écroulant l'officier devant moi se met à pousser des hurlements terribles, inhumains. Le revolver de Spartaco s'enraye. L'autre officier tourne la tête, nous réussissons à détaler. »

On avait tué le Feld Kommandant de toute la région de Nantes, Kael Holz. D'emblée la ville est en émoi, la réprobation est générale, aiguillonnée par la peur de représailles, par l'idée que, pour sauver la vie des otages, celui qui a tué devrait se dénoncer. Et c'est ce que sa mère dit à Brustlein quand il est de retour à Paris, et qu'elle se doute de quelque chose. D'ailleurs, très vite la police remonte les réseaux communistes et vient arrêter toute une partie du réseau, alors que Brustlein, de cache en cache, a réussi à se planquer. Mais n'est-ce pas suspect qu'il échappe lui seul à la police ? Au reste, l'attentat fait l'objet d'une réprobation générale, Marcel Cachin ayant lui-même désavoué ceux qui ont perpétré des attentats contre les soldats allemands, mais on ne sait pas avant 1942 que c'est en échange de sa libération. De Gaulle les a déconseillés aussi, jugeant que tout légitimes qu'ils fussent, vu le rapport de forces à cette date et les représailles qui suivent, il faut y mettre fin.

Ainsi suspect pour ne pas avoir été arrêté tel Marcel Bourdarias – dix-sept ans, arrêté en janvier 1942, Guisco en février –, désavoué pour un acte qu'on réprouve mais accompli sur ordre, Gilbert Brustlein, dit Benjamin, est désemparé. Le parti l'abandonne et Fredo est chargé de le liquider. Mais ne pouvant pas moralement agir ainsi avec celui qui avait combattu avec lui, Fredo lui dit : « Fous le camp et disparais. » Brustlein finit par atteindre l'Espagne, puis l'Angleterre. Il écrit au Komintern pour se justifier. « On ne le connaît pas », note le secrétariat du Komintern.

Les Allemands avaient prévu d'exécuter 100 otages, Pucheu, ministre de l'Intérieur, réussit à en faire réduire le nombre à 50,

Figure 7 : *Des Français arrêtent des Français.*

puis il prit contact avec le général von Stulpnagel pour lui désigner les internés communistes les plus dangereux. Il écarta les anciens combattants décorés et furent maintenus 44 communistes dont Guy Moquet, Granat, Timbaud ainsi que le député Michels. Apprenant cela, dans un mouvement chevaleresque, Pétain déclara à Du Moulin de la Barthète qu'il se rendrait aux Allemands, qu'il se substituerait aux otages, comme les bourgeois de Calais... Pucheu le retourna, lui expliquant que « cela mettrait fin aux relations de confiance qu'on s'efforçait de rétablir avec le Reich pour maintenir la France la tête hors de l'eau, [...] que de Gaulle condamnait ces attentats [...] qui étaient le fait de Juifs ou d'étrangers, d'Espagnols ou de Polonais, que les bons Français réprouvent ». Ainsi retourné par une palinodie dont il était coutumier, Pétain renonça à son geste et fit une allocution condamnant l'attentat, disant « [...] nous avons déposé les armes et nous n'avons pas le droit de les reprendre pour frapper les Allemands dans le dos ». Il n'eut pas un mot pour les fusillés[42].

L'exécution des 27 de Châteaubriant fut bouleversante : « Il y eut cette *Marseillaise* chantée par les suppliciés qui a glacé ceux qui l'ont entendue. » « Je viens de constater qu'on peut être communiste et rester français », témoigne le curé Moyon venu les assister. « Les gendarmes se mettent au garde-à-vous et pleurent. Le tout jeune Guy Moquet, dix-sept ans, devient ainsi une figure emblématique de la Résistance, de la Résistance communiste. »

Or ce drame comporte un autre versant...

« Fais de cela un monument », écrivit aussitôt Duclos à Louis Aragon, en lui faisant adresser les reliques de ce sacrifice, en l'occurrence les lettres que les suppliciés ont adressées aux leurs avant de mourir. Et Aragon publia *Les Martyrs*, en février 1942, aux Éditions de Minuit. Ce texte célèbre le patriotisme communiste : le contester constitue désormais un sacrilège.

De fait on n'a pas assez remarqué que les martyrs de Châteaubriant ont presque tous été arrêtés en octobre 1940, Daniel Granet et Jean Poulmach, le 5 octobre 1940, Guy Moquet, le 13 octobre 1940, Jean-Paul Timbaud, le 18 octobre... c'est-à-dire à une époque où ils militaient, certes, pour reconstituer le parti mais « guère contre les barbares nazis », et où, au contraire, une des branches du parti négociait avec les Allemands le retour à une sorte de légalité, au moins en zone occupée, ce tournant ayant permis à la police française, dont la chasse aux communistes avait commencé en septembre 1939, d'arrêter de nombreux communistes après une période de ralentissement... Puis, en octobre 1941, de rattraper tout ce monde...

Pour les communistes, ces commémorations, ces morts de Châteaubriant, et eux seuls, permettent d'enraciner depuis l'automne 1940 la résistance au parti, une résistance patriotique aux Allemands, alors qu'en vrai elle était politique et hostile alors aux « impérialistes, Pétain, de Gaulle », tous confondus.

Quant à ceux qui, tels Gilbert Brustlein et membres des Bataillons de la jeunesse qui avaient vraiment lutté contre les Allemands et avaient, entre autres, exécuté Karl Holz à Nantes, ou participé à la préparation de cette exécution et avaient été fusillés, le parti ne les a jamais honorés : à cette date leur action n'était pas populaire, et l'on ne pouvait pas faire remonter leur action à l'automne 1940.

Quand le parti communiste commémora en août 1981 le lancement de la lutte armée que Fabien incarne, ni Brustlein ni un de ses camarades, bien présents au métro Barbès le 21 août, ne sont mentionnés.

Alors, devant ces oublis volontaires, l'opprobre, le désaveu, Brustlein n'en peut plus... Le 20 octobre 1991, à Châteaubriant, devant la foule, il brandit un panneau quand apparaît Georges Marchais qui, en 1941, travaillait en Allemagne : « Marchais, tu n'as pas ta place ici. Je suis le seul survivant du commando de Nantes. J'exige ma place à la tribune. »

Des gorilles l'encadrent comme un malfaiteur et l'expulsent de la cérémonie[43].

Brustlein avait obéi au parti, Guingouin avait désobéi, Fabien d'abord obéi puis désobéi en n'exécutant pas Brustlein (les Allemands le fusillent en 1944). Indépendamment de cette relation, leur parcours révèle quelques traits qui ont marqué d'autres centaines de résistants.

D'abord, en 1941 et après, les réactions hostiles des Nantais à l'exécution de militaires allemands, au moins tant qu'il ne s'agit pas d'un combat collectif, dans un maquis par exemple. C'est la peur des représailles et le sentiment de l'inutilité militaire du geste qui se conjuguent pour susciter cette réaction, qui réapparaît, mais moins nette, quand il s'agit de saboter les voies ferrées, voire de faire sauter des ponts, etc., au moins jusqu'au débarquement.

On retrouve ce dilemme dans les maquis de 1943-1944 où rivalisent des activistes souvent FTP et des groupes plus attachés à une action coordonnée avec Alger.

En témoigne cette lettre d'un condamné à mort :

« Monsieur le commissaire de Millau,

Je vous fais parvenir cette lettre, d'abord pour vous dire que la plupart des pièces qu'on produit dans mon affaire sont fausses. J'ai un nom et un matricule des FFI. Je vous serais gré aussi de bien vouloir faire parvenir cette lettre à mon père [...].

Bien cher père et à toute la famille,

Je vais mourir, c'est pour la France. Mais je t'assure que je ne comptais pas mourir dans des conditions aussi odieuses. Ici, on m'accuse de tout, de* l'armée de Staline alors que je n'ai servi que dans des Forces françaises de l'intérieur. Ceci leur permet de me tuer comme un chenapan sans patrie ni drapeau. Sans doute je vais mourir écharpé, mais qu'à cela ne tienne, ma conscience est propre. Ici on me reproche les sabotages. À mon avis il vaut mieux cela que l'aviation qui détruit tout et manque souvent le but. Pour ma part, de toutes les actions auxquelles j'ai participé, aucune vie n'est à regretter et cela me réconforte. [...] Ici la foule a manifesté pour moi, elle ne croit pas aux mensonges et me prend pour un de ses fils. Cher père, tu ne peux com-

* Manque sans doute « faire partie de ».

prendre combien, de loin, j'ai pensé à toi. [...] Ici, on se refuse à me prendre pour un FFI. Pourtant, c'est bien avec honneur que j'ai servi pour la France car les sabotages qu'on nous reproche nous sont enseignés par des officiers parachutés d'Algérie. Ceci est pour te mettre au courant de ce que faisait ton fils. [...]

Pour la France, pour le drapeau. Adieu mon père[44]. »

Cette missive de Jacques Perrutel à son père, début août 1944, figure parmi les cent vingt lettres de fusillés retrouvées et reproduites par Guy Krivopissko dans *La Vie à en mourir*. Ce qui frappe dans celle-ci et dans bien d'autres, c'est que ces martyrs souhaitent que « l'on n'ait pas à rougir de leur mort », voire, dit un père à son tout jeune enfant, que « l'on n'ait pas à baisser la tête parce que ton papa est fusillé », écrit un autre en 1942.

D'où sourdent leur inquiétude, leur malaise ?

Inscrit dans les FTP (francs-tireurs et partisans), d'obédience plus ou moins communiste, Jacques Perrutel tient à ce que l'on sache qu'il était FFI (Forces françaises de l'intérieur), c'est-à-dire lié à la France libre.

En vérité, l'affiliation des uns et des autres pouvait être le fait des circonstances, de la possibilité de rejoindre tel maquis plutôt que tel autre. Jacques Perrutel sait que son père n'apprécie guère les FTP, plus autonomes et à qui on attribue plus de sabotages, de violences même dont l'action peut mettre en danger des « innocents », c'est-à-dire des non-engagés dans la Résistance. Dans la lettre qu'ils écrivent à leur mère, à leur sœur, à leur épouse, plusieurs des fusillés disent leur propre « innocence » de ce dont on pourrait « les accuser », notamment lorsqu'ils ont été pris dans une action qui a suscité des représailles, contre des otages notamment.

La substance de ces lettres corrobore ce qu'on a écrit concernant les réactions des Nantais après l'exécution de Karl Holz.

Ces traits rendent compte du soin d'un certain nombre de fusillés, ces martyrs, à écrire aux leurs qu'ils meurent « pour la France », qu'ils sont « honnêtes », et qu'« en bons chrétiens ils ont donné leur vie à la patrie ». Quelques-uns disent mourir « en communistes », « en ouvriers juifs », mais chez le plus grand nombre des FTP un cri complète cette affirmation et domine : « Vive la France[45]. »

Deuxième observation, en zone occupée, en ville les effectifs des Bataillons de la jeunesse sont dérisoires : quelques dizaines, avec une espérance de vie de quelques mois. Sans doute, d'autres formations FTP, les MOI notamment, sont plus consistantes. Mais l'isolement relatif des membres de ces réseaux urbains apparaît clairement dans l'opération de Nantes, où, dans un restaurant, ils sont vite repérés... Rien de tel dans les campagnes, où Guingouin et ses affiliés disposent d'un vrai terreau, même si une partie des populations se méfie d'eux à cause des représailles. Dans le Quercy, en Limousin, dans le Jura ou les Alpes, sans être des poissons dans l'eau, les résistants étaient un peu chez eux.

Jamais les miliciens n'ont été chez eux, où que ce soit. C'est pour cela que comparer le nombre de miliciens au nombre de maquisards, par exemple, n'a guère de sens.

D'autant moins que les paysans qui, si vous êtes maquisards, vous rejettent quand vous voulez vous ravitailler de peur des contrôles allemands, peuvent, les mêmes, vous fournir cache et vêtements si ces Allemands vous recherchent. Faut-il compter ces paysans parmi des amis de la Milice ou parmi des résistants ? Dans quelle statistique figureraient-ils[46] ?

Non seulement il y a des degrés dans l'engagement, mais il existe aussi la participation sans engagement dans des organisations institutionnelles.

Certains comptages, en revanche, témoignent de la difficulté à mener une action armée, et même dans les maquis constitués en 1943-1944. Le SHAEF (grand quartier général du corps expéditionnaire allié) s'est efforcé de voir clair au début de juillet 1944. En zone interdite, dans la Région A de cinq départements, Aisne, Nord, Pas-de-Calais, Somme, Seine-Inférieure, la plus surveillée par les Allemands, pour 33 000 résistants mobilisés, 2 125 ont une arme autre qu'un pistolet ; en zone occupée, la région P (Centre, Bourgogne), pour 27 000 résistants, on compte 10 900 hommes armés. En zone Sud, la plus armée est la région R2 (Provence, Alpes du Sud), avec 16 000 mobilisés et 12 225 hommes armés : cette proportion qui hérite aussi d'une tradition méditerranéenne (*cf.* la Haute-Corse) rend compte, quelque peu, de la progression relativement facile des forces alliées débarquées le 15 août 1943[47].

De fait, ailleurs, c'est l'action de sabotage qui a le plus aidé les Alliés lors des deux débarquements, également le renseignement, ce dont ont témoigné, après coup, Eisenhower et Patch.

Mais ces actions-là ont disposé du soutien de la Résistance civile, qui n'a cessé de se développer et dont Jacques Semelin a étudié la subtile gradation. Résistance individuelle d'abord : par exemple, quitter un café quand un Allemand y entre, refuser toute conversation familière, figure qu'a rendue inoubliable *Le Silence de la mer*, de Vercors et sa transcription filmique par Jean-Pierre Melville, cheminot qui fait ralentir son convoi dans une courbe pour qu'un évadé puisse sauter, etc. Résistance collective, lors de diverses manifestations, la première datant du 11 novembre 1940, à l'Arc de Triomphe ; et une des plus osées, à Oyonnax, où les jeunes du maquis traversent la ville en fanfare et disparaissent à nouveau… La désobéissance civile de masse fut le refus du STO, dès la fin 1942, forme la plus générale de Résistance qui va finir par peupler les maquis. Elle suscite même des manifestations collectives, à Romans par exemple, où la foule stigmatise le départ des jeunes en Allemagne et bloque les trains en occupant les voies ferrées[48].

Dans son article « À la recherche de l'engagement », Olivier Wievorka note la part éminente de l'idéologie – de l'idéal par conséquent. Il y pointe également que beaucoup d'engagements sont tardifs. Ajoutons que la répression et les risques d'être fusillé sont aussi plus grands en 1943 qu'en 1942, et en 1942 qu'auparavant[49].

Observons surtout qu'alors que la plupart des mouvements ou réseaux de Résistance émanaient soit d'individus – France libre, Défense de la France, Combat, Libération-Sud, Libération-Nord, etc. –, soit d'organisations préexistantes et ressuscitées – partis ou syndicats –, la désobéissance puis la Résistance de masse avec le STO, sourdent d'en bas, avec le refus de partir en Allemagne. Le nombre croissant de résistants, puis de maquisards est ponctué et associé à l'appel successif des classes 42-1, 42-2, 43-1, 43-2, et au refus d'une partie des appelés de répondre à la convocation. Patriotisme et convenance personnelle se croisent alors selon une balance variable. Ce refus, note justement Jacques Semelin, n'est pas en soi une mise en cause du régime. Dans certains cas, rares il est vrai, tout est bon pour certains afin de ne pas partir en Allemagne, même entrer dans la Milice. On peut appartenir à un réseau, et vu le cloisonnement des activités pour des raisons de sécurité, il se peut qu'on en ignore même l'identité. Il se peut également qu'ensuite on rejoigne un maquis d'une autre appartenance[50].

Maquis, réseaux, mouvements s'interpénètrent et interfèrent tout en étant rivaux et solidaires. Entre FTP et FFI sur les enjeux de l'après-Libération, entre pouvoir civil et pouvoir militaire, au Vercors, par exemple, etc. Les activités réciproques des uns et des autres ont d'ailleurs évolué. Pour définir le cas de Défense de la France, un mouvement qui au départ diffuse un journal, Olivier Wievorka utilise la jolie expression de « logique du coût marginal », car pour assurer la diffusion de son journal, il lui faut monter des corps francs qui couvrent aussi les imprimeries et préparent de fausses identités destinées à l'origine aux seuls adhérents du mouvement. Celui-ci se fait protecteur de la population avant de se militariser à l'heure du débarquement[51].

Entre loyalisme et double jeu : les fonctionnaires

Dans sa grande synthèse sur la France sous l'Occupation, Julian Jackson a eu la forte idée d'ouvrir son chapitre sur la collaboration par un examen du cas de Jean Moulin[52].

Bien sûr, on sait déjà quelle a été son attitude héroïque quand il s'est tranché la gorge pour ne pas laisser déshonorer l'armée française, ses troupes sénégalaises en l'occurrence. Mais ce qu'il a voulu montrer, c'est que le plus résistant des résistants métropolitains dont on connaît la mort tragique a été amené à collaborer de par ses fonctions de préfet de Chartres.

Cela permet de tracer la ligne de démarcation entre ce que fut la collaboration involontaire et la collaboration volontaire. Fonctionnaires et autres agents de l'État participèrent à l'une ou l'autre de ces attitudes ; mais plusieurs façons d'agir les complètent. En premier lieu, pour garder la haute main sur le pays et sauvegarder la souveraineté de l'État, prévenir l'action de l'occupant, allant au-devant de ses exigences ; en deuxième lieu, vouloir compenser le déshonneur de la défaite en appliquant les décisions de Vichy ou, selon le cas, celles de l'occupant avec un zèle et un professionnalisme exemplaires, pour « en montrer aux Allemands » ; enfin, l'arrivisme et le double jeu sont intervenus dans les comportements plus souvent, semble-t-il, que les impératifs humanitaires.

C'est ainsi que Jean Moulin fut le premier préfet à son poste, le 25 juin 1940, que rencontra le commandement allemand. Tenu par l'article 3 de la convention d'armistice de collaborer avec l'occupant, il le fit, en assurant la défense de ses administrés quand celui-ci outrepassait ses droits, par exemple à Gué-de-Longroi où le maire l'informa que 400 Allemands réquisitionnaient des logements sans autorisation. Mais il le fit dans les règles, recevant le commandement en grand uniforme. Si l'on observe qu'à la différence d'autres préfets, il ne rendit aucun hommage au maréchal Pétain et qu'avec les occupants il « grappilla » quelques succès sur la défense des prérogatives de l'État, qu'il entendit aussi faciliter les rapports entre autorités occupantes et autorités françaises de zone occupée, on note également qu'à son départ, en septembre 1940, le Feld Kommandant lui écrivit une sorte de satisfecit[53].

De fait il avait appliqué les demandes liberticides, par exemple la première ordonnance allemande du 27 septembre 1940 qui prescrivait le recensement de tous les Juifs de nationalité française ou étrangère en zone occupée, et cela avant le 3 octobre*. Ils furent ainsi 125 Juifs dans l'Eure-et-Loir à se faire recenser ; 82 furent déportés ; un seul revint des camps d'extermination. Or, plus tard, en octobre 1941, quand il rejoint de Gaulle, Jean Moulin lui fait un rapport où les mesures prises contre les Juifs ne sont même pas mentionnées ; ils sont déjà des « victimes invisibles », pour autant qu'avaient été arrêtés des députés, des francs-maçons, et révoqués des fonctionnaires nommés à l'époque du Front populaire. Ainsi sur 94 préfets, 29 furent révoqués, 26 mis à la retraite entre septembre et décembre 1940. Vis-à-vis de ces mesures contre les Juifs, Jean Moulin réagit, certes, mais plus tard, durant l'été 1942[54].

---

* Date du premier statut des Juifs édicté par Vichy.

Destitué lui aussi, Jean Moulin n'a pas démissionné et on a pu se demander pourquoi : contribuer à essayer de protéger les populations, ne pas attirer l'attention pour mieux pouvoir rejoindre une Résistance qui n'était encore que du bricolage ? Révoqué au bout de quelques mois, il gagne Londres, tout en gardant sa fidélité envers Pierre Cot qui est aux États-Unis.

Destitué, Jean Moulin n'eut pas à prêter le serment de fidélité, ce que firent les 92 préfets et 30 adjoints aux préfets en février 1942. Aux images mystiques d'une cérémonie décrite par René Benjamin, « on se donnait au Maréchal », Georges Suarez, un collaborationniste, oppose une réflexion critique, acerbe, parlant de l'« hypocrisie » d'un tel serment : « Ces cérémonies – on pense aux prêtres constitutionnels – ont-elles grandi les hommes qui s'y prêtent et le régime qui les exige[55] ? »

Très tôt, les préfets et l'administration en général ressentent la montée de la désaffection des Français, et, en interne, la montée du gaullisme dans leurs services : dès avril 1941, observe le général Huntziger[56]. Dans son étude *Servir l'État français*, Marc-Olivier Baruch note aussi que l'administration rejette les collaborationnistes : il ne fait pas bon être le protégé de Déat ou de Bernard Fay[57]. Dans une première période, il existe certes des « résistants fonctionnaires », que recrute, par exemple, l'OCM (Organisation civile et militaire), mais peu nombreux, et « ces braves gens ne s'attaquent pas aux Allemands », commente un peu plus tard le commandant Tracou, du cabinet du chef de l'État en 1943. S'agissant cette fois de la deuxième phase où apparaissent les « fonctionnaires résistants », ils agissent de l'intérieur en fournissant des renseignements, en retardant l'exécution de mesures, à ne plus savoir « s'ils sont dehors ou dedans ». Lorsque le noyautage des administrations publiques se développe, en partie grâce à l'action de Claude Bourdet, il s'agit de savoir si, comme l'estime d'Astier de la Vigerie, pour préparer le mouvement de masse que devrait être la Libération, il est sain qu'une ambiguïté règne sur cette administration de Vichy qu'il faudra renouveler, ou si, à l'inverse, à une date, fin 1943, où on ne compte guère que 1 500 membres de cet NAP (noyautage des administrations publiques), Claude Bourdet et Jean Moulin estiment qu'il doit exister une complémentarité entre la France résistante et la partie de l'administration qui les soutient. De toute façon ces fonctionnaires résistants ne sont pas des rebelles...

C'est avec la pression qu'exercent les Allemands après l'instauration du STO qu'on passe à un troisième stade, analyse M.-O. Baruch, lorsqu'il est des membres de l'administration qui sont à la fois dehors et dedans. « Du sous-préfet qui refuse de signer des ordres de perquisition, à l'inspection du travail qui fournit de faux certificats, du douanier qui aide les requis à passer en Espagne, au gendarme qui revient bredouille d'une traque aux réfractaires, tous les rouages de l'administration savent faire preuve d'imagination pour freiner la mise en place du STO[58]. » Au 1er avril 1943, à Marseille, par exemple, sur 866 convoqués, 380 se présentèrent, mais 236 partirent en Allemagne – 250 avaient été exemptés dont 91 parce qu'ils travaillaient « pour les Allemands », et 7 parce qu'ils avaient rejoint la Milice.

On peut juger avec lui que « l'appareil d'État s'est placé en retrait des volontés du pouvoir ».

« Tous ces hommes subtils, notait Georges Bernanos, au lieu de donner leur démission jugeaient plus pratique de procéder à une opération de dédoublement ; le martyre pour eux n'était pas une vocation, c'est même la dernière des solutions possibles[59]. »

La plus pratiquée, dès que tourna le vent de la victoire, fut bien le double jeu, avec toute l'inventivité des stratégies de couverture dont le procès Papon a donné le sinistre catalogue ; ou encore la stratégie des glissements successifs, à des postes bien choisis. Ainsi Pierre Nicolle rapporte l'étonnement de Monnier promu par Laval ministre à Lisbonne, et qui découvre en y arrivant que les membres de sa légation constituent une représentation semi-officielle des gouvernements de De Gaulle ou de Giraud...

Sans doute, toutes les fonctions n'étaient pas exposées au même degré. Les hauts fonctionnaires de l'inspection des Finances, par exemple, le furent beaucoup moins que d'autres, même s'ils eurent à frôler les dirigeants eux-mêmes. François Bloch-Lainé et Claude Gruson, au soir de leur vie, ont voulu faire une sorte d'examen de conscience de leur comportement après 1940. Exercice qu'ils ont essayé de passer au crible, cinquante ans après, du bilan qu'on a pu établir du régime de Vichy[60].

Trois catégories de fautes ont marqué ce régime, ont-ils observé. La plus grave et la plus inimaginable, c'est l'exclusion et la persécution. Or, à la fin de la guerre, on a plutôt condamné en priorité le choix du mauvais camp et ses conséquences déshonorantes. Entre les deux les atteintes portées à la démocratie.

Or, si dès 1940 un des auteurs s'attend à des épreuves, tous deux sont plus sensibles à l'immense découragement qui les a saisis à l'heure de la défaite. « Avoir [alors] un gouvernement fort ne nous a pas fait réagir, ni que le nouveau régime ne fût pas assez républicain. » De fait, avant la défaite, « beaucoup de Français étaient séduits par l'idée d'un État plus autoritaire qui ne serait pas à la merci d'un parlement vaseux ». Il est apparu normal que des « techniciens » prennent la relève du gouvernement. Et, heureux que l'effacement du mouvement ouvrier « permette » de travailler efficacement, de ne plus souffrir de ce qui a gêné une politique éclairée. D'où la fascination qu'a pu exercer un homme tel que Bichelonne, à la « détermination implacable », toutes ces considérations attestent que les hauts fonctionnaires avaient peu de souci des exigences de la démocratie. La rupture de la défaite n'était pas ressentie comme en Belgique ou aux Pays-Bas, « car on ne constatait pas, comme là-bas, que l'État était parti ».

Tout au plus on constate un retour du catholicisme conservateur dont le corps des fonctionnaires doit s'accommoder, comme d'autres variables de la démocratie. Mais d'aucuns manifestent alors de l'enthousiasme et certains, tel Charles Célier, de ce milieu très fermé, affirment une admiration certaine pour l'Allemagne, jugeant que « seule la France, fille aînée de l'Église et mère des révolutions, peut faire la synthèse entre la révolution et la tradition de vingt siècles chrétiens ». Militaire, il quitte l'armée, en voyant que ce n'était pas favorable à sa carrière. Il s'est fait rappeler pour aller de cabinet en cabinet jusqu'à celui de Baudouin ; plus tard, après le départ de celui-ci, fin 1941, il a réintégré le Conseil d'État et s'est donc mis dans une position de repli.

Ainsi, le culte de l'efficacité des uns fit bon ménage avec l'enthousiasme mystique des autres.

Vis-à-vis des Allemands, il est clair que ces deux hauts fonctionnaires ne leur sont pas favorables, et pour autant que l'un d'entre eux est à demi juif – il aurait pu dire à demi israélite –, il est normal que celui-ci ait été plus sensible aux épreuves qui se profilent. Chargé d'établir l'inventaire de l'industrie, il demande à Bichelonne comment agir à l'insu des Allemands. « Mais c'est en partie à leur intention qu'on le prépare », répond sans ciller son interlocuteur. Et Bloch-Lainé se retire aux Finances, comprenant qu'il n'a rien à faire là. Quant à Charles Gruson, il note que Bichelonne ayant appris que les Allemands s'apprêtent à mettre la main sur toutes les entreprises appartenant à des Juifs, « le ministre voit le risque que cette opération entraîne une entrée massive d'intérêts allemands dans le patrimoine industriel et commercial français ». Il n'y voit rien d'autre...

Ce n'est pas avant novembre 1942 avec le débarquement allié en Afrique du Nord, l'arrivée de Giraud à Alger – et celle de Couve de Murville, leur collègue énigmatique, qui part en train vers Madrid et se retrouve aussi à Alger – que les stratégies de fuite se multiplient. On voit alors, « lorsque le ciel est gris que se dissimule sous les apparences de l'intelligence et du discours habile, la caricature de la lâcheté humaine[61] ».

Il était plus facile à un inspecteur des Finances ou à un conseiller d'État de garder les mains propres qu'à un fonctionnaire de la préfectorale ou à un policier. Il reste que les conseillers d'État laissèrent passer sans sourciller la définition du « Juif » que le gouvernement instituait alors qu'il n'appartenait à aucune catégorie juridique antérieure et que, pour prouver qu'on ne l'était pas, il fallait que soit attestée l'appartenance à une autre religion, ce qui n'avait aucun fondement juridique et n'était pas mentionné à l'état civil dans un État laïque. Le serment des juges au chef de l'État était également en rupture avec la tradition républicaine et démocratique, sans parler de la création de sections spéciales pour juger de façon expéditive « terroristes » et communistes qui ne souleva pas l'opposition des juges préposés à ces tribunaux d'exception[62]...

Évoquant le soulèvement de la police parisienne le 19 août 1944 : « Mieux vaut tard que jamais, juge Bernard Deleplace des syndicats de la Fédération autonome de police, il fallait laver l'opprobre. »

L'opprobre était bien là : car la police avait si bien accompli sa tâche répressive sous l'Occupation, qu'à l'automne 1941, le personnel allemand affecté à l'occupation ne comptait environ que 2 900 personnes – moins qu'aux Pays-Bas – et celui des troupes diminua après l'invasion de l'URSS. « C'est parce qu'il y avait en France un gouvernement établi », témoigne Helmut Knochen, adjoint du général Oberg, à son procès en 1948. Mais intervint également le comportement de cette police, du zèle de ses chefs et des hauts responsables successifs de l'ordre intérieur : Peyrouton, Pucheu et Bousquet[63].

Hitler exprimait d'ailleurs lui-même sa satisfaction, fin 1942, en apprenant l'arrestation de six agresseurs d'une mairie de Saône-et-Loire : « Très bien, la police française est efficace. Nous allons la mettre en selle et travailler désormais exclusivement avec elle. Himmler connaît son affaire, il emploie des moyens peu ragoûtants et parvient de la sorte à s'attacher les hommes [...]. En France la police est détestée plus que partout au monde et il est naturel qu'elle recherche un appui auprès d'une autorité plus solide que son propre État. Cette autorité, c'est nous [...]. Le policier français se rallie à la police allemande parce que, pour la première fois, il obtient un appui solide. Il insistera toujours avec plus d'énergie pour qu'on ne quitte pas le pays [...]. Les policiers n'avaient jamais connu cela avant. Quand il y a eu des troubles à Paris en 1934 et qu'ils ont ouvert le feu, cela leur a coûté la tête [...]. Pourtant ils avaient bien reçu l'ordre de défendre la Chambre des députés... S'ils ne l'avaient pas défendue, ils auraient été sanctionnés. Or voici qu'ils avaient tiré et qu'on les punissait néanmoins[64]. »

La police dont héritait Vichy semblait peu sûre aux nouveaux dirigeants – truffée de syndicalistes, de communistes... Ils voulurent l'unifier à l'échelon national et la doubler de polices parallèles – groupes de protection, service de sociétés secrètes, service de police anticommuniste, service aux affaires juives, etc. Surtout, avec Pucheu, le maintien de l'ordre « devait être assuré par des mains françaises, par des bras français, par des têtes françaises ». Le général Oberg était ravi de cet état d'esprit, il n'aurait plus d'ordre à donner à des policiers français subalternes, il n'y aurait plus d'opérations en commun franco-allemandes.

C'est ainsi que les rafles – notamment celles des Juifs au Vélodrome d'Hiver en juillet 1942 –, ordonnées par les Allemands, furent le fait de policiers français et d'eux seuls. Il en alla de même de l'arrestation de bien des réseaux communistes, fichés depuis 1939 et illégaux depuis Daladier. Les policiers français étaient tenus de saluer les officiers allemands, ce qui ajouta à la vindicte publique, longtemps indifférente aux pratiques répressives du régime.

Pour perpétuer la souveraineté de l'État français, dans les deux zones, Pucheu, ancien doriotiste et demeuré violemment anticommuniste et Bousquet, l'homme de Pierre Laval moins fascisant que Pucheu, donnèrent des gages à l'occupant.

Mais, déjà à l'heure du STO, il y eut des résistances, du coulage dans l'action des services d'ordre. En dépit de la « forte impression » que Bousquet avait faite, Darnand et sa Milice prirent la haute main sur une répression qui ne le céda que peu aux pratiques de la SS ou de la Gestapo.

L'activité des polices était multiple, bien que démultipliée en services rivaux. La plus enracinée était la chasse aux communistes, s'y était jointe la lutte contre le marché noir, la persécution des Juifs, la recherche des réfractaires au STO[65].

De plus il y avait l'avalanche des lettres de dénonciation à ouvrir, à dépouiller et à suivre. Une des toutes premières, dès août 1940, vise le directeur de l'école de Monzainville, qui a pris un congé auquel il n'avait pas droit. Il est lié à la CGT et aux communistes, écrit la dénonciation. Une autre, elle aussi du mois d'août 1940, vise M. Escande qui crée la gabegie à la poste d'Alger où il case sa famille, rien que des étrangers. Camille de La Tour ne veut pas être un délateur mais dénonce néanmoins Tonetti, le maire, « qui a quitté Messia en catimini le 16 juin, pendant la nuit », etc.[66].

La palette des comportements des policiers est plus complexe qu'on ne l'imagine.

Voici, par exemple, Schweblin, un Alsacien, commissaire de la préfecture de police, antisémite fanatique, qui souhaite créer une police antijuive française afin d'« obtenir l'exclusivité des mesures tendant à résoudre le problème juif en France ». De fait, il en fera un service totalement lié aux Allemands. Impitoyable, il fait vérifier les registres de baptême pour traquer les certificats de complaisance. À Drancy, Pithiviers, Beaune-la-Rolande, il effectue ses visites au moment des fouilles. Il refuse une réintégration à la préfecture de police pour pouvoir continuer à diriger la section d'enquête et de contrôle. On comprend pourquoi : il gardait pour lui le produit des fouilles qu'il emportait dans sa voiture. Ce sont les nazis qui l'arrêtent pour « trafic avec les internés [*sic*] ». Interné à son tour, il est déporté à Buchenwald où il meurt en février 1945. La mention « mort en déportation » fut refusée à sa famille lorsqu'elle en fit la demande[67].

Lucien Rottée, directeur des Renseignements généraux, se félicite plutôt, auprès du préfet de police, « de la magnifique tenue des gradés et inspecteurs des brigades de répression communo-terroriste de sa direction ». Il mène la lutte avec son neveu Hénoque à la tête d'une brigade qui, de quinze membres, passe à près d'une centaine durant l'été 1942. Elle a à son compte environ 3 200 arrestations successivement – de membres des Bataillons de la jeunesse d'abord, puis des francs-tireurs partisans de la main-d'œuvre immigrée, les MOI, dont le groupe Manouchian : 216 d'entre eux furent fusillés.

En juillet 1944, conscient des risques encourus par ses policiers, il fait remettre à ses hommes, avec l'accord du préfet de police Bussière, des cartes d'identité en blanc et trois mois de salaire avec le conseil de disparaître dans la nature. « Imitez ce que le PCF a fait et nous reprendrons bientôt du service. » Beaucoup échappèrent ainsi au châtiment, dont Hénoque, qui réussit, semble-t-il, à fuir en Belgique où il avait de la famille – puis au Congo belge. Mais pas Rottée qui, arrêté en décembre 1944, avait avec lui une attestation de Résistance du groupe Jade et une carte d'identité au nom de Rodier, professeur.

À la commission d'épuration où il est entendu en janvier 1945, Rottée explique que « nous avons travaillé sur des lois françaises… empêchant un putsch communiste à la Libération… Il est vrai, explique-t-il, que nous n'avons pas voulu sauver des hommes appartenant à la gauche, mais nous avions comme directives de lutter contre le parti communiste. Cela date de Daladier. […] Les jeunes inspecteurs étaient comme des chiens de chasse, ils ont eu des morts parmi eux. Nous n'arrêtions pas les patriotes »… Et, observent J.-M. Berlière et Laurent Chabrun, « on constate que pour leur écrasante majorité les arrestations de groupes ou de personnalités de la Résistance non communiste – à commencer par Jean Moulin, le général Delestraint, le réseau Alliance, les militants de Défense de la France sont le fait des services allemands et de leurs auxiliaires français comme Lafont, Lien, etc.[68] ». Les services de Rottée avaient la réputation la plus sinistre – tortures, violences diverses, prévenus dénudés, supplice de la table (deux tables enserrant lentement les parties sexuelles), etc. Il fut condamné à mort et exécuté le 5 mai 1945, en compagnie du commissaire Fernand David, son adjoint.

Le cas de Hennequin est différent. Avant tout il se veut un vrai professionnel qui obéit aux ordres qui lui sont donnés. Or le préfet Bussière, qui a succédé à Bard et qui est l'homme de Laval, comme Bousquet, assure « qu'il couvrira ses hommes, qu'il les couvrira toujours ». Hennequin manifeste son zèle sur tous les fronts. Mortifié par le semi-échec de la rafle du Vélodrome d'Hiver pour laquelle il avait mobilisé 1 472 équipes et fait distribuer 27 389 fiches d'arrestation préparées par le service des affaires juives – et « il n'y eut que 12 884 arrestations [*sic*] », il propose d'utiliser le renouvellement des cartes d'alimentation pour arrêter les israélites qui en ont réchappé. Le préfet n'a pas donné suite. Mais, pour les arrestations de Juifs, Hennequin déclare avoir toujours eu à obéir aux Allemands, puis aux ordres de Bussière. Or, en outre, rival de Rottée, il combat lui aussi les communistes, les « terroristes » : surtout, comprenant bien les sentiments de Laval, il pourchasse également les collaborationnistes qui le haïssent parce qu'il ne manque pas de contester aussi les empiètements commis par les Allemands[69].

Comme le préfet Bussière, il échappe en 1945 à la peine capitale.

Il est pourtant certain que leur efficacité avait comblé l'occupant qui avait bien compris que jamais des collaborationnistes tels que Darnand et sa Milice n'auraient pu obtenir de pareils résultats, le corps des policiers obéissant à sa hiérarchie à lui, et pas à une autre – ce que confirment les échecs de la Milice et la haine dont elle est l'objet en 1944, alors qu'une partie de la police avait sa « réserve » de résistants.

Il y avait eu Antoine Mondanel qui, incarnation du policier républicain, avait perquisitionné chez Alibert, au temps de la Cagoule – et qui allait être « son » ministre en juillet 1940... Il avait fait arrêter Darnand en 1938, avait contré les nazis à la Commission internationale de police criminelle, et avait fait expulser un membre de la Gestapo qui subventionnait l'extrême droite en 1939. Maintenu à son poste vu sa compétence, il poursuivit les assassins de Marx Dormoy... Sur ordre de Peyrouton, il participa à l'arrestation de Laval le 13 décembre 1940. Mais il fut démis de ses fonctions au retour de celui-ci, au printemps 1942. Réfugié en zone libre, soupçonné de diriger un réseau de Résistance, il fut arrêté par les Allemands et déporté le 24 décembre 1943. Darnand priva sa famille de sa pension.

Revenu de déportation, durant l'été 1945, il apprend que la sous-commission d'épuration refuse sa réintégration pour avoir servi Vichy jusqu'en 1942, alors qu'Achille Peretti, chef de la seule organisation policière de la Résistance avait proposé de le nommer à la tête de la police[70]...

Charles Chenevier connut un destin plus tragique pour autant qu'il fut un authentique résistant. Découvert, arrêté, torturé, déporté, il revient le 10 août 1945, décoré alors de la croix de guerre. Pourtant, il apprend sa mise à la retraite d'office, en mars 1946, n'ayant connaissance du dossier qui l'accuse qu'en octobre 1947, et finit par découvrir qu'il était victime d'une cabale. Dans ses Mémoires, *La Grande Maison*, il occulte la période 1945-1948[71].

Les cas ainsi évoqués témoignent de la difficulté qu'il y avait à être policier, ou à le demeurer sous l'Occupation. Qu'on fasse arrêter 10 personnes sur les 100 qu'exigeait la Gestapo et l'on pouvait être révoqué à la Libération, après l'avoir été par Vichy pour avoir laissé échapper les 90 autres ; à moins que l'« incapacité professionnelle » observée sous Vichy ne soit confirmée à la fin de la guerre. Tel est du moins le jugement de l'un d'entre eux.

Ces policiers étaient plus à l'épreuve que d'autres groupes sociaux – au moins à lire les rapports des préfets. En effet, ceux-ci jugèrent les paysans, « surtout occupés à faire du profit », les universitaires « corrects », les commerçants surtout qui « avec le marché noir connaissent les meilleures années de leur vie », mais aussi bien les écrivains, les artistes qui s'accommodent, chacun à leur manière, de la situation, de l'Occupation. « Les rapports avec l'Église sont satisfaisants, bien qu'elle prenne des attitudes courageuses envers les Juifs » : un « bien que » révélateur[72].

Ce diagnostic dans son ensemble est confirmé par Philippe Burrin dans *La France à l'heure allemande*[73]. Il y élabore dans une typologie fine des modes d'accommodation à l'occupant – depuis l'engagement dans la collaboration jusqu'aux formes subreptices de la cohabitation –, par la recherche de travail ou de commandes par exemple, cette accommodation d'opportunité à laquelle l'existence du gouvernement de Vichy donne une sorte de caution.

Français israélites et Juifs étrangers

Clermont-Ferrand/Paris 1942. Dans une séquence fameuse du film de Marcel Ophuls, *Le Chagrin et la Pitié*, tourné en 1969, et qui porte sur le comportement des Français pendant l'Occupation, l'enquêteur veut confronter un personnage du présent avec son propre passé. Tel ce commerçant de Clermont-Ferrand interrogé sur les commerçants juifs de son quartier : celui-ci se présente peu concerné par ces douloureux souvenirs, un peu comme si les drames de cette époque faisaient partie des malheurs de la guerre. Or le nom de famille de ce témoin peut prêter à confusion. Lorsque l'enquêteur lui montre une annonce qu'il a passée dans les journaux en 1941 pour préciser qu'il n'était pas juif, il blêmit et n'a que ces mots : « Ah, vous saviez cela... » D'un trait, le spectateur des années 1970 mesure la lâcheté et la veulerie du personnage qui reproduit très exactement le climat de 1941.

Ce commerçant s'appelait Klein. Sans doute n'est-il pas fortuit que Joseph Losey ait choisi d'appeler *Monsieur Klein*, en 1976, un film qui traite précisément du problème du comportement d'un marchand d'œuvres d'art, qui n'est pas juif lui non plus, et qui profite des mesures prises par Vichy et par les Allemands contre les Juifs pour leur acheter à bas prix les tableaux dont ils sont contraints de se débarrasser. Or voilà qu'au courrier il reçoit *Informations juives*. Évidemment il n'est pas abonné ; il cherche alors à s'enquérir de l'identité de cet homonyme. Sa quête tourne à la tragédie : pour les autorités, il est Robert Klein, un Juif. Arrêté et emmené au Vélodrome d'Hiver, il est emporté par le destin[74].

Ce personnage de fiction est issu de fait des expériences vécues par différents individus, précise le prégénérique du film. Comme l'authentique M. Klein du *Chagrin et la Pitié*, il cherche des accommodements avec l'Histoire, pour son bonheur, pour son malheur. Mais ici, Joseph Losey démontre en outre que l'identité dite « juive » ne correspond à aucun des clichés et stéréotypes habituels.

Jean-Paul Sartre a été l'un des premiers à faire successivement, dès 1939, dans *L'Enfance d'un chef*, le portrait d'un antisémite – sans personnalité, celui qui se dit antisémite se donne ainsi un ennemi, une consistance sociale, une identité – puis une analyse du problème global de la question juive. Le Juif, montre-t-il, est souvent une création de l'antisémite. Victime de sa situation (historique), on fait de sa personne un Juif malgré lui. Car à cette date, c'est le cas de la plupart des Français israélites, non pratiquants, non croyants, assimilés, pour une bonne part mariés à des non-Juifs. Mais certains peuvent se choisir juifs, Juifs français et pas Français israélites : c'est le cas de nombreux pratiquants, tant en Alsace que dans le Marais ou le XIe arrondissement de Paris. Ceux-là seraient-ils les Juifs « authentiques », selon Sartre, un jugement certainement plus partagé en 2000, sans doute, qu'en 1940. Étant entendu que Jean-Paul Sartre a écrit avant qu'on ait une connaissance réelle du génocide, avant la tragédie, également avant la naissance d'Israël[75].

À l'époque, on opposait plutôt les Français israélites et les Juifs étrangers, distinction fondatrice de la politique antisémite et raciale de Vichy même si les premiers en furent également victimes. « Les israélites marseillais de vieille souche reconnaissent que leurs coréligionnaires refoulés de l'étranger sont hostiles au gouvernement actuel. Au contraire, les israélites marseillais se déclarent français. Ils le disent avec d'autant plus d'empressement qu'ils craignent d'être confondus avec les nouveaux venus dans des mesures communes[76]. »

Ces mesures, Michel Winock les résume en une phrase : « Dès le début de l'année 1941, les Juifs étaient bel et bien écartés de la vie économique en France, identifiés, recensés, expropriés, spoliés, exclus, paupérisés, ruinés, ils n'avaient pourtant pas encore connu le pire. » Le pire, la déportation de 76 000 hommes, femmes et enfants, et l'extermination entre le quart et le tiers des Juifs de France[77].

Or tout s'est passé, avec les deux statuts des Juifs du 3 octobre 1940 et de juin 1941, avec l'arrestation de milliers de Juifs en zone libre, « comme si la question n'existait pas, comme si personne ou presque n'était au courant ». Pierre Laborie ne croit pas si bien dire[78]. Quand la situation, pour eux, menaça d'être pire, bien des Juifs eux-mêmes étaient loin de se douter de ce qui les menaçait, ignoraient même ce qui était en train de se produire. La radio anglaise, de Gaulle n'en parlaient pas. François Bloch-Lainé n'a pas su qu'il y a eu la rafle du Vélodrome d'Hiver, en juillet 1942, « elle n'était pas dans les journaux ». Il ne connaît que le sort de ses collègues de l'inspection des Finances, du Conseil d'État[79]. S'ils ne sont ni fonctionnaires, ni avocats ou journalistes, ni commerçants, qui informe les Juifs de ce qui s'abat sur eux ? On ne pouvait en préjuger à partir des premières mesures vexatoires – convocation à la mairie, carte d'identité tamponnée « Juif », confiscation des postes de radio et, plus tard, l'étoile jaune. La distinction entre la définition religieuse et la définition raciale du Juif est familière aux autorités mais finalement, en 1940, peu explicite pour les victimes. Insistons : même Emmanuel Berl qui fit les premiers discours de Pétain en 1940, s'imaginait-il qu'il serait victime des lois raciales et qu'il aurait toutes les difficultés, bien que Français israélite, à acquérir en zone libre une maison de deux pièces, avec pacage et taillis de quatre hectares… Xavier Vallat s'opposant à ce qu'un Juif achetât du sol français, le préfet de Corrèze ayant indiqué que l'acquéreur était favorable au nouveau régime, le notaire finit par consentir à une vente dont l'autorisation lui semblait douteuse[80].

Les imprécations antisémites de *Gringoire, Candide, Je suis partout* et bientôt du *Pilori* n'étaient pas des informations, sauf pour ce dernier elles existaient déjà avant Vichy, avant les Allemands. Or les israélites et les non-pratiquants se croyaient, comme français, protégés des Allemands, alors que le programme antijuif de Vichy, unique en Europe occidentale, permit au contraire aux nazis de mener leur projet meurtrier...

Le devoir d'information fut ainsi sans doute la première action de ces « Justes » qui, plus tard, catholiques et protestants surtout, aidèrent au sauvetage des Juifs. Ainsi, dès 1942, Maurice Merleau-Ponty, professeur de philosophie au lycée Carnot à Paris, appela auprès de lui, discrètement, et un à un, ceux de ses élèves qu'il imaginait israélites, leur conseillant de passer en zone libre, où ils seraient relativement en sécurité – Vichy n'y ayant pas introduit l'étoile jaune. Il leur donna le nom de ses collègues, à Lyon ou ailleurs, qui pourraient leur apporter une aide[81]. En 1942 et après, par le chenal des Juifs étrangers et des MOI, l'information circula. Mais à l'heure des déportations, il y eut rétention de la part de ceux qui avaient des informations, au moins partielle, car n'imaginant pas l'inimaginable, il fallait rassurer ceux qui y avaient échappé et attendaient le retour d'un des leurs...

Dans ce contexte, quelles furent, dès 1940, les attitudes de ceux qui étaient désormais définis par l'État comme Juifs, et seulement comme Juifs ? Quelle est la palette du comportement des uns et des autres ?

À sa mère, Jacques Bingen écrivait, le 15 août 1943 : « Ceci n'est pas une lettre gaie puisque, si tu la lis, c'est que, comme mon frère il y a vingt-sept ans, je serai mort au combat, accomplissant comme lui ce que je pense être le devoir. Comme lui, je pars volontaire [...]. Je veux lutter dangereusement pour les idéaux de liberté qui, tu le sais, m'ont toujours inspiré. [...] Enfin, accessoirement j'ai la volonté de venger tant de Juifs torturés et assassinés par une barbarie dont l'histoire n'offre pas de précédents. Il est bien qu'un Juif de plus – il y en a tant déjà si tu savais – prenne sa part entière à la libération de notre patrie. »

Arrêté par les Allemands le 12 mai 1944 à Clermont-Ferrand, pour ne pas céder à la torture et ne pas parler, Jacques Bingen s'était donné la mort en avalant une capsule de cyanure.

À Londres, il avait travaillé, car il en savait long, au BCRA avec Passy, Moulin, Brossolette, actif, estimé de tous et, en 1944, délégué en zone Sud avec les plus hautes responsabilités et l'affection confiante de ces hommes dont il s'efforçait de concilier les conceptions et les ambitions rivales – sous l'œil attentif de De Gaulle.

Beau-frère d'André Citroën (mort en 1936), il était parti à Londres où il arriva dès le 18 juillet 1940 après avoir été blessé, décoré de la croix de guerre, fait prisonnier et s'être évadé.

Le 6 juillet 1940, il avait écrit cette lettre aux Britanniques : « Me voilà échappé sain et sauf de la terre nazie et prêt à rejoindre l'Empire britannique et à combattre Hitler jusqu'à sa fin [...]. » Évoquant le « dégoûtant armistice français », il précise : « J'ai perdu tout ce que j'avais, mon argent – plus un sou vaillant –, mon travail, ma famille qui est restée en France et que je ne reverrai peut-être jamais, mon pays et mon Paris bien-aimé. Mais je demeure un homme libre et cela compte plus que tout. »

Telle est la première figure du comportement d'un certain nombre de Français israélites. Les termes de ces deux lettres le définissent, « mon pays », « ma patrie », « mourir pour lui », « comme mon frère », en 1914-1918, « tout sacrifier à la liberté », accessoirement « venger des Juifs torturés et assassinés[82] ».

La posture de Robert Salmon est un peu différente[83].

Le 22 juin 1940, l'aspirant Robert Salmon avait réussi à s'évader... Et après ? « La France était vaincue, les Juifs allaient être persécutés et j'avais échoué à l'École normale supérieure », témoigne-t-il... « Tel Foch qui disait : "Ma droite est enfoncée, mon centre flanche, j'attaque", je décidai moi aussi qu'il y avait lieu d'attaquer, et sur tous les fronts. Il y en avait trois. »

« D'abord Juif. Pour moi, explique-t-il, cela ne voulait rien dire… J'étais français, khâgneux* et encore vivant. Huit ans auparavant j'avais fait ma bar-mitsva par obéissance et sans participer. […] Quant à la race, je savais toutes les invasions qui avaient fait la France, et je ne voyais pas pourquoi un descendant des tribus d'Israël était moins français qu'un rejeton des Saliens ou des Wisigoths. […] Mais pas la peine de pleurer et d'expliquer que j'avais fait la guerre, mon père celle de 14, et mon grand-père celle de 70. […] Je n'allais pas m'abaisser à discuter avec Hitler et ses représentants français qui grâce à la défaite pouvaient assouvir leur antisémitisme. » Par chance, il y avait autant de Salmon catholiques que de Salmon juifs. « Première décision, abandonner l'appartement loué au nom de Salmon-Blum, emménager à Versailles où mon père avait été inspecteur du ravitaillement en 1939. Le sous-lieutenant Salmon prit la suite du capitaine du même nom et ma mère ne fut jamais inquiétée […].

J'ai souvent pensé que beaucoup avaient cru devoir obéir et porter l'étoile jaune, qui auraient pu s'en dispenser et trouver d'autres voies. Ainsi mon oncle et ma tante la portaient même à l'intérieur de l'appartement de peur qu'on ne vînt sonner à l'improviste et qu'on ne les trouvât pas en règle[84].

« Attaquons, attaquons… », si l'École normale est pour plus tard, la *Défense de la France* – voilà le titre qu'il faut donner à la publication qu'avec Philippe Vianney, son camarade de khâgne, il va attribuer au premier grand organe de la Résistance. À l'été 1940, l'idée ne leur sied pas, que leur soumet Hélène Mordkovitch, bibliothécaire à la Sorbonne, d'aller en Angleterre rejoindre de Gaulle, ni de créer un corps franc. *Défense de la France* est ainsi d'abord un journal résistant, qui devient un mouvement, qui passe ensuite à l'action[85].

* Khâgneux, élève de première supérieure, en lettres, après le second baccalauréat et préparant l'École normale supérieure.

Résistant, antiallemand et antinazi, il n'est pas, au départ, hostile au Maréchal… Il n'est pas le seul à se positionner ainsi, il s'en faut[86].

Un autre opposant offensif, d'origine étrangère cette fois, a décrit sa manière de se comporter – avant et après l'étoile jaune.

Il s'appelle Henri Szwarc, un vrai gavroche. Apprenti ajusteur, il travaille chez Renault. « Mes camarades d'atelier devaient savoir que j'étais juif, témoigne-t-il, car mes papiers d'inscription portaient mes nom et prénom, Abraham Aron. Mais je n'ai eu aucun ennui à ce sujet. Les premières mesures spoliatrices ne nous ont pas touchés : nous n'avions rien, même pas de radio… Avoir des faux papiers aurait coûté trop cher ; il aurait fallu "des relations". […]

Je me suis rendu à l'exposition *Les Juifs et la France* et me suis assis en face du professeur Montandon qui expliquait comment reconnaître un Juif. Il y avait des films, notamment américains, pour montrer l'influence néfaste des Juifs dans le cinéma. Or les films américains étaient interdits, et on en raffolait avec les copains ; on est ainsi retourné à l'expo, seulement pour les projections. Il y avait *Scarface*, avec Paul Muni […]. »

Ses copains n'étaient pas juifs, et certains ignoraient qu'il l'était mais on sentait une menace. « Au début de 1942, la police française est venue pour arrêter mes grands-parents qui n'étaient pas naturalisés… La concierge s'est trompée et a conduit les policiers à notre appartement. Ils ont frappé, on n'a pas ouvert et ils ont dit qu'ils reviendraient. Nous nous sommes cachés chez des voisins qui n'ont eu aucune réticence à nous héberger […]. »

Puis est arrivé le temps de l'étoile jaune. « J'ai cru que le ciel me tombait sur la tête. Il a d'abord fallu prévenir les copains que j'allais porter l'étoile… J'avais beaucoup d'appréhension mais ils se sont comportés comme de vrais copains, je n'ai senti aucun changement d'attitude à mon égard […].

Pour mon "baptême de l'étoile", j'avais choisi la rue du Commerce. J'avais adopté une attitude agressive. Je regardais les passants dans les yeux jusqu'à ce qu'ils détournent leur regard et j'invectivais ceux qui ne le faisaient pas : "Vous me prenez pour une bête curieuse ?" J'ai même failli me faire casser la gueule par un colosse, mais sa femme l'a retenu [...].

Il n'était pas question de ne pas porter l'étoile, nous étions trop connus dans notre rue et à la merci d'une dénonciation...

Vers la fin de 1942 était paru dans *La Gerbe* un reportage sur ce qui arrivait aux Juifs déportés. Les photos étaient rassurantes : bâtiments bien tenus, gens souriants, etc. Mais un soldat français prisonnier de guerre qui venait d'être libéré nous raconta qu'en Allemagne on mettait les Juifs dans des piscines pour les noyer. Nous nous sommes regardés, incrédules, mais tout de même pas rassurés [...]. »

Avec les copains il pratique un humour noir, à la Alphonse Allais. « On avait inventé le *jeu du Juif persécuté* : je recevais une correction fictive dans la rue, et lorsqu'une personne voulait intervenir je l'agressais en lui demandant de quoi elle se mêlait, qu'elle s'occupe de ses oignons. Et le plus beau c'est que cette personne venue pour défendre un Juif finissait par me traiter de "sale youpin". On a interrompu ce jeu car on se serait fait écharper [...].

J'ai voulu entrer dans la Résistance. On devait me contacter mais j'ai jamais été sollicité... Ma mère a été arrêtée et déportée en 1944... Elle est revenue en 1945. Elle avait pu refiler toutes nos cartes d'alimentation à une prostituée qui les a déposées chez notre boulangère... Dans le coin, l'antisémite de service n'a rien fait contre nous, mais si on était venu m'arrêter à l'usine, mes camarades d'atelier et le contremaître auraient élaboré un plan pour me permettre de me cacher[87]. »

Voilà trois individus venus de milieux différents. Offensifs tous les trois, à leur manière. Intégrés tous les trois, le gavroche, bien que d'origine étrangère, surprotégé par ses copains, par les ouvriers de chez Renault et dont le témoignage confirme ce que Klarsfeld avait énoncé avec le plus de force : que si le monde des victimes juives en France a été relativement moins élevé qu'ailleurs, c'est dû, non au régime de Vichy mais à la société elle-même, peut-être indifférente au début, mais en tout cas active pour sauver individuellement les éventuelles victimes de la connivence sur ce terrain entre le régime et les nazis.

Autre observation : aucun de ces trois personnages, qu'on peut multiplier, ne paraît avoir des pratiques religieuses, ni de près ni de loin, français ou étrangers. Ils ne vont pas au consistoire, ne portent pas la kippa, ne mangent pas casher. Leur comportement offensif et hardi est bien le salaire de la liberté de leur esprit.

Insurgé, H. Szwarc devait l'être en participant à la Libération de Paris... D'autres Juifs firent de la Résistance dans le cadre des organisations communistes – celles qui firent le plus pour disséminer l'information sur les dangers qui les menaçaient. Mais en dehors de leurs réseaux qui en a eu connaissance ? Ce furent les MOI qui furent les Juifs les plus actifs dans la Résistance armée, tel le groupe Manouchian, arrêté en novembre 1943 et qui, avec les autres FTP-MOI, accomplit contre les Allemands 92 attaques les premiers mois de l'année, ainsi que l'assassinat du bras droit de Sauckel, l'homme du STO, Julius Ritter[88]. On s'est demandé à quel titre – une question qu'a bien posée Annette Wievorka dans *Ils étaient juifs, résistants, communistes*. Adam Rayski, par exemple, un des résistants organisateurs communistes juifs, « refusa d'admettre toute hiérarchie des atrocités commises par les nazis pour décider s'il fallait mettre au premier plan la question juive ou les déportations des Français [noter la distinction] ou les réfractaires ».

Mais en décembre 1943, que sait-on et qui sait quoi en France de l'extermination massive qui a commencé dès 1942 ? Un tract de février 1944, de l'Union des Juifs pour l'Entraide et la Résistance, intitulé « Halte aux rafles » et adressé aux Juifs de Lyon, leur recommande de s'engager dans les groupes de combat pour y rejoindre les Français non juifs dans les maquis : mais il est clair qu'il y est fait allusion à l'extermination par les exécutions sommaires en France et non à la Solution finale[89].

En tout cas exécutions sommaires et rafles suscitent un sursaut, une prise de conscience, la décision de passer à l'action.

Annie Becker, qui avait alors quinze ans et vivait à Paris, en témoigne. « Le 16 juillet [1942], je vis un agent de police en uniforme qui, à chaque bout de ses deux bras, portait une valise et qui pleurait. Ces larmes qui coulaient sur un visage massif, un peu rougeaud, je m'en souviens distinctement parce qu'on conviendra qu'il n'est pas fréquent de voir pleurer en public un agent de police. Il s'avançait dans la rue suivi d'une petite troupe indistincte, enfants et vieilles gens mêlés et portant ces ballots de toile noire dans lesquels ouvriers tailleurs et casquettiers livraient aux façonniers leur ouvrage... C'était bien la rafle. Je poursuivis mon chemin. Au carrefour de la rue de Turenne j'entendis jusqu'aux cieux des hurlements [...] comme on en entendait naguère dans les salles d'accouchement... »

Annie Becker s'assit alors sur un banc et attendit.

« C'est sur ce banc que j'ai quitté mon enfance[90]. »

Comme elle, des milliers de Juifs de France entrèrent dès lors dans la Résistance.

Chaque Juif, un partisan ? Certes pas, car, après 1942, beaucoup se cachèrent et un grand nombre purent savoir quelle était la position des autorités israélites, pour autant qu'il existait des passerelles entre pratiquants et non-pratiquants – même si seulement 2 % d'entre eux fréquentaient une école yiddish ou religieuse. Jusque-là, ils avaient obéi à la loi républicaine et, en zone occupée, s'étaient fait enregistrer près de 90 % des Juifs[91].

« Contraint de me réclamer d'une patrie juive à laquelle je ne me sentais pas lié [...], la simple dignité m'obligeait à m'identifier avec elle, témoigne Léon Werth, à la date du 9 juillet 1941. Je fis une déclaration à la préfecture en lançant le mot "Juif" comme si je chantais *La Marseillaise*. »

Mais tous ne chantaient pas *La Marseillaise* car si, individuellement, des gestes de sympathie émanaient des voisins ou d'amis non juifs, une sorte de léthargie collective se manifestait parallèlement.

Quant aux autorités religieuses, Jacques Helbronner, président du consistoire central et Raymond-Raoul Lambert, rédacteur de *L'Alliance israélite*, tout en craignant, dès le mois de mai 1941, un deuxième statut plus dur que le premier, s'adossent à cette certitude que les Français israélites ne craignent rien, que le maréchal Pétain les défendra, le premier a même l'impression de disposer à Vichy d'appuis considérables. En zone libre, le consistoire déplacé à Lyon n'a-t-il pas été accueilli avec sympathie ? L'un et l'autre connaissent Xavier Vallat qui les assure que la projection du *Juif Süss* a été imposée par les Allemands, que les camps de regroupement, en juillet 1941, sont du domaine de la police, que lui, Xavier Vallat, n'y peut rien. Darlan précise que seuls les Juifs étrangers sont visés, etc. Anciens combattants des deux guerres, ils voudraient, au moins jusqu'en 1941, que les Français israélites puissent entrer dans la Légion des combattants.

Les trois sénateurs de confession israélite n'ont-ils pas, en juillet 1940, voté pour Pétain ?

Bref, on le sait par le *Carnet* qu'a tenu Raymond-Raoul Lambert, pétainistes, loyalistes, ils ne veulent voir que l'action des Allemands derrière les mesures prises par Vichy – bien qu'ils connaissent l'activisme antisémite de Xavier Vallat. Mais Raymond-Raoul Lambert qui, en janvier 1942, dénomme sa fille Marie-France, voit seulement dans la « ténacité germanique » la multiplicité des décrets d'application du deuxième statut des Juifs. « On m'a remis un document formidable qui prouve la résistance de Pétain aux exigences du Boche[92]. »

Le choc, Raymond-Raoul Lambert le reçoit quand Vichy décide que le consistoire central représente tous les Juifs de France, une mesure qui accentue le primat racial et religieux aux dépens de la distinction essentielle que les représentants des Français israélites faisaient d'avec les Juifs étrangers. C'était censé être aussi la pierre de touche de la politique de Darlan, puis de Laval : sauver les Français israélites.

Vivant décidément dans l'illusion – et la communiquant par ses propos rassurants aux réfugiés en zone libre – Raymond-Raoul Lambert juge positif que les déportés ne soient pas transférés en Allemagne –, alors que toute la politique nazie visait à débarrasser le territoire allemand des Juifs. Il espère qu'avec la chasse aux réfractaires au STO, « on pensera moins aux Juifs ». Après un attentat commis à Marseille en mai 1943, Raymond-Raoul Lambert refuse de remettre aux autorités de Vichy une liste de 200 notables juifs de la cité phocéenne.

Multipliant les protestations auprès des autorités de Vichy, Raymond-Raoul Lambert n'a plus guère d'illusions sur le régime quand, sur l'initiative du préfet de Haute-Savoie, on prive les Juifs de leur indemnité de réfugiés... « Le Maréchal n'est plus qu'un figurant », note-t-il.

Et pourtant... il lui restait des illusions, mais cette fois sur les Allemands.

Ayant croisé à Vichy Heinz Röthke qui a remplacé Theodor Dannecker comme chef du Jüdenrat en France, et qui a connaissance de toutes ses démarches comme représentant de l'UGIF (Union générale des israélites de France), il est arrêté et déporté.

Il écrit à Drancy qu'il espère recevoir des nouvelles et donne quelques indications à ses proches pour qu'on puisse l'atteindre[93]...

Avec sa femme et ses quatre enfants il est exterminé dans les chambres à gaz, dès son arrivée à Auschwitz (fin 1943).

L'Allemagne une fois vaincue, combien d'autres n'ont pas voulu croire l'inimaginable ? Ils se bousculaient pour lire les listes des déportés sur le retour, affichées à l'hôtel Lutétia, espérant y voir le nom de celui ou de celle à qui ils n'avaient pas pu dire « au revoir »[94].

De la difficulté d'« être » en Alsace-Lorraine

> « Deux millions d'Alsaciens ? Je n'attends rien de ceux-là. »
>
> Hitler à Speer, fin 1943

> « En Alsace, les gens étaient proallemands, sauf quelques-uns. »
>
> Helmut Hauptmann Tausend, témoignage dans *Le Chagrin et la Pitié*

Plus que d'autres, pendant la Seconde Guerre mondiale, les habitants de l'Alsace et de la Lorraine ont eu, individuellement, à faire des choix, à prendre des décisions. Le jugement de l'Histoire s'est ainsi porté sur eux après que les événements les eurent frappés. Ils ont eu le taux le plus élevé de victimes, comparé aux autres provinces françaises, si on additionne celles des combats de la Résistance et de la Libération, aux 25 000 ou 30 000 morts ou disparus parmi les 105 000 enrôlés de force – les Malgré Nous –, dont beaucoup sont décédés après avoir été faits prisonniers dans les camps soviétiques.

Leur grande histoire est connue, celle des Malgré Nous surtout, que Pierre Rigoulot a reconstituée dans un ouvrage désormais classique. Il a tracé les étapes des épreuves traversées par les Alsaciens-Lorrains. D'abord, dès 1939, l'évacuation de 300 000 Alsaciens environ et de 230 000 Lorrains – 345 000 d'entre eux ayant reçu une allocation de sortie, le plus grand nombre ayant été dirigé vers le Centre-Ouest – Charentes, Haute-Vienne surtout –, où l'accueil n'est pas toujours très généreux et où les réfugiés jugent volontiers « malpropres » les demeures où on les affecte. Avec la défaite qui semble irréversible, les deux tiers d'entre eux décident bientôt de retrouver leur foyer ; ici ou là, quelquefois, il a été pillé. Les Allemands les accueillent en fanfare et les organisations autonomistes se dissolvent, jugeant que, vu la puissance du Reich, elles n'ont plus d'avenir, bon nombre de leurs membres passent au nazisme et assurent désormais la gestion du pays. Après la germanisation forcée, la nazification suscite des réserves, mais c'est l'incorporation dans le service du travail, en 1943, qui suscite un certain nombre de désertions : jusque-là, il y avait eu en tout 2 100 engagements volontaires, c'est-à-dire peu[95].

C'est en Russie que les désertions furent plus nombreuses lors de la bataille de Koursk (août 1943) et lors des offensives soviétiques qui ont suivi. On évalue à 37 % le nombre des Malgré Nous qui se sont rendus, à 20 % ceux qui se sont laissé prendre, à 43 % ceux qui ont été pris involontairement. Internés à Tambov, les autorités soviétiques font preuve à leur endroit d'une « incompréhension » à laquelle le gouvernement français ne met pas fin, tant de Gaulle recherche alors l'appui de Staline et tant une certaine méfiance règne vis-à-vis de ceux « qui sont toujours du côté des vainqueurs », et, qui plus est, sont devenus très anticommunistes depuis leur incarcération en URSS, à un moment où l'étoile de l'URSS est, en France, au plus haut.

Quelques années plus tard, à l'occasion du procès des responsables du massacre d'Oradour-sur-Glane, l'Histoire de ces Alsaciens frappe à la porte. Un certain nombre d'entre eux se trouvaient enrôlés dans le bataillon *Der Führer* de la deuxième SS Panzer Division *Das Reich*. Ils clament leur innocence, leur obéissance « aux ordres ». L'enjeu du procès est considérable : qu'ils soient condamnés, l'Alsace crierait sa colère, qu'ils soient acquittés, le Limousin – qui les avait accueillis en 1940 – clamerait son indignation. Treize d'entre eux furent condamnés, « l'Alsace se sentit frappée au cœur » ; l'Association des maires du Haut-Rhin fit valoir que « lâchement abandonnée entre les mains des nazis, et sacrifiée par les gouvernements de l'époque, notre population souffre atrocement avec ses fils et leurs familles ». Mais quelques jours après leur condamnation, le Parlement votait leur amnistie. L'Association pour défendre la mémoire du maréchal Pétain avait protesté, l'Alsace ayant été annexée *de facto*, en violation des clauses de l'armistice. Vichy émit certes plus de 70 notes de protestation, mais Pétain et Laval ne voulurent pas les rendre publiques, espérant ainsi, la victoire allemande et la perte de l'Alsace-Lorraine étant jugées inéluctables, sauvegarder les chances de la collaboration. Une seule de ces protestations fut publique : lors de l'expulsion des 600 000 Alsaciens et Lorrains réputés francophiles, en novembre 1940, pour qui « la voix du sang avait moins d'attrait que la voix de la liberté ». Ensuite les autorités allemandes commencèrent à déporter des Alsaciens et des Lorrains en leur substituant des Allemands de Bessarabie et des pays Baltes, toutes mesures qui accrurent l'hostilité contre le régime nazi.

Cette hostilité visait-elle tous les Allemands ?

Certes oui, pour cette femme de Lorraine, qui nous écrit une lettre après avoir vu au *Deutsche Wochenschau* de l'automne 1940 une cérémonie allemande à Metz à laquelle assiste une affluence considérable : « S'il y a eu foule, c'était parce qu'il était obligatoire d'y assister, munis de petits drapeaux gracieusement distribués. Ce soir-là, beaucoup de Messins sont restés enfermés chez eux, pleurant la patrie perdue... Nos volets fermés en signe de deuil nous avons été repérés [...]. Il y avait un responsable par îlot de maisons [...]. Mon père, déserteur de l'armée allemande en 1914-1918, s'est donné la mort. [...] Le lendemain, les Allemands sont entrés à Metz. J'étais sur la place de la mairie ce matin-là. J'ai vu, je vous le jure, la place vide... On fermait les volets en pleurant... Ils sont entrés dans un désert de tristesse et de chagrin[96]. »

Ensuite eurent lieu les expulsions.

En même temps, étaient revenus de zone libre ou occupée ceux qui avaient été évacués. Raymond Bourgart est de ceux-là, qui, après la défaite, un temps est passé aux Chantiers de jeunesse. C'est la germanisation qui le choque, mais à Strasbourg, il ne réagit à la situation que lorsqu'en 1943 il est incorporé au service du travail (RAD), « le jour du serment au Führer – généralement tu dans les souvenirs des Malgré Nous, c'est du théâtre » – avant de partir pour la Yougoslavie... Là, de Croatie, il voudrait rejoindre les Serbes mais on lui explique que « les Tchetniks, partisans royalistes serbes, avaient partie liée avec les Allemands, leurs grands ennemis étant l'oustachi croate et les partisans communistes... L'un d'entre eux ayant disparu, les Alsaciens-Lorrains de l'unité étaient désormais suspects, et on leur refuserait leurs permissions [...] ; puis, envoyé en Italie lors de la retraite de mai 1944, je réussis à quitter mon unité et fus capturé par les Britanniques », écrit-il[97].

« Un après-midi de fin mars ou début avril 1943, raconte un autre Malgré Nous, M. Stefann, un ordre de rassemblement immédiat fut donné dans notre camp de RAD. Une commission de SS allait passer. Après un exposé du chef SS sur les avantages de l'appartenance à cette organisation – qui ne relevait pas de l'armée – les 200 à 250 hommes du camp furent passés au crible, je fus retenu "bon pour le service SS". Je n'ai jamais oublié le regard de ce chef SS qui me fit sortir du rang, on pouvait le prendre pour un bandit [...]. Je dus me défendre pied à pied pour ne pas signer mon engagement, car j'étais entouré de plusieurs SS et je n'étais pas à la fête. C'est la première fois que je sus dire non, me retranchant derrière le fait qu'étant mineur, il me fallait l'autorisation de mes parents. [...] "Soit ! dit l'un des SS, mais tu verras ce que cela te coûtera [*Du Wirst Spuren Was das dir Kostet*]." Ma libération du RAD intervint le 8 mai 1943 [...]. Mais huit jours plus tard, l'appel pour la Wehrmacht m'attendait déjà. J'insistais auprès de mes parents pour ne pas y donner suite, car j'avais la possibilité de passer la frontière près de Lapoutroie... Mes parents ne voulurent pas de ce risque, car d'une part ils avaient peur des représailles, réelles car certaines familles avaient été déportées, et on ne savait où ; et puis survivre de l'autre côté était autre chose si l'on passait... Plusieurs de mes camarades de classe s'étaient fait reprendre ou mieux ramener par des gendarmes français, allemands, ou "vendus", par de "bons Français" [...]. Mon camarade Demerle de Montigny est mort ainsi à Dachau [...]. Alors que faire ?

Suivre son destin ? Lequel ? L'avis d'incorporation m'indiquait : Preussich Eylau, en Prusse-Orientale, il fallait se décider... [...].

« Côté officiel, on ne savait pas si un gouvernement Pétain ou de Gaulle s'intéressait à notre sort, la BBC, très écoutée, n'en parlait pas. Ce n'était pas de la haute politique... [...]. [Vers le mois de juin, du côté de Mohilev, sa compagnie reçoit l'ordre de repli.] Je me laisse glisser sous une touffe de bardane, me recroqueville du mieux que je pouvais, attendant que toutes les troupes allemandes soient passées... Si on m'avait découvert, j'aurais été fusillé. Puis je laissais passer les premiers Russes, six mois de front m'ayant appris à me méfier des premiers groupes de combattants – on tire sur tout ce qui bouge... Puis je levais les bras aux suivants, j'étais prisonnier et réussis à faire comprendre que j'étais français, car heureusement j'avais sur moi, caché, un tract des Russes invitant les Français à se rendre. » (Puis il fut dirigé avec d'autres Français de la LVF semble-t-il, vers Moscou...)

Il ne sait pas trop ce qui lui arrive, et, comme beaucoup, a le sentiment que la France les a abandonnés... Ce Malgré Nous mêlé à des Hillfswillinger « volontaires recrutés par les Allemands », écrit M. Stefen, voilà qui n'est pas clair pour un simple soldat, qu'il soit soviétique ou alsacien... Cette méconnaissance, beaucoup la partagent, tel P. Dutter, prisonnier des Anglais et qui a peur qu'on le prenne pour un membre de la LVF, dont il apprend l'existence précisément dans son camp où on vient de l'enfermer en 1945.

Il avait vécu hors de l'Histoire... dans son village de Wittern-heim d'où, gamin, il avait vu son frère mobilisé en 1939. Tout près de la frontière, il avait été témoin ensuite d'une canonnade, la famille se réfugiant dans la cave de leur pavillon ; puis subitement la batterie est partie, « le calme absolu a suivi. Nous n'avons plus vu aucun soldat français. Ils nous avaient vraiment laissés tomber ». Et voilà que le 17 juin ce sont les Allemands qui sont là. Le jeune Dutter va à l'école, son père doit germaniser leur nom, de Léon Dutter, il devient Leo, et, jusqu'à son enrôlement dans le service du travail en août 1943, il raconte les étapes de la nazification : il ne faut même plus dire « salut » à un copain. En juin 1944, il est appelé aux armes, « murmure » le serment de fidélité et est affecté aux soins des chevaux et à l'atelier des mitrailleuses ; surtout, comme agent de liaison, il doit apprendre à ramper « avec les talons à plat, sinon on nous tirait dessus » ; « sur le front russe, la discipline est très dure, on doit être constamment sur le qui-vive et à 200 mètres des Russes, on nous fait encore marcher au pas, gauche-gauche, garde-à-vous, en avant, etc. Je crois que tout le système était fait pour qu'on n'ait pas le temps de réfléchir[98] ».

Pas une fois, Paul Dutter ne se définit comme un Malgré Nous ; les Russes, il les dénomme l'« ennemi » ; pourtant il ne cesse de protester. Quand il reçoit une lettre de son père lui disant de demander une permission pour la moisson, on la lui refuse « parce qu'il n'est pas politiquement fiable ». On le lui redit quand il n'est pas nommé caporal et alors, vraiment, il ne comprend pas – ignorant qu'on refuse aux Alsaciens-Lorrains de retourner chez eux en permission… Bientôt fait prisonnier par les Anglais, un copain lui dit : « Ne rentre pas chez toi parce qu'on sera mal reçu. » « […] Bien que nous ayons été incorporés de force, nous ne savions pas comment cela serait interprété. […] De retour à la maison, ils sont un peu choqués en me voyant revenir comme un clochard sans veste ni chemise, juste une musette à l'épaule. […] On apprit bientôt que mon frère était mort dans un camp de prisonniers en Russie, près de la frontière finlandaise. » « Une preuve qu'un prisonnier de guerre n'a pas beaucoup de valeur », commente ce vieil homme à soixante-douze ans, qui a traversé l'Histoire en constatant seulement qu'il avait la chance d'avoir survécu… « Tout va bien », n'avait-il cessé d'écrire à ses parents tant que ses lettres leur étaient parvenues : de fait, sur le front russe où il a connu les pires tourments, il avait eu un poumon qui avait éclaté et un os nasal enlevé…

Retour au pays, où la petite Claude, née au début des années 1950, « a grandi sans mémoire ni passé, comme si ses parents avaient surgi du sol, adulte à sa naissance. Loin de contrecarrer cette amnésie, la ville y participe, l'encourage : les boulevards, les artères centrales exaltent la Libération, les libérateurs, Leclerc, de Lattre etc. [...]. C'est là, dans cette école qu'on a chanté pour la première fois *La Marseillaise*, en 1918 [...].

« Comment mesurer le péché originel qui pèse sur chacune de ces vies exclues de leur Paradis pour prendre le parti de ne plus jamais vivre en malgré nous[99]... »

L'ALGÉRIE À L'ÉPREUVE

Jalons

3 juillet 1962.

« Le jour de l'indépendance, j'étais encore à Bône, pensant que c'était encore la même chose que la veille, que rien n'avait changé. Il a fallu que je voie les déferlements de cette horde, tirant des coups de fusil et de mitraillette dans tous les coins de la ville pour comprendre que nous n'étions plus chez nous, je n'avais pas compris jusqu'à la fin. Je pensais que nous étions toujours chez nous. Je ne pensais pas qu'un jour ou l'autre, il fallait partir de chez nous... J'étais peut-être un inconscient [...]. J'ai découvert des drapeaux algériens un peu partout. C'est alors que j'ai pris conscience que l'Algérie n'était plus française[1]. »

Ce témoignage recueilli par Jeannine Verdès-Leroux donne la mesure de l'aveuglement d'une partie de ces Européens d'Algérie après huit années de crises, et combien d'années de guerre. Sans doute à cette date ne sont-ils plus très nombreux à s'attacher à cette chimère, l'Algérie française, mais en novembre 1954, quand sont commis simultanément les premiers attentats, combien sont-ils qui mesurent l'amplitude du séisme qui s'annonce ?

Peu, à coup sûr, car, en 1954, la plupart des Européens d'Algérie vivent à des années-lumière du drame qu'ils vont connaître : leur exode massif. Le monde avait changé, mais pas les mentalités. Bon nombre d'entre eux demeuraient aussi à mille lieues de cette « horde » qui désormais déferlait à ciel ouvert...

Pour mieux interpréter le comportement des uns et des autres – Européens et musulmans –, posons d'abord quelques jalons.

Sans doute est-ce Franz Fanon qui a le mieux décrit ce dernier écart : « La ville du colon est une ville en dur, toute de pierres et de fer. C'est une ville illuminée, asphaltée, où les poubelles regorgent de restes inconnus, pas même rêvés. Les pieds des colons ne sont jamais aperçus, sauf peut-être à la mer. Des pieds protégés par des chaussures solides, alors que les rues de leurs villes sont lisses, sans trous ni cailloux.

La ville indigène est un lieu mal famé. On y naît n'importe où, on y meurt n'importe comment. C'est une ville affamée, affamée de pain, de viande, de chaussures, de lumière. C'est une ville accroupie, une ville de bicots. [...]

Le colonisé jette sur la ville du colon un regard de luxure, un regard d'envie : s'asseoir à la table du colon, coucher dans le lit du colon, avec sa femme si possible. Le colon ne l'ignore pas, ils veulent prendre notre place. C'est vrai, il n'y a pas un colonisé qui ne rêve au moins une fois par jour de s'installer à la place du colon.

Ce monde coupé en deux a une ligne de partage, une frontière, ce sont les casernes et les postes de police. L'interlocuteur du colonisé, le porte-parole du colon, c'est le gendarme ou le soldat[2]. »

Pourtant, entre les deux communautés, les rapports sont plus complexes : elles se haïssent et elles s'adorent. Oui, les liens tissés à l'école peuvent durer, se vérifier aux moments les plus tragiques de l'existence. Mohammed Dib n'est pas le seul à se remémorer. « J'avais neuf ans, nous avions très peur des Français, nous ne nous en approchions jamais... Arriva Monsieur Souquet qui était un instituteur français venu enseigner dans l'école laïque et publique, [...] un croque-mitaine avec de grosses moustaches... dont le poing s'abattit sur mon crâne, parce que je refusais de mettre un "s" à "puits" sous prétexte que le mot était au singulier... Or il était le meilleur des hommes, et la classe ne se finissait pas avant qu'il nous ait raconté une histoire drôle, mais courte, et si drôle, que tous on riait avec lui qui en pleurait dans sa grosse moustache[3]. » Entre Français et « indigènes » il y avait les liens tissés aussi à la ferme, à l'atelier, lieux de confiance et où ensemble on mange les lentilles ou le couscous à la même table ; les vêtements des plus âgés vont aux plus jeunes, sans distinction et tous les gosses jouent ensemble dans la cour... Au moins jusqu'à un certain âge...

Au stade aussi règne une certaine connivence : on est solidaire pour siffler l'équipe venue d'ailleurs, surtout s'il s'agit d'Espagnols.

Plus tard, lorsque l'insécurité a commencé à régner, le terrorisme à menacer émanant souvent d'une bande venue d'ailleurs, c'est l'employé arabe qui prévient discrètement : « Prenez garde. »

Mais il y a deux frontières que l'Arabe ne franchit pas : outre les casernes et les postes de police qui assurent la garde de ce monde coupé en deux : le sexe et la promotion politique ou sociale. La première est d'ailleurs un double interdit, car la famille musulmane se verrouille aussi pour sauvegarder son identité, et elle n'envoie même pas les filles au collège ou au lycée. Quant aux hommes, ils n'épousent une Européenne qu'aux lieux, rares, où se croisent les fréquentations, par exemple au syndicat. Côté européen, il est également exclu d'épouser hors de sa communauté. De ce point de vue, on mesure le changement observé en métropole cinquante ans plus tard, où le discours raciste perdure, certes, mais dans la réalité des mœurs, nombreux sont les mariages mixtes, important progrès face à ce même racisme.

L'autre frontière est une des revendications indigènes. « L'Arabe c'est celui qu'on appelle pour porter les valises ou laver sa voiture », il est docker, ouvrier agricole, magasinier. « "Jamais je n'aurai un Arabe *sous* mes ordres", me dit même le directeur de la Poste, ce qui signifie que cet Arabe serait assez haut placé pour avoir des Européens sous les siens. "Oui, me dit un élève, comprenez qu'au lycée, vous nous conduirez à la gare, mais que jamais nous ne prendrons le train." L'une des rares élèves musulmanes de ma femme, au lycée Stéphane-Gsell, à l'excellence reconnue, fut embauchée comme femme de ménage. Certes, il y eut des professeurs arabes, des médecins, etc., mais tellement peu : 11 architectes sur 706, au Maroc en 1952... »

Quant à la frontière politique, elle se heurte au refus intraitable des dirigeants européens. À leur tête, l'abbé Lambert, maire d'Oran, déclarait, dès la fin des années 1940 : « Jamais un Arabe ne sera maire d'une commune, même la plus petite. » Et à la base, un garagiste de la côte, qui vivait en bonne intelligence avec ses ouvriers arabes et leurs enfants – toute une smala –, me disait aussi bien : « Si un seul entre au conseil municipal, je prends mon Mauser de la guerre de 14 et je lui tire dessus. »

On connaît les incroyables malversations électorales commises par l'administration lors de ces élections « à l'algérienne ». Elle ne se contentait pas de « bourrer les urnes », mais elle laissait fabriquer des tables truquées : on en montrait le principe aux candidats rejetés par l'administration en leur faisant un bras d'honneur à l'appui. Qu'un candidat mystifié aux élections précédentes se fasse accompagner d'un huissier ami, pour qu'il constate les fraudes, et celui-ci, finalement, refusait : « On me retirera ma charge[4]. »

Cette humiliation, jointe aux autres manifestations de racisme, voilà qui nourrit un terrible ressentiment.

Les Européens en ont-ils conscience ? Certes, mais les élus ne veulent rien savoir :

« Des élections honnêtes ? répond Henri Borgeaud, un gros colon, au directeur de cabinet de François Mitterrand, foutez-nous la paix, il n'y aura pas de problème politique si vous ne le créez pas. » Et d'ajouter : « La cuisine politique algérienne est faite dans une marmite algérienne, par des cuisiniers algériens ; entendez, bien sûr, Européens d'Algérie[5]. »

L'autorité n'était là que pour faire respecter la fraude.

Ce comportement s'adossait à un argumentaire stéréotypé et parfaitement rodé, à savoir que l'indépendance du Maroc et celle de la Tunisie constituaient certes, un aboutissement quasi inéluctable. Ces deux pays jouissaient du statut de protectorat, ils avaient gardé un souverain et la politique française pouvait, au mieux, viser à retarder cette échéance. En ce qui concerne l'Algérie, les Français en jugeaient autrement. Ce pays étant composé de départements, il faisait partie, disait-on, du territoire national. Le fait qu'un million de Français l'habitent donnait simplement une substance à cette fiction juridique qui fonctionnait comme un dogme. En outre, les Français, qu'ils habitent l'Algérie ou la métropole, jugeaient que puisque avant la colonisation l'Algérie n'existait pas en tant qu'État, elle n'avait pas d'identité nationale. À ce territoire qui comptait des Arabes et des Berbères, des Juifs, des Espagnols, des Français, était promise la promotion exaltante, de compter, un jour à venir seulement des citoyens de la République. « Tu seras semblable à nous, n'est-ce pas le plus beau cadeau ? », déclare le colonel Lacheroy le 18 mai 1958[6]. Et, comme s'il avait voulu corroborer ces vues, un leader nationaliste modéré, Fehrat Abbas, le fondateur de l'UDMA (Union démocratique du manifeste algérien), avait d'ailleurs déclaré à la fin des années 1930 : « Les Algériens n'ont pas de patrie ; donnez-leur la patrie française, avant qu'ils n'en trouvent une autre. » Après les sacrifices consentis pendant les deux guerres mondiales, quelques dizaines de milliers d'Algériens reçurent cette « récompense » : sur 8 millions d'habitants, c'était peu... En plus, les colons acceptèrent de laisser quelques musulmans figurer dans les cérémonies officielles et jouer les béni-oui-oui : à condition toutefois de les choisir eux-mêmes.

Dans ce contexte, après les manifestations de Sétif en mai 1945, aux cris de « Vive l'Algérie indépendante, libérez Messali » et après la répression qui suivit, une politique d'éradication du nationalisme s'élabore autour du slogan de l'« Algérie française », inspirée par un lobby qu'animent, en métropole, René Mayer, député de Constantine, et Martinaud-Deplat, et, en Algérie, de gros colons tels que Borgeaud, Blachette et le directeur de *L'Écho d'Alger*, Alain de Serigny.

Rassérénées, les populations européennes commencent à aller jusqu'à ignorer l'existence des partis nationalistes dont les leaders sont frappés par l'article 80, « atteinte à la sûreté de l'État ». À *Oran républicain*, par exemple, personne n'ouvre le journal de Fehrat Abbas, *La République algérienne* dont les numéros, reliés, sont soigneusement rangés sur des étagères. On sait certes qu'il existe une organisation extrémiste, celle de Messali, dissoute, reconstituée sous le nom de Mouvement pour le triomphe des libertés démocratiques, mais quels sont les Européens qui savent qu'il existe un drapeau algérien, vert, blanc, rouge ? La répression est telle que bien des musulmans l'ignorent eux aussi.

L'avenir de l'Algérie est un tabou, et sauf des manifestations de dockers pour de meilleurs salaires, toute agitation paraît incongrue, absurde, dans un si beau pays. On y vit la douceur méditerranéenne, la balade le soir, place d'Armes ou boulevard Tremulet à Blida, nous dit Jean Daniel ; rue d'Arzew à Oran, rapporte Jean Cohen ; on y croise les filles qui affectent d'aller quelque part ; dès avril ou mai, on va à la plage, les plus aisés vont l'été en vacances en France. « Ah, que ce pays serait merveilleux s'il n'y avait pas les Arabes… »

Et pourtant. Au lycée Stephane-Gsell, d'Oran, un professeur ayant proposé à ses jeunes élèves filles, en classe de quatrième (elles ont treize ans), de faire une rédaction où elles raconteraient un de leurs rêves ; épouvantée, elle lut qu'une bonne quinzaine de ces jeunes filles avaient rêvé un cauchemar d'avoir été violées par un Arabe[7].

Dans *Les Absinthes sauvages* (1972), Geneviève Bailac rend compte de cette angoisse qui habitait ces émotions passées : « Confuse, irraisonnée, sournoise… cette angoisse a bercé mon enfance […]. La guerre m'est apparue naturelle, comme la peste ou le choléra, et ne pouvant épargner personne. »

Après 1954, quand le terrorisme se développe, que viennent les temps du couvre-feu, « la tension permanente ne nous empêchait pas de vivre, mais tous les soirs je m'endormais avec un revolver, et je me suis dit que s'il y en avait un qui rentrait, je tuerais d'abord ma mère, puis ma sœur et ensuite moi-même pour échapper à ce qu'il pourrait nous faire. Et mon beau-frère, lui, dormait avec un pic à glace à côté de l'oreiller[8] ».

Avec la tension qui monte, tout est imaginé. Placer de l'argent en France, sait-on jamais, c'est courir le risque d'un boycott, d'une menace de la part des ultras qui y voient une désertion. Pourtant, dès 1956, subrepticement, des médecins, des avocats achètent un appartement en métropole, à Nice ou à Montpellier, une terre, un garage ; simultanément, et publiquement cette fois, on investit sur place, dans la pierre, pour se couvrir, ou par défi ; il faut exorciser ce qu'on craint le plus, des concessions politiques aux nationalistes : si l'on commence, où cela finira-t-il ?... Certes, parmi les musulmans, n'y en a-t-il pas un grand nombre qui, au fond, souhaitent seulement devenir des citoyens « à part entière » ? Mais où cela conduira-t-il de leur donner satisfaction ?...

Les Européens ne veulent pas imaginer la modification du statut de l'Algérie, où, à l'Assemblée algérienne, 1 million de Français ont autant d'élus que 9 millions d'« indigènes », parce que le nombre de ces derniers ne cesse de croître et que modifier ce quota serait leur abandonner le pays. « L'Arabe est un baiseur et la Mauresque une lapine », ajoutait Fehrat Abbas en riant, mais les Européens ne riaient pas du tout. Quant à l'intégration à la métropole, où 10 millions d'Algériens s'ajouteraient aux 50 millions de Français de France, solution à laquelle pense Soustelle, elle suscite l'ironie de De Gaulle : « Ainsi, dit-il, on n'ira plus à Colombey-les-Deux-Églises mais à Colombey-les-Deux-Mosquées. »

« Ce serait un vrai changement, mais irréalisable », me disait Fehrat Abbas. Au reste, Soustelle avait été mal reçu par les colons qui voyaient en lui le ministre de Mendès France, celui qui, après l'Indochine, était en train de « brader » la Tunisie.

« Comment voulez-vous, me disait Ferhat Abbas, qu'appliquant l'intégration, Soustelle puisse faire nommer 10 Arabes sur 100 préfets, 10 Arabes sur 100 commissaires de police, même 100 Arabes sur 500 députés ? En Algérie, n'en parlons pas, mais même en métropole... Qu'il en nomme quelques-uns déjà et on verra si 10 millions d'Algériens peuvent s'intégrer dans 50 millions de métropolitains. » Il ajouta : « Alors que les musulmans exigent plus de responsabilités pour les Arabes, plus de liberté pour les Arabes, plus de dignité pour les Arabes, décision a été prise de multiplier les départements pour mieux encadrer les Arabes, plus de commissaires pour mieux contrôler les Arabes[9]. »

Au vrai, tétanisés par la peur d'une contagion, qui, après l'Indochine et la Tunisie, atteint le Maroc, les dirigeants français ne peuvent et ne veulent pas imaginer ce qui peut sourdre des premiers attentats du 2 novembre 1954. Mendès France ignore le dossier algérien, et, député de l'Eure, il demande au directeur de *Paris-Normandie* de lui trouver un métropolitain en poste en Algérie, pour lui adresser discrètement une analyse objective ; c'est l'auteur, lié à une famille de Rouen qui en est chargé[10]. « Sur l'Algérie, voyez Mitterrand », avait-il dit alors à ses interlocuteurs, le ministre de l'Intérieur ayant alors pour chef de cabinet Georges Dayan, originaire d'Oran. L'un et l'autre ont des paroles très fermes : « Qu'on n'attende de nous aucun ménagement avec la sédition, aucun compromis avec elle », déclare Mendès France. « L'Algérie, c'est la France, complète Mitterrand, l'action des fellaghas ne permet pas de concevoir, en quelque forme que ce soit, une négociation. Elle ne peut trouver qu'une forme terminale, la guerre. »

Et la première mesure qu'il prend est de dissoudre le MTLD. Il en ignore la scission, son sens et, à cette date, seuls les avocats des prisonniers politiques, Yves Dechezelles, Pierre et Renée Stibbe, Henri Douzon, Jacques Vergès un peu plus tard, ont une connaissance des milieux nationalistes, des enjeux de leurs conflits internes. Mais leur tâche étant d'obtenir la grâce des condamnés, qui donc à Paris les interroge vraiment sur ce qu'ils savent ?

Les Français d'Algérie et de métropole étaient à des années-lumière du drame qui allait se produire, les « indigènes » étaient également loin d'imaginer, en novembre 1954 et après, que trois ans plus tard leur pays serait en feu.

Sans doute, un processus de crise se développait, car le sabotage des élections par les autorités, cette mascarade, suscitait une prise de conscience, chez les musulmans, de la réalité profonde du régime colonial. L'absence de volonté de Paris de mener une politique de fermeté pour ouvrir un vrai dialogue avec les organisations nationalistes, voire avec les plus modérées, voilà qui discréditait le principe représentatif et, avec lui, les partis nationalistes, le parti communiste algérien aussi bien, qui continuaient à se référer à lui.

Pour autant que le fonctionnement de la voie représentative était entièrement faussé, l'insurrection devenait la seule alternative.

Telle était la situation qui avait abouti à la lente perte d'influence des ulémas et de l'UDMA modérée de Fehrat Abbas, puis à la scission du MTLD et à l'émergence des activistes, du CRUA (Comité révolutionnaire pour l'unité et l'action), noyau du

Figure 8 : *Combattants du FLN dans le maquis.*

FLN, qui accomplit la « révolution algérienne » en lançant l'insurrection et en se constituant en embryon de l'État algérien.

La régénération du sentiment national arabe, grâce à Nasser, la montée indépendantiste en Tunisie et au Maroc, voilà qui donne aux activistes et bientôt à ceux qui les suivent l'assurance qui faisait encore défaut au mouvement national algérien. Quant à la défaite française de Diên Biên Phu, qui immobilise les armées de la métropole loin outre-mer, et qui démontre qu'elles peuvent être vaincues, elle prédétermine le *tempo* de l'insurrection : en jugent ses théoriciens : Ait Ahmed, Krim, Ben Boulaid, quelques autres[11].

Protagonistes

Comportements d'Algériens

Pas plus à la campagne qu'en ville, les Algériens ne se représentèrent vraiment ce que pouvaient signifier les premiers attentats de novembre et l'annonce de la « révolution algérienne ».

Certes, dans le Nord-Constantinois notamment, où le souvenir des massacres de Sétif était le plus présent, et où avait toujours couvé le projet d'une insurrection, ces attentats furent perçus comme un signal. On les interpréta également comme le début d'une révolution, pas uniquement ou spécialement comme un départ à la guerre, étant entendu que l'objectif était la fin du régime colonial. Ben Tobbal l'a expliqué à Daho Djerbal. « Dans la campagne, on peut dire qu'à un certain stade, l'organisation [d'un maquis] dépassait le côté insurrectionnel. C'était, pour ainsi dire, le commencement d'installation d'un embryon d'État nouveau. C'était le peuple lui-même qui prenait en charge sa propre destinée. [...] Je peux dire que la lutte armée a été menée pour permettre et faciliter l'organisation du peuple, [...] cela ne ressemblait à aucun parti[12]. »

Les Aurès, la Kabylie figuraient à la pointe de ces processus. Mais l'émancipation pouvait prendre d'autres formes, pacifiques.

Car, ce que voulaient les fellahs, c'était la terre. Et depuis le tout début des années 1950, ils entreprennent d'en acheter aux colons, en économisant sur un train de vie misérable. Le mouvement a commencé dans le Constantinois, il se poursuit ailleurs.

Voici un de ces fellahs, près de Mascara. Il est fier que son neveu, instituteur à Bou Sfer, lui présente deux métropolitains, de plus professeurs à Oran. « En attendant le méchoui, préparé en notre honneur, on nous sert le couscous et les pâtisseries. Ensuite, on monte dans sa demeure ; alors, ouvrant sa double fenêtre, de ses deux bras il étreint l'horizon et nous dit : “Demain, tout cela sera à moi.”

Il va ensuite à sa grande armoire dont toutes les étagères sont tapissées de billets de banque... Nous regardons, éberlués. Puis, toujours de ce bahut, il extrait une pile de réclames, la publicité de tous les modèles de tracteurs, de camionnettes, que sais-je... Il les caresse du regard[13]. »

Qu'est-il advenu de son rêve, quelques années plus tard, lorsque fut instauré, après l'indépendance, un système dit d'autogestion ?...

Auparavant, en tout cas, ces transferts de propriété ont pu être comptabilisés : Daniel Lefeuvre a constaté le repli sur les villes d'un nombre croissant de colons avant que le FLN n'interdise aux fellahs de leur acheter des terres, dès 1956 semble-t-il.

En ville, sauf dans les syndicats, nationalistes et militants s'éloignent lentement, mais irréversiblement des formations européennes ; par exemple, malgré tous les appels du parti communiste algérien, ils rechignent à adhérer au Mouvement de la paix : prétexte, les communistes ne soutiennent pas leurs revendications concernant l'enseignement de la langue arabe. Et puis, ajoutent-ils, nous ne sommes pas marxistes, ce qui est une manière de rappeler, pour les MTLD, qu'ils sont musulmans.

Voici le cas de l'un d'entre eux, UDMA, invité à l'initiative des *Temps modernes* et de Jean Cohen à mener une enquête sur la femme musulmane en Algérie.

« Ils proposent à deux collègues, l'un musulman, l'autre musulman laïque marié à une Française, d'organiser une table ronde sur ce thème... J'en fus le greffier. L'entretien dura une bonne après-midi. La rédaction du texte final fut achevée dans les quarante-huit heures, pour être vérifiée par chacun des participants. La plupart appartenaient au lycée Lamoricière. Le texte fut déposé successivement dans la case de chacun d'entre eux. Il fut convenu que notre collègue musulman, époux d'une Algérienne musulmane, recevrait son texte le dernier. Les trois autres intervenants procédèrent aux corrections d'usage. Mais celui-ci déclara qu'il n'avait pas trouvé de texte déposé dans sa case. Impossible. Le soir même, le texte ayant ainsi "disparu", il jugea qu'on ne pouvait pas le reconstituer de mémoire, et il apparut à tous qu'il n'y tenait pas...

L'homme était un excellent collègue, connu pour son autorité en classe et dans les conseils, très respecté en tout cas pour son énergie.

Or il y avait un passage dans son intervention qui nous avait frappés. En substance, il avait déclaré que la femme et son foyer constituaient le dernier refuge que le colonialisme n'avait pas pu réduire. Quand le pays sera libre, avait-il ajouté, la femme musulmane le sera aussi. 1954. Nos rapports étaient demeurés excellents, et ce collègue, UDMA, militait avec l'autorité qu'il avait dans ses autres activités. Nous ne connaissions pas sa femme qui, nous disait-il, vivait dans l'intérieur. Cela ne nous troublait pas plus que cela car, d'une façon générale, sauf le couple D. [...], nous ne connaissions pas les épouses de nos collègues musulmans professeurs ou instituteurs[14].

Or voilà qu'il nous annonce, tout flamboyant, qu'il vient de se remarier et nous invite, ma femme et moi-même, quelques amis d'*Oran républicain* à fêter la nouvelle au restaurant. De quinze à vingt ans plus jeune que lui, cette deuxième épouse, d'origine marocaine, avait l'élégance d'une femme moderne, pharmacienne elle-même. Elle avait divorcé parce que son mari était français et que, militante nationaliste, il fallait qu'elle mette quelque cohérence dans sa vie. Nous étions tous sous le charme.

Quelques mois plus tard, pourtant, alors que l'on se rencontrait à l'occasion les uns chez les autres, nous avons senti que ces relations faisaient problème. On voyait moins la nouvelle épouse. Un jour, en se cachant, elle vint se plaindre à nous que son mari la séquestrait. Elle montra un ou deux bleus faits par son mari. Nous lui avons alors conseillé de voir notre ami commun d'*Oran républicain* qui était avocat. Ce qu'elle fit. Cet ami nous dit que son mari était venu au journal pour le menacer. S'il y avait procès et que le journal s'en mêlait, lui et son journal seraient victimes de graves représailles. On ne revit plus sa femme.

Quelque temps plus tard, on apprit que la jeune épouse s'était suicidée[15]. »

Cet épisode tragique trace, comme avec un fil rouge, le parcours d'un universitaire nationaliste, issu d'une famille traditionnelle, épris de modernité, mais deux fois rattrapé par l'Histoire, en l'occurrence les organisations militantes qui, dans le raidissement des années 1950-1955, interceptent ce parcours et contrôlent son comportement. Il avait appartenu au parti de Fehrat Abbas, le voilà qui, avec les autres membres de l'UDMA, adhère au FLN, lequel, en 1956, dans les circonstances qu'on a vues, le colonise et le soumet. Au point de le pousser à des actions indignes.

Le sort de sa femme préjuge mal du sort à venir des Algériennes militantes.

Par cet exemple se révèle également un retournement dont on retrouve les signes ailleurs. À la fin des années 1940 et au début des années 1950, au sein de la population musulmane, les opinions et les comportements sont libres et multiples. Plusieurs partis politiques existent. Les conversations bourdonnent de ces antagonismes, et les militants de ces organisations – on y ajoutera les syndicats, les ulémas, les simples citoyens aussi – surveillent la vie internationale avec une vigilante attention. La politique est leur passion.

Par contraste, la société européenne laisse ses dirigeants agir, elle fait ses affaires et va à la plage. Parler du problème algérien est tabou.

Cinq ans plus tard, la situation est inversée. Ce sont les Européens qui surveillent les moindres détours de la vie politique en France avec attention – et méfiance – se disputant, se divisant sur l'attitude à adopter vis-à-vis de Soustelle, de Lacoste, de De Gaulle...

À l'inverse, la pensée unique et le comportement uniformisé ont gagné la société musulmane, portée par l'espoir, certes, mais tout autant pétrifiée par la terreur... que le FLN, héritier d'une fraction du MTLD, a inspirée par ses pratiques.

Mohammed Harbi* est alors un militant, un militant-né. En 1950, il a dix-sept ans. Gamin, il s'était fait tirer les oreilles par son grand-père dès que celui-ci l'avait appris. Dans sa famille – des propriétaires, des notables –, on n'adhère pas aux partis extrêmes. « Espèce d'âne, tu n'espères pas qu'on en revienne au système turc. Tu ne pourrais pas te déplacer sans être escorté. » Dans cette famille, c'est le respect des traditions qui compte, la religion n'y est pas une affaire de conscience, elle s'identifie à certaines règles de vie.

Cette famille incarne l'opposition à l'administration ; on entend y rester différent des Français, et on y est animé d'un fort sentiment identitaire musulman plus qu'on ne cherche la rupture qui bouleverserait l'ordre social. Mais les Français qui sont là, à El Arrouch, ne sont pas des amis. « Dors, ou bien j'appelle Bijou qui va te manger », dit-on au jeune Mohammed. À El Arrouch, Bijou c'est Bugeaud, le conquérant sanguinaire... – équivalent de « Dors, ou bien j'appelle l'Arabe », dans la communauté d'en face. « Et aie de bons résultats scolaires, pour te mesurer aux Français[16]. »

Pourtant dans sa famille, il sent comme une scission entre le clan de son père, influent auprès des Français et celui de sa mère : mais ceux qui préconisent l'indépendance ne veulent-ils pas prendre notre place, se demande-t-on, car ils mettent en cause notre prestige ? Quand, après une victoire nationaliste aux élections de El Arrouch, des vivats éclatant partout, son grand-père ordonne :

* On le connaît aujourd'hui comme un grand historien.

« À la maison, vite », et le jeune Mohammed ressent le malaise. Sa mère lui avait appris les prophéties annonçant l'arrivée des « infidèles » ; avec la victoire du MTLD apparaissaient celles qui annonçaient leur départ. « On entrait dans une période où les flots de sang atteindraient les genoux, où le fils dénoncerait le père et le frère tuerait le frère. » Fasciné, comme tous les jeunes, par la personne de Messali, le jeune Harbi veut montrer « sa capacité de sacrifice » : il « pique » des bulletins de vote d'un ami de ses parents. Une mémorable correction à coups de canne et de martinet l'attendit à son retour. La dernière : « On ne tourne pas le dos à sa famille », lui dit son père. « Et ne compte pas sur l'héritage. »

Dès le lycée, à Philippeville (aujourd'hui Skikda), il adhère au MTLD en prêtant serment – alors que les adultes juraient fidélité sur le Coran. Acte patriotique et patriotique seulement car, à la différence du parti communiste algérien, ce parti ne militait pas pour un nouveau type de société, mais pour la résistance aux Français, pour l'indépendance. Le schisme apparut quand les communistes, « qui voulaient nous associer à une campagne contre la guerre d'Indochine, refusèrent de participer à une grève de protestation contre la déportation à vie de Messali Hadj ». Au lycée pourtant, l'enseignement de son professeur d'histoire Pierre Souyri l'ouvre au marxisme et bientôt il comprend mieux la relation complexe entre le problème national et le problème social, qu'au MTLD cachait un certain communautarisme. Ce qui le frappa alors, c'est qu'il y avait des métropolitains, tel Jean Jaffré, un communiste, arrêté et condamné à mort, qui s'engageaient à fond aux côtés des nationalistes. Il est arrêté à son tour pour avoir interpellé des conscrits algériens : « Ils se servent de vous pour leurs guerres et, en plus ils vous donnent des coups. » Il est ensuite libéré par son oncle, délégué à l'Assemblée algérienne : « Tu vois ce qui arrive à ceux qui fréquentent les voyous*. »

* D'ailleurs le cheik Bachir al Ibrahimi, leader très respecté des ulémas, considérait les dirigeants du FLN (en 1954) « comme une bande de vauriens et d'assassins à manier avec des pincettes ».

À la libération de Messali, en 1952, en visite à Philippeville, « craignant que je ne fisse partie de la délégation qui l'accueillerait, mon père m'interdit de m'y rendre. Comme je refusai, il quitta la chambre les larmes aux yeux et je constatai après son départ qu'il m'avait enfermé à double tour ». Du balcon, Mohammed Harbi voit « une ville en folie… des hommes et des femmes dans un état second… Philippeville était devenue une ville musulmane [...]. Les Européens s'étaient enfermés chez eux ».

« À bas les traîtres », avait-on écrit sur la porte du professeur d'arabe, un de l'UDMA, hostile à la violence*... L'UDMA échoue « à cause des colons qui refusent tout », expliqua-t-il. La violence lui semblait inévitable. Il la rejetait néanmoins. Son désespoir d'être qualifié de traître « nous rapprocha »...

Expédié à Paris pour passer son baccalauréat, le jeune Harbi intègre aussitôt la Fédération de France du MTLD. Il se frotte aux communistes, aux trotskistes et bientôt ressent comme pesante la dictature que Messali exerce sur le MTLD. Tous les militants étaient d'accord pour préparer l'affrontement avec les Français, Messali aussi bien qui, obsédé par la crainte d'un débordement, et cherchant à éviter toute action prématurée qui rappellerait le drame de 1945 à Sétif, en profitait pour renforcer son contrôle sur l'appareil. Par ailleurs, on traitait d'« intellectuels » ceux qui discutaient les pratiques de Messali, le « culte de la personnalité » comme on commençait à le dire à propos de Staline mort en 1953. Alors que le problème était de savoir si oui ou non on passerait à l'action immédiate. Ainsi, lors de la scission du MTLD, Mohammed Harbi est plus à l'aise chez les centralistes, qui fonctionnent de façon plus démocratique et où les idées des uns et des autres ne sont pas diabolisées – que chez les messalistes, où il faut suivre la ligne du parti : celle-là, « vous la connaîtrez quand vous en sortirez », dira plus tard Ramdane Abbane, au temps du FLN. Mais, en 1954, avant

* Et qui ne s'était pas associé aux manifestations pour libérer Messali.

l'insurrection, la violence des messalistes contre les centralistes indigne et scandalise le jeune Harbi[17].

Or le premier manifeste du FLN[18] le met mal à l'aise. La proclamation du 1er novembre 1954 ne se référait nullement à l'idée de Constituante, et, entre autres objectifs, elle mentionnait « la restauration d'un État [...] dans le cadre des principes islamiques ». Et il n'y était pas question de la transformation de la société. La « révolution algérienne » était un manifeste qui transformait le parti MTLD en un État, qui excluait toute opposition. Si la dissolution du parti par Mitterrand « libérait » les militants des querelles dues à sa scission, le MNA prenait alors la suite des messalistes et devenait un rival, donc un traître vis-à-vis de ce nouvel État en voie de formation. « Tout messaliste conscient doit être fusillé sans jugement », disait Abbane début 1956. Le sang allait bien couler « jusqu'aux genoux ».

Figure 9 : *Manifestation de jeunes pour la paix en Algérie, juin 1960.*

Pourtant, la lutte armée était bien lancée, cette fois, et Ben Khedda, un centraliste, « me consulta sur un ralliement au FLN », rapporte Mohammed Harbi. « On ne peut plus rester en marge, me dit-il. J'aurais voulu entendre de sa bouche comment, après avoir mené une lutte pour la démocratie au sein du MTLD, on en arrivait à une situation où nous étions réduits à nous accommoder d'un mouvement autoritaire. [...] Je lui redis ma foi dans le marxisme. "Réfléchis encore", me dit-il. »

Harbi n'eut pas trop longtemps à réfléchir. D'un côté, le parti communiste français votait les pouvoirs spéciaux à Guy Mollet, les opérations militaires prenaient un tour nouveau et, en France, sacralisant le FLN, la gauche affectait d'attribuer les massacres de messalistes aux forces de l'ordre. À petits pas, mais irréversiblement, Mohammed Harbi devient un clandestin du FLN ; il y voit un accomplissement, participant ainsi à la lutte, au sein de la Fédération de France.

Volontiers contestataire, souvent plus à l'aise en compagnie des mal-pensants du communisme, européens pour la plupart, tel son copain André Akoun, qu'avec ses autres camarades, Harbi sent bien que la clandestinité permettait aux nouveaux dirigeants d'asseoir leur autorité et d'assassiner les membres du MNA sans contrôle.

Surtout, il observe que loin de chercher à construire un État avec l'ensemble des habitants de l'Algérie, sans exclusion le FLN s'oriente, *nolens volens*, vers un État arabo-islamique. Par ailleurs, l'armée prend le dessus sur les civils. Cette perspective était sans rapport avec ce qu'avait pu être le projet d'une République algérienne[19].

Mais c'est là, déjà, le chapitre d'une autre histoire.

Libéraux et communistes entre deux feux

« Sales métropolitains, tous nos ennuis viennent de vous. » Combien de fois n'a-t-on pas entendu cette apostrophe, quand des Européens d'Algérie ont senti que leur joie de vivre pouvait être menacée. Il est vrai que les fonctionnaires, les professeurs et autres militaires qui étaient nommés à Bône ou à Oran, à Constantine ou à Alger pouvaient être surpris de voir, sans l'avoir cherché, que la cohabitation de deux communautés pouvait créer bien des problèmes... et qu'elle cachait bien des injustices, bien des misères.

Pourtant, les Européens d'Algérie voyaient dans les métropolitains en fonctions dans leurs cités la preuve que l'Algérie c'était la France. Et, à ce titre, les enseignants étaient bien accueillis, choyés, ils apportaient la culture ; les autres fonctionnaires également qui incarnaient la loi. Et devant la montée des revendications nationales, si les avocats venus de métropole étaient suspects, puisqu'ils assuraient la défense des inculpés accusés de violer l'article 80*, les magistrats pour leur part ne l'étaient pas : selon Sylvie Thénault, au 1er janvier 1955, 57 % d'entre eux étaient d'origine locale, et ils occupaient les plus hauts postes de la hiérarchie[20].

Mais c'était de métropole que venait la mise en cause de l'administration, de la justice civile plus encore, qui traite les nationalistes en délinquants et les délinquants en nationalistes. Le procès de la justice était en place avant même le 2 novembre 1954. Il ne fit que s'exaspérer grâce à la vigilance de journalistes et d'avocats. Claude Bourdet, Jean Daniel, Yves Dechezelles, les époux Stibbe, etc. Assignation à résidence, internement précèdent le vote des pouvoirs spéciaux, et bientôt la condamnation à la peine de mort qui se multiplie avec l'intervention des tribunaux militaires qui en 1956 jugent 1 970 inculpés. De fait, cette année-là, on comptabilise six exécutions capitales et leur nombre s'accroît avec la multiplication des attentats du FLN et la pression de l'opinion européenne. S'ouvre alors l'ère de la torture, des exécutions capitales, d'une justice au service de la guerre – ce que la presse libérale, en métropole, ne cesse de fustiger.

* Revendiquer l'indépendance était une « atteinte à la sûreté de l'État ».

Dans ce climat, en Algérie même, un courant libéral s'était manifesté, hostile à la répression, et qui jugeait que les premiers attentats constituaient la réponse de la majorité musulmane opprimée à qui étaient refusés les moyens démocratiques de s'exprimer. À Alger, par exemple, André Mandouze figure un de ces « libéraux ».

Se souvenant d'un texte de Jean Delumeau, qu'au lendemain de la guerre il avait lu avant de quitter la France, André Mandouze, nommé professeur à Alger, se retrouve aussitôt à la messe des membres de l'Association des étudiants catholiques ; au sortir de la chapelle, il s'adresse à l'aumônier : « Mon père, j'arrive dans ce pays sans y avoir été préparé, mais il me revient qu'un certain nombre de graves problèmes s'y posent. Que vous en semble ? » Réponse immédiate : « Monsieur le Professeur, les choses sont en fait assez simples à résoudre. Il suffit de consentir à user, le cas échéant, de la mitraillette. » « J'ai cru sous le coup avoir mal entendu », commente André Mandouze « Quels étaient donc les préposés à la gâchette ? — Mais, bien entendu, me dit-il, très à l'aise, les Européens d'Algérie qui doivent prendre les moyens de se défendre des Arabes ! »

« Ainsi, à peine débarqué, commente André Mandouze, j'ai appris de la bouche d'un représentant officiel de l'Église dans ce pays que c'était ici la mitraillette, et non l'Évangile, qui était, à l'en croire, l'ultime référence et recours du chrétien[21]. »

On l'a compris : aussitôt son poil se hérisse, comme il était demeuré hérissé précédemment au temps de Vichy… et après. Au temps de Vichy, où militant chrétien avancé, il écrit dans *Temps nouveaux*. En classe, ce professeur ne manque pas de critiquer ce qu'Abel Bonnard, son ministre, veut qu'on dise de Jeanne d'Arc. Il est blâmé.

Il peint à l'encre de Chine sur les affiches invitant à aller voir *Le Juif Süss*. Pendant la projection, il hurle « À bas Hitler », il est aussitôt emmené au poste. Discoureur, entraînant, dit Jean-Marie Domenach, il est un des animateurs de ces progressistes chrétiens, antivichystes, antinazis et résistants bien sûr, comme toute la nébuleuse de la gauche chrétienne. Léon Werth rend hommage à son courage, lui demandant seulement de reconnaître que, vis-à-vis du nazisme, le pape est plus prudent que lui[22].

De Gaulle aussi, à la Libération, est plus prudent que lui, qui est prêt à s'acoquiner plus encore avec les communistes une fois la République restaurée, pour autant qu'il ne voudrait pas que le christianisme « dévirilise », que ne survive pas l'esprit de la Résistance, qu'il ne barre pas la route à une « vraie révolution ». « Ne vous réservez pas le monopole des idées révolutionnaires », demande-t-il seulement aux communistes. Comme lui, pense-t-on dans tous ces milieux qui gravitent autour de *Témoignage chrétien* et de la Jeunesse étudiante chrétienne ; avec eux, à côté d'eux, ces chrétiens veulent réinventer la République, tout en condamnant l'athéisme des marxistes.

Cette connivence avec les communistes qui, tel Pierre Hervé, lui tendent la main, et qu'il accepte de saisir, voilà qui rend compte de la visite que, sitôt arrivé à Alger, André Mandouze leur rend – après ce qu'il avait entendu de la bouche de son aumônier. À l'Association générale des étudiants, il leur pose la même question, ceux-là entreprennent aussitôt une critique sans nuance du nationalisme algérien, qu'il s'agisse de celui de Messali Hadj, d'inspiration apparemment religieuse, ou de celui de Fehrat Abbas aux racines certainement bourgeoises*.

Simultanément, en métropole, l'arabisant Louis Massignon créait un Comité chrétien pour l'entente France-Islam auquel adhère aussitôt André Mandouze, ses amis progressistes catholiques, et qu'il concrétise dans un article d'*Esprit*, « Impossibilités algériennes ou le mythe des trois départements », avec le sous-titre « Prévenons la guerre d'Afrique du Nord ». Il y réclame le respect de l'islam, s'engageant même dans la bataille sur le

* À cette date, 1946-1947, sûrs de revenir au pouvoir après en avoir été exclus par Ramadier, les communistes sont hostiles aux nationalistes, tout en défendant leurs droits sociaux. Ils changèrent d'attitude en 1956. Sur ce parcours, renvoyons à notre *Livre noir du colonialisme*, p. 509-515.

statut de l'Algérie, en bonne intelligence avec Yves Chataigneau que l'aile ultra des colons réussit alors à faire rappeler. « Le Christ est venu sur la terre pour sauver les hommes, mais pas les Arabes », avait dit un gamin en passant son examen de catéchisme. Il était clair pour André Mandouze que devant ce feu croisé de réactions, les non-Européens de ce pays ne pouvaient être qu'en « résistance ».

Et la résistance, c'est un peu la posture instinctive de cette famille spirituelle dans laquelle gravite André Mandouze.

Stigmatisant les élections truquées « à la Naegelen », il ne manque pas de faire entendre un peu partout son indignation. À la salle Pleyel notamment, ou à ces meetings du Mouvement de la paix, il noue langue avec des nationalistes de l'UDMA, du MTLD, etc. Au terme de ces entretiens qui ont pour objet la liquidation du racisme et du colonialisme, il suscite la création en Algérie d'une revue : ce fut *Consciences algériennes*. Son innovation était de s'associer deux Arabes, l'un membre de l'UDMA, Abdelkader Mahdad, l'autre Mimouni, un libraire éditeur des éditions En Nahda, un Oranais israélite, Jean Cohen, et un professeur de philosophie, métropolitain d'origine, François Châtelet. Celui-ci, alors marxiste, indiquait que « la liquidation du régime colonial bouleversait le régime *normal* de la lutte des classes, et que l'islam devenait un principe fondateur de la lutte nationaliste ». Se prononçant pour une Algérie libre, démocratique et sociale, *Consciences algériennes* observait que cette revue était bien la première à ne pas émaner de l'anticolonialisme métropolitain.

Pour les Européens qui, à Alger notamment, commençaient à s'irriter de cette connivence entre chrétiens de gauche et musulmans nationalistes, André Mandouze devenait un de ces activistes branchés sur Paris et ses intellectuels dont il fallait se débarrasser.

Après le succès des ultras, le 6 février 1956, un guet-apens, suite à une émeute, est monté à l'entrée des facultés, œuvre des étudiants de l'UGEMA : grâce au secours d'étudiants dix fois moins nombreux, il peut s'en tirer. Mais comme son comportement « exaspère » les populations, notamment pour avoir, depuis Paris, apporté « son salut à la résistance algérienne », il doit quitter l'Algérie et, en avril 1956, il est transféré à l'université de Strasbourg. Mais il est poursuivi jusqu'en métropole, où « le fellagha Mandouze » devient un « traître » que la Phalange stigmatise jusque sur les maisons voisines de la sienne[23].

Cependant, en Algérie même, dans l'esprit de *Consciences algériennes* devenu *Consciences maghrébines*, un mouvement libéral s'était constitué à Oran, Fraternité algérienne, à la suite des événements de novembre 1954, des opérations militaires qui avaient commencé, de l'exigence formulée que le gouvernement négocie avec *tous* les représentants du peuple algérien. Simultanément, dans *Oran républicain* paraissait une série de propositions sur l'avenir de l'Algérie où était envisagée une solution de cosouveraineté, un texte rédigé en accord avec les signataires de l'Appel de Fraternité algérienne qui, à cette date (décembre 1955), comprennent des Européens de toutes les catégories sociales, des militants du FLN, de l'ex-MTLD, de l'UDMA, des communistes – au total deux tiers d'Européens, un tiers de musulmans. La différence avec le mouvement libéral d'Alger, c'est qu'il n'avait pas tant pour axe un rapprochement entre chrétiens et musulmans qu'un projet politique sur le statut à venir de l'Algérie et son rapport avec la France.

Un des problèmes qui taraudaient les membres de Fraternité algérienne était l'attitude à adopter vis-à-vis du terrorisme : à ses tout débuts, il n'avait pas été condamné, car « il constituait la seule réponse possible à la répression, étant l'arme des faibles ». Cela changea quand ce terrorisme tua des "innocents", Européens et musulmans, devenant chez ceux-ci une procédure d'élimination de leurs rivaux. Alors qu'on continuait à stigmatiser la répression, puis la torture, ce terrorisme suscita la réprobation, mais dans ce mouvement qui comprenait Européens et musulmans on s'attacha plutôt à ce qui unissait, l'Appel du manifeste qui demandait au gouvernement « d'entrer en contact avec tous les représentants du peuple algérien ». Il fut signé dans un climat de nuit du 4 août (17 décembre 1955)[24].

Apprenant que Guy Mollet venait à Alger, le bureau de Fraternité algérienne reçut mandat de lui demander une audience. La délégation qui se rendit à Alger comprenait cinq membres dont un syndicaliste CGTA et un représentant du FLN. Est-ce le tour pris par les événements du 6 février ou à la suite d'un durcissement antérieur, le délégué du FLN qui avait fait le voyage avec notre délégation ne vint pas à l'entrevue prévue le 8 février. (Depuis on a pu observer le même raidissement, au même moment, dans le comportement de la délégation de France du FLN, qui rompit alors avec l'UNEF*.)

Lors de cet entretien, Guy Mollet m'assura que « des élections vraiment libres » auraient lieu en Algérie, que les partis nationalistes seraient autorisés à revendiquer l'indépendance, etc. Une telle méconnaissance des données du problème algérien laissa la délégation hébétée. D'ailleurs, il était encore sous le coup des événements du 6 février, ce soulèvement populaire causé par la nomination du général Catroux comme gouverneur, l'homme qui avait ramené le sultan sur son trône, « une capitulation ». Il ne cessait de nous répéter : « Mais ces gens-là [les manifestants] auraient pu être mes électeurs », ce qui voulait dire qu'avant de venir en Algérie, il s'imaginait que ses habitants européens étaient tous de gros colons...

De retour à Oran, la délégation fut très mal reçue par les membres du bureau demeurés en place. Les membres du FLN en avaient disparu et les communistes montèrent un vrai procès de Moscou contre elle, « qui était passée par la préfecture pour obtenir une audience ». Sans doute aucun d'entre eux n'en avait fait partie, mais ils en avaient approuvé la composition et leur avaient donné mandat, sans s'y joindre toutefois, pour des raisons tactiques ou personnelles.

À la suite de cette mise en cause, de ce désaveu, nous avons démissionné et un nouveau bureau, dirigé par des communistes, saborda bientôt Fraternité algérienne. On apprit ensuite que ces

* Union nationale des étudiants de France.

nouveaux responsables, européens pour la plupart, avaient individuellement adhéré au FLN. L'un d'entre eux, Me Thuveny, était bientôt assassiné par le contre-terrorisme[25].

De toute façon, les événements du 6 février mirent fin au mouvement des libéraux, les représentants du FLN rompant avec lui, tout comme en métropole la délégation de France rompait avec l'UNEF, les communistes retournant désormais complètement leur position en adhérant individuellement, mais sur ordre, au FLN.

En métropole, cependant, Mandouze poursuit avec ses amis de *Témoignage chrétien*, Germaine Tillon, François Mauriac, Jean Daniel, ses avocats Pierre et Renée Stibbe, etc., la lutte contre la répression et pour une négociation avec les nationalistes : il est inculpé de trahison et incarcéré, bientôt libéré néanmoins.

Avec la prise du pouvoir par de Gaulle, en mai 1958, les milieux que fréquente André Mandouze sont brusquement dessaisis de la position qu'ils tenaient dans la politique française. Certes, ils avaient condamné, et avec quelle constance, les dérives auxquelles Guy Mollet et Robert Lacoste avaient conduit le Front républicain – de la répression à la guerre, de la guerre à l'expédition de Suez, de l'échec de Suez à l'approfondissement de la guerre. Mais de multiples passerelles existaient entre la gauche chrétienne et ces dirigeants de la IVe République : ainsi, André Mandouze avait rencontré l'ancien gouverneur Chataigneau et Pierre Mendès France auparavant, il avait rempli une mission secrète auprès de Ben Bella et des liens nombreux nouaient les avocats des leaders nationalistes algériens aux hommes politiques socialistes, PSU ou MRP, tel Edmond Michelet, avec des journalistes amis, de la gauche chrétienne notamment, tel Robert Barrat[26].

D'un seul coup d'un seul, avec le 13 mai 1958, toute cette nébuleuse progressiste est mise hors jeu.

Non seulement elle est mise hors jeu mais elle est prise à contre-pied.

Comme l'écrit Jean Daniel dans *L'Express*, la proclamation par de Gaulle de l'autodétermination puis l'appel à une Algérie algérienne signent « la rupture du cordon ombilical qui depuis cent trente ans reliait l'Algérie à la France (4 novembre 1959) ».

C'est donc avec circonspection, d'un œil critique, que les républicains, combattant pour la paix en Algérie, surveillent le parcours du général de Gaulle, en essayant de mobiliser l'opinion publique contre les arrestations de nationalistes et les excès commis par l'armée. Certes, ni ces excès ni leur dénonciation ne dataient d'hier – l'article de Robert Bonnaud dans *Esprit,* « La Paix des Nememchas », est paru dès 1957 –, mais la dénonciation de la torture, après la mort d'Audin, « ce crime sans cadavre », prend une ampleur d'autant plus grande que mettre en cause l'armée, les institutions, le pouvoir – celui de De Gaulle après le putsch – donne à ces événements une allure d'affaire Dreyfus – comme l'a bien vu Pierre Vidal-Naquet.

On retrouve les mêmes noms, en septembre 1960, sous l'Appel dit « des 121 » où est « reconnue, respectée et justifiée la conduite des Français qui refusent de prendre les armes contre le peuple algérien et apportent aide et protection aux Algériens opprimés au nom du peuple français ».

L'indignation et l'exaspération de ces milieux épris de justice concernent toute une partie de l'intelligentsia et des franges de la gauche institutionnelle. Ils sont au feu, avec souvent André Mandouze en fer de lance dans tous ces combats où, « porteurs de valise » ou pas, signataires d'appels contre la torture et autres dénonciateurs de *La Question* sont aux prises avec l'État gaulliste dont ils ne savent plus s'ils souhaitent, ou non, que ses négociations aboutissent.

Car ce sont ces négociations qu'ils préconisaient et ce ne sont plus eux qui les mènent, un dessaisissement insupportable.

D'autres données, en outre, fragilisent leurs positions.

Ainsi, avant même que de Gaulle ait pris le pouvoir, Albert Camus note que les victimes européennes du terrorisme émeuvent beaucoup moins ces bonnes âmes que les victimes « arabes » de la répression colonialiste. Certes, il intervient dans plus de 150 affaires pour sauver tous les musulmans, mais c'est avant tout une trêve qu'il souhaiterait pour que les deux populations d'Algérie puissent vivre côte à côte, alors qu'il sent que ses amis métropolitains sont de plus en plus fascinés par l'action du FLN, qu'ils identifient à celle de la Résistance en France et qui, comme Sartre, sont favorables à l'indépendance de l'Algérie. Camus, d'ailleurs, accepte volontiers cette idée. Mais quand, au Comité des intellectuels contre la poursuite de la guerre en Afrique du Nord, Jean Amrouche dit qu'il est kabyle et chrétien – et se fait huer –, il répète qu'il accepte de parler à tous les nationalistes algériens, mais pas aux « militants européens du FLN », tel André Mandouze. Il est rejeté par les chantres européens de l'indépendance. À Stockholm, en décembre 1957, il avait dit : « Je condamne le terrorisme qui, à Alger, peut frapper ma mère. Je crois à la justice, mais je défendrai ma mère avant la justice. » Autre version : « Si cette bombe qu'on jette dans un tramway, c'est votre justice, je préfère ma mère à la justice[27]. »

Quelque deux ans plus tard, au procès Hamada, qui est de fait le procès Jeanson et celui des « porteurs de valises », c'est Jean-Paul Sartre qui laisse écrire une lettre en son nom, où il revendique d'en être un, certes, mais qui, selon Mandouze, « manque de faire tout capoter », car on vit son absence au tribunal comme un lâchage[28].

Or le parti communiste français s'est détaché aussi quelque peu de l'ultra-gauche pro-FLN après que, en son nom, Laurent Casanova eut pris contact avec le réseau Jeanson : s'allier au FLN « comme l'incarnation de l'avenir du socialisme, contre le régime gaulliste, défini comme fasciste et nationaliste » est une posture qui ne tient plus dès que progressent les négociations entre Paris et le FLN et que l'opinion métropolitaine dit sa faveur à ce processus, et bientôt vote pour cette paix.

L'autre donnée qui fragilise les amis d'André Mandouze, Francis Jeanson et autres métropolitains ralliés à la cause qu'incarne le FLN, c'est bien la guerre cruelle que se livrent entre eux les nationalistes fidèles à Messali Hadj et le FLN, qui a fait scission de son mouvement. Or il apparaît bien que c'est le FLN qui a lancé les tueries avec le plus de violence et de constance. Quoi qu'il en soit, entre le 1er janvier et le 30 septembre 1956, on a déjà compté 618 agressions et 42 morts chez ces nationalistes qui se tuent entre eux. En mai 1957, une section de l'armée de libération du FLN exécute les 300 hommes du douar de Melouza, fidèles à Messali. Les progressistes métropolitains demandent au FLN de désavouer de pareils crimes, mais il répond qu'ils sont l'œuvre de l'armée française – qui, certes, par ailleurs, commet bien des excès elle aussi, mais pas ce crime-là.

Il reste que la fascination envers le FLN, ce qu'il est censé incarner, aveugle, à la façon dont d'autres ont pu être aveuglés après 1917 par « la grande lueur qui s'est levée à l'Est ». Et dans ce parallèle, a noté Mohammed Harbi, les membres du MNA ont joué, pour le FLN, le rôle des trotskistes, poursuivis, assassinés, accusés de trahison. Négocier avec de Gaulle c'était de leur part trahir ; de la part du FLN, sauver l'avenir de l'Algérie, du socialisme.

Quel dilemme pour les Juifs ?

Tous français : la grande majorité des Juifs se voulaient, se sentaient français, seulement français. Sans doute, une minorité qui vivait encore au mellah – à Oran, rue de la Révolution –, « de l'autre côté du boulevard », continuait à se sentir aussi juive, à égorger les poulets de telle sorte qu'ils soient casher ; et sans doute, également, la grande majorité commémorait quelques fêtes juives tout en pratiquant les rituels traditionnels aux mariages et aux enterrements.

Mais, pour l'essentiel, ces Français-là manifestaient leur identité, d'une part en ne parlant plus arabe, d'autre part en ne pratiquant plus le judaïsme. La jeunesse n'avait pas d'instruction juive et, à Alger par exemple, pour 30 000 Juifs identifiés en tout, il n'y en avait pas 500 qui connaissaient le Talmud. Quand on veut y construire une école rabbinique, témoigne Rabi dans *L'Arche*, il n'y a ni élèves ni professeurs. Quant à l'attraction pour

Israël, après 1948, elle concerne 600 « jeunes sionistes ». À Oran, les Juifs ne se sentent tels que pour autant que l'antisémitisme de Vichy les a frappés, qu'ils ont souffert de l'hostilité des catholiques, et que ce sont d'ailleurs ceux-ci plus que les musulmans, qui n'ont cessé de stigmatiser le décret Crémieux qui, depuis 1870, accordait la pleine citoyenneté française aux israélites d'Algérie. Plus, les milieux traditionalistes en veulent au « Juif Blum », ainsi qu'au député Violette, d'avoir voulu faire d'un certain nombre d'indigènes des Français. Cet état d'esprit demeure et, aux élections de 1948, les affiches de De Saivre, l'homme qui distribuait les francisques à Vichy, ont pour slogan « Voter de Saivre, c'est voter Pétain ». Ses listes obtiennent près d'un quart des suffrages[29].

Mais si l'antisémitisme suinte – nous sommes au pays de Drumont, les Juifs ne sont juifs que pour les autres.

Cependant pour comprendre la situation aujourd'hui, il faut rappeler que cette déjudaïsation s'inscrit dans une conjoncture globale de laïcité triomphante qui, en 1954, vaut pour tous également, pour une bonne partie de l'élite musulmane, nous voulons dire aussi bien des militants politiques, nationalistes et chantres de la culture arabe plus que de l'islam.

Le changement visible pour les Français d'Algérie – donc pour les Juifs aussi bien – a lieu plus tard, lorsque à « l'Algérie française » des uns, à l'« Algérie algérienne » de De Gaulle, une partie des leaders indépendantistes répondent « Algérie musulmane ».

Certes, l'hostilité des milieux populaires « indigènes » envers les Juifs était patente. « Tous des Juifs, ici », nous avait dit le porteur arabe en crachant par terre devant le lycée d'Oran et, pour être sûr qu'on avait bien entendu, il avait répété : « Tous des Juifs », en ajoutant : « Et des Espagnols. »

Mais les milieux nationalistes militants se veulent hostiles à l'antisémitisme. Sans doute, les Juifs étaient passés, depuis le décret Crémieux, d'un statut inférieur de « dhimmy », réservé aux non-musulmans dans le monde arabe, à un statut supérieur de citoyen, mais bien des notables arabes alors avaient jugé que c'était la preuve qu'ils abandonnaient ainsi leur religion, leurs mœurs, « ce que ne ferait jamais un musulman », ce qui les confirmait dans leur mépris. Mais à l'époque de Vichy, la situation s'était de nouveau inversée et, si des musulmans pouvaient à titre individuel être « promus » citoyens français, les Juifs étaient redevenus des citoyens de deuxième zone. Or Ferhat Abbas et d'autres leaders nationalistes ne s'étaient pas félicités de ce retournement, ils souhaitaient une transformation par le haut, et pour tous[30].

Lorsque la situation se tend, après 1954, ces leaders rappellent aux Juifs – une fois, deux fois – qu'ils sont algériens comme eux et les appellent à se solidariser avec eux contre la répression, contre le colonialisme. Ne portent-ils pas souvent les mêmes noms qu'eux ?

Les Français juifs d'Algérie sont alors pris entre deux feux. D'un côté, comme citoyens majoritairement de gauche, ils se veulent libéraux et défendent les droits des Arabes à devenir des citoyens à part entière. Mais d'un autre côté, se considérant comme Français d'Algérie, ils craignent, comme tous les Français d'Algérie, d'être submergés par le nombre. Simultanément, il apparaît aussi qu'alors que les pogroms d'autrefois étaient menés par les Arabes, avec une police européenne peu répressive, les attentats et les crimes du FLN ne touchent pas les Juifs en tant que tels. Qu'est-ce à dire ? Que la grande majorité d'entre eux souhaite la réconciliation, la paix, fréquente les libéraux, tant que ceux-ci existent et fraternisent avec ceux qui condamnent la répression. Chez ces libéraux, jusqu'en 1957, on retrouve des militants aussi bien musulmans qu'européens, juifs et non juifs. Mais, après mai 1958, et surtout 1960, à l'heure du choix, deux minorités infimes se détachent du grand nombre : les uns rejoignent le FLN, les autres l'OAS – malgré leur répugnance à se battre aux côtés d'antisémites –, contre « l'abandon ». « On n'est jamais assez antigaulliste », disait l'un d'entre eux, se jugeant trahi.

« Tout le monde se méfiait de tout », commente le petit Benjamin, qui a onze ans en 1961. « Quand les gens se croisaient, c'est la peur qui l'emportait. » La majorité des Juifs ne pouvait pas rejoindre l'OAS, cette organisation truffée d'anciens de Vichy qui avaient approuvé l'exclusion des Juifs... En même temps les Juifs ne pouvaient pas s'associer au FLN, se sentant complètement français depuis longtemps.

Et puis les manifestants dans les rues ne criaient-ils pas « Algérie musulmane » ? Et on sentait monter la haine intercommunautaire.

« Le problème pour nous n'était pas la double nationalité, par exemple, mais de rester en France, la patrie qui nous avait émancipés en nous donnant accès à la citoyenneté. [...] Les biens de mon grand-père avaient été aryanisés par le gouvernement de Vichy, de 1941 à 1943, rapporte Benjamin Stora. [...] Mon père avait une culture algérienne, ma mère plutôt juive communautaire[31]. »

« Attentats et plasticage, “Algérie musulmane”, voilà qui rendait notre départ inéluctable. Partir, mais comment ? Déjà pour un fonctionnaire en poste, dans les années qui précédèrent ce drame, obtenir un billet de bateau pour les vacances d'été nécessitait toutes sortes de démarches, mais avec cet exode qui avait commencé, comment obtenir des places quand on est de l'intérieur, à Constantine ? Mon père n'était qu'un petit commerçant, marchand de semoule. Il décida de prendre l'avion... Les places étaient vendues à la mairie de Constantine... et la queue s'allongeait sur plusieurs centaines de mètres. Il fallait pratiquement dormir sur place ou se relayer pour ne pas perdre son tour. Mon père, ma sœur et ma mère ont fait la queue (on disait faire la chaîne) pendant trois jours, pour obtenir ces billets [...]. Mais il n'a pas pu se procurer un cadre* et on s'est résignés à partir excessivement habillés alors qu'il faisait très chaud, car les manteaux auraient pris trop de place dans les bagages. On avait droit à deux valises chacun. À l'aérodrome de Telerghma nous avons attendu plusieurs heures sur le tarmac le moment d'embarquer. C'était épouvantable de se traîner, emmitouflés dans nos manteaux sous

* Le cadre regroupe le mobilier, les gros bagages, etc.

le soleil de plomb. Le départ, les manteaux, les pull-overs des “sans cadre”, la canicule, cette détresse-là aucun livre d'histoire ne peut la restituer. »

Retourné vingt ans plus tard sur les lieux de son enfance, Benjamin Stora a retrouvé sa petite chambre qui avait la forme d'un couloir étroit. « J'ai pensé à cette scène cruelle de ma mère nettoyant à fond l'appartement avant de partir définitivement. Jusqu'à la dernière minute, elle lavait le sol, avant de monter en pleurant dans le camion militaire. Elle s'est lancée dans ce ménage systématique, malgré les réprimandes de mon père qui trouvait son attitude totalement absurde. Cet appartement minuscule l'attachait à une histoire. Elle l'avait quitté impeccable, tel un joyau. Elle avait même fini par laver l'escalier. J'avais douze ans[32]. »

De l'« Algérie française » à l'OAS

Depuis leur victoire du 6 février 1956, les Français d'Algérie voyaient bien que la rébellion ne cessait de gagner du terrain, mais aussi qu'avec le gouverneur Lacoste, la guerre avait pris la relève du triptyque « cessez-le-feu, élections, négociations ». Mais ils voyaient également que malgré l'arrivée incessante de troupes et l'expédition de Suez, on « n'avait pas cassé les reins à Nasser, ni mis le feu à la casbah ».

Ces gouvernements de la IVe République avaient des mains de glaise et il fallait y remédier. L'enfant chéri des Français d'Algérie demeurait Jacques Soustelle, ce réformateur auquel le FLN avait répondu par les massacres de Melouza, ce qui l'avait entièrement retourné et rallié aux vues des ultras.

Le souvenir du 6 février les fait renouer avec des projets de manifestation et d'action contre le FLN et contre le régime. Face au premier s'organise le contre-terrorisme, face au second apparaissent des organisations sorties de terre, associées à des militaires en révolte contre la « politique d'abandon », en Indochine, en Tunisie et ailleurs. Le fait nouveau est bien qu'il s'agit d'imposer sa loi à Paris, et que ce ne sont plus les notables qui mènent la danse, mais des activistes. Plébéianisation et militarisation, tels sont les traits de ce « sudisme à la française ».

C'est à la suite d'une série de complots que, pilotés à Alger par Soustelle, à Paris par Michel Debré, et aboutissant au ralliement des généraux Massu et Salan, de Gaulle récupère le mouvement et prend le pouvoir le 13 mai 1958[33].

Venu à Alger, il déclare aux pieds-noirs assemblés et enthousiastes : « Je vous ai compris. »

Mais bien vite, quelques formules et petites phrases tracent un parcours que brouille seulement un « Vive l'Algérie française » prononcé à Mostaganem, le 6 juin, alors que Soustelle, qu'on a acclamé, est précisément à côté de lui. Mais autrement ? parler successivement de 10 millions de Français en Algérie, de la paix des braves, de la personnalité de l'Algérie, de l'Algérie *et* de la France, de l'autodétermination, d'« une Algérie algérienne qui pourrait être une solution française », d'une République algérienne… n'est-ce pas aller contre l'esprit du 13 mai ?…

Ces formules devaient être rappelées l'une après l'autre, parce que si une bonne partie de la population rassérénée par l'arrivée de De Gaulle au pouvoir s'en remet à lui, et vaque à nouveau à ses affaires, perpétuant l'« Algérie de papa », les intégristes de l'Algérie française scrutent son comportement, et le chapelet constitué par la succession de ces formules montre bien que de Gaulle prépare la sécession de l'Algérie et est en train de tromper ceux qui l'ont porté au pouvoir. Monte alors une colère qui se chauffe à blanc et rend compte de la journée des Barricades, menée par des militaires, des étudiants et ceux qui vont créer l'OAS. Puis c'est au tour du commandement militaire de tenter un putsch, le 22 avril 1961, qui échoue, de Gaulle ayant su faire appel au contingent pour isoler ce « quarteron » de généraux.

Un des activistes du 13 mai et des barricades, bientôt théoricien de l'OAS, Jean-Jacques Susini a mis le doigt sur une relation essentielle stratégique, celle des Français d'Algérie et de l'armée. Bien que la venue de celle-ci ait été acclamée, les Français d'Algérie ont bien senti que les militaires n'approuvaient pas la façon dont était traitée la population musulmane*. Elle était néanmoins rassérénée par cette présence, et par la réduction, sur le terrain, de la rébellion.

Or, éblouie par les succès inouïs qu'elle avait remportés sur Paris, c'est-à-dire contre la promotion des Arabes, tant le 6 février 1956 que le 13 mai 1958, voire lors des barricades, cet autre coup d'arrêt, la population se confina dans ses refus, « rigide et momifiée... Entraînée par l'essor du pays, elle continua à aller à la plage ». De Gaulle avait pourtant dit son intention d'organiser un référendum qui pouvait aboutir à la création d'un État algérien indépendant...

« Dès lors, juge Susini, les Arabes déconcertés par cette autorité chancelante rejoignirent un parti (le FLN) qui recevait tout de la France elle-même. [...] Et aucun de ces hommes qui avaient autorité sur les Français d'Algérie n'eut le courage de leur ôter leurs croyances, leurs chimères[34]. »

Or, estime Susini, pour se défendre contre cet abandon, cette foule ne se serait engagée que si l'armée l'avait sollicitée à se joindre à elle.

Car, pour la foule, « puisqu'il n'y avait pas eu de combat, il n'y avait pas eu de défaite. Pourquoi s'inquiéter, de Gaulle fera l'association ».

Depuis l'Espagne, où ils s'étaient exilés après les barricades, Salan, Susini et quelques autres ont décidé de constituer une sorte de fer de lance de la résistance... Ils la dénomment l'OAS, Organisation de l'armée secrète, en souvenir de l'Armée secrète des temps de l'occupation allemande en métropole.

Salan ne conçoit pas l'entrée en lice de l'armée sans un bouclier populaire. « J'ai décidé une fois pour toutes d'y aller. [...] Je n'ai pas l'habitude de revenir en arrière », dit-il à Susini.

---

* *Cf. La Guerre sans nom*, le film de Bertrand Tavernier et Patrick Rotman.

Mais quand il s'agit de greffer d'éventuelles milices civiles sur l'armée, Challe met le holà : « Dans quelle galère me conduisez-vous ? C'est la guerre civile que vous nous proposez. »

Or la chaleur de Challe lui assurait le soutien de l'armée tandis que le général Salan, privé du même charisme, était suspect, à tort, de vouloir brader l'Algérie...

« En rejetant ainsi l'appel à des milices civiles, on priva le mouvement d'un moteur politique, et l'engagement de la foule souffrit de ce dédain de l'armée », juge Susini, car les Français d'Algérie attendaient tout de l'armée. Dès lors, tandis qu'« on proclamait sur un ton élevé l'excellence de son patriotisme, dans ce même moment on commença à scruter cette voie de retraite qui courait vers la mer[35] ».

Pour la couper, l'OAS entra dans la clandestinité.

Avant de se constituer en OAS, des opposants à toute concession aux nationalistes s'étaient déjà organisés sous le sigle de l'ORAF (Organisation de résistance de l'Algérie française), plus ou moins liée, dès 1957, par l'intermédiaire du préfet Achiary, à Soustelle, à Ortiz, patron du bar du Forum, à Susini, eux-mêmes en relation avec les colonels Gardes, Argoud et le Front national français, avec le général Massu. Ils avaient déjà pratiqué l'assassinat ciblé, réponse au terrorisme du FLN. Ces crimes visaient (comme ceux du FLN) ceux qui préconisaient des solutions de compromis, ces avocats notamment, mieux au courant que les hommes politiques, du point de vue des colonisés : ainsi Me Poppie à Alger, Me Thuveny à Oran avaient été assassinés avant même l'arrivée de De Gaulle, avant que, du fait de l'armée cette fois, des militants européens eussent été victimes de la torture, tel Henri Alleg, ou exécutés, tel Maurice Audin.

Mais, avec la fondation de l'OAS, le crime politique devint la forme privilégiée de l'action de cette organisation. Son slogan était : « L'OAS tue, qui elle veut, quand elle veut, où elle veut. »

Les cadavres des Européens encombrent la morgue : « Nos représailles se firent plus sévères [...]. Un de nos commandos avait enlevé le chef d'une cellule FLN. On l'amène sous les frondaisons d'un jardin solitaire : le parc Poirson. Il est ligoté, attaché à deux arbres, le dos au sol. Une bombe est déposée sur sa poitrine et solidement amarrée. Un de nos hommes allume la mèche. Le terroriste pâlit. Il relève la tête, et ses yeux illuminés par la folie de la peur suivent la petite bête noir et rouge qui grimpe en rampant le long de la mèche. Il se secoue, se débat, se contorsionne inutilement. Les liens résistent à ses efforts qui l'épuisent et les cordes coupent la chair de ses poignets [...]. Une salive amère monte à ses lèvres. Le misérable hurle. Dans le silence de la nuit forestière, personne ne lui répond. Nos hommes ont accompli machinalement leur œuvre de justice et de mort. Après avoir fixé le supplicié d'un regard vide, ils ont attendu puis se sont éloignés. Enfin, c'est le grand éblouissement qui jette un éclair de liberté. Les souffrances se sont tues. Le vent de l'explosion a emporté notre misère en courbant les arbres sous son souffle[36]. »

Roger Degueldre fut surnommé « le prince du plastic » par les officiers OAS. Il indiquait la quantité à utiliser : 100 grammes à 1 kilo contre les « délinquants » véniels, 5 à 10 kilos contre les terroristes FLN et les irréductibles de la collaboration. La distribution se faisait à Bab el-Oued. « Il entourait les commandos d'une sollicitude "maternelle". Un matin, poursuivi par une patrouille, un militant OAS avait réussi à s'échapper. Il enfourche le scooter qu'un jeune mettait en marche, et lui dit : "Fonce, je suis du groupe Delta de l'OAS." L'autre lui répond : "Je ne vous connais pas et je refuse de vous transporter." Degueldre l'apprend, et le soir une équipe détruit les établissements de son père, les Établissements Barnabé. »

Cet attentat, « que je consignais par un communiqué », rapporte J. J. Susini, pose un problème qui demeure une sorte de tabou. Dans ce cas précis, le militant OAS était pourchassé par « des forces gaullistes », autrement dit les groupes de Sanguinetti, les « barbouzes » et le fils Barnabé avait refusé de le soutenir. Quelle était donc l'emprise, l'audience de l'OAS dans la population européenne ?

Si, en Histoire, on fonde la « scientificité » sur les chiffres, elle ne représente pas grand-chose. Selon J. J. Susini, dont les estimations sont confirmées par d'autres sources, l'OAS est demeurée une organisation « naine ». Elle se voulait à mi-chemin entre un service secret et un réseau résistant, comme le fut l'Armée secrète entre 1942 et 1945, elle n'eut jamais plus de 12 000 militants et 1 000 combattants. La plupart d'entre eux d'ailleurs ignoraient, ou voulaient ignorer, qu'il en existait une branche en métropole, carrément putschiste celle-là, et qui visait

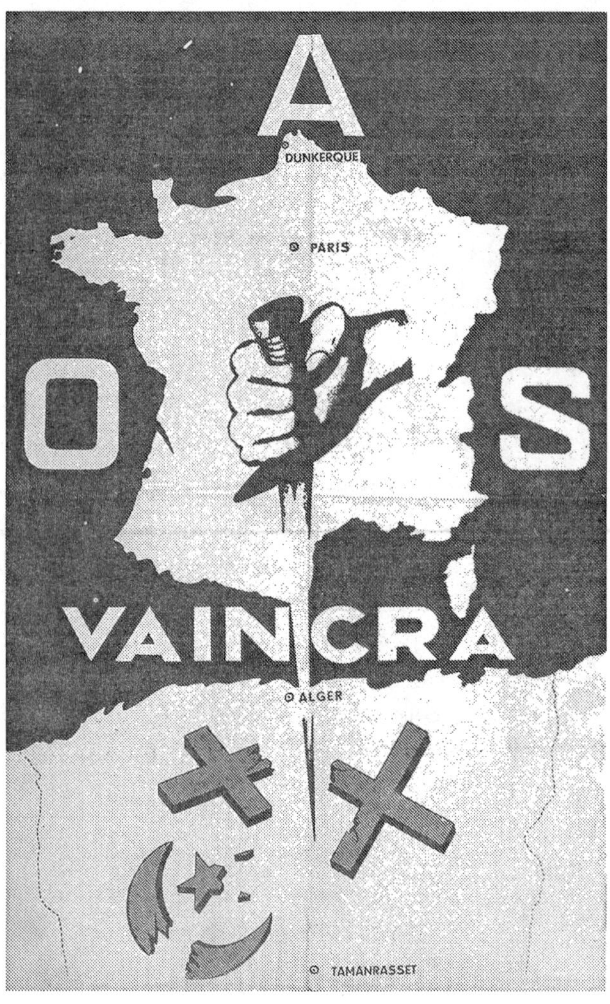

Figure 10 : *Affiche de propagande de l'OAS, 1961.*

à la prise du pouvoir, en France, avec Me Biaggi qui, depuis mai 1958, voulait « refaire Brumaire » et dont la philosophie pouvait être fascisante. Or, depuis le putsch de mai 1958, ce sont les forces de De Gaulle que la gauche juge fascisantes, de sorte qu'en Algérie la lecture des situations et des positions devenait opaque.

Ainsi, quelle que fût l'identité politique attribuée à l'OAS, plutôt à droite qu'à gauche d'ailleurs, et populiste plus qu'élitiste, ceux qui se voulaient « français d'abord » purent aussi bien en faire partie. Ainsi, d'après l'enquête menée par Régine Goutalier, « dans son ensemble la communauté juive s'est solidarisée avec l'Algérie française », quelques-uns ont fait partie de l'OAS, aussi bien des commandos « Colline d'Oran », même si quelques autres de ses membres, souvent communistes, ont rejoint le FLN[37].

Or, considérant que son échec est dû à l'insignifiance de ses effectifs, l'OAS juge également que les partisans de l'Algérie française – c'est-à-dire la grande majorité des Européens d'Algérie – n'entendent pas pour autant participer à ses actions, même si, au départ surtout, elle bénéficie au moins de la sympathie du plus grand nombre.

Mais cela s'arrêtait là.

Le colonel Godard avait été de ceux qui avaient imaginé l'organigramme de l'organisation. Le montrant à un Algérois, celui-ci répondit qu'il serait difficile « de remplir toutes les cases ». Et Godard de dire à Susini : « Si ces gens-là refusent de combattre, nous n'avons aucune raison de nous sacrifier. »

On peut ainsi estimer que, s'il y avait des opposants à l'OAS, et plus encore d'opposants aux formes d'action qu'elle avait choisies, la majorité des Européens d'Algérie ne lui était pas hostile tant était grande la rancœur contre la « trahison » de De Gaulle et plus encore la haine et la peur suscitées par les attentats et autres crimes commis par le FLN.

En Algérie, l'OAS se voulait être « un poisson dans l'eau », celle des Européens bien sûr, et nul doute qu'elle bénéficiait de bien des sympathies, de la solidarité de tous ceux qui, durant les négociations d'Évian, pensaient que son existence permettrait de limiter les effets de l'abandon – tel que le programmait le général de Gaulle. L'OAS constituerait en quelque sorte une contre-force du FLN.

Après le cessez-le-feu de mars 1962, les accords d'Évian ne furent pas respectés par ceux qui en étaient les promoteurs. Côté algérien, ceux qui les appliqueront, Ben Bella puis Boumediene, ne furent pas ceux qui les avaient signés. « Les accords d'Évian ne sont pas le Coran », disait Ben Bella. Côté français, l'OAS les sabota, semant une terreur aveugle pour contraindre le gouvernement à revenir dessus. Représailles et contre-représailles firent des milliers et des milliers de victimes, accentuant l'exode des Français. Vaine fut alors la tentative dont Jacques Chevalier, ancien maire d'Alger, fut l'initiateur – monter une négociation entre, d'une part, l'OAS désormais dirigée par Susini depuis l'arrestation des généraux Challe, Zeller, Salan, Jouhaud et, d'autre part, Chawki Mostafaï, du GPRA. L'objectif est : amnistie pour les hommes de l'OAS, participation d'Européens à la force locale.

Mais s'autorisant à frapper la gendarmerie, puis en ayant essayé de désarmer les militaires pour faire de Bab el-Oued une zone autonome, les dirigeants de l'OAS s'aliénèrent l'armée, sur laquelle ils avaient fondé l'essentiel de leurs espoirs : ce fut leur fin. La constitution d'un maquis – mort-né en Ouarsenis, puis l'échec de l'attentat contre de Gaulle signaient leur agonie.

Le 20 avril 1962, le général Salan était arrêté à Alger, ce qui marquait la fin du potentiel militaire de l'OAS.

Moins d'un mois plus tard, Susini ouvrait des négociations avec le FLN, mais, on l'a vu, il ne prenait pas en compte l'évolution du rapport des forces au sein du FLN, où la position conciliatrice du président Farès n'était même pas prise en considération.

Mais d'autres Européens entendaient néanmoins poursuivre la lutte. Dans une lettre envoyée pour information à Bidault, Soustelle, Argoud, Gardy, Schiaffino, Serigny, le docteur Perez s'explique.

Puisque le but tactique de l'Algérie française est devenu « inaccessible à court terme », et un thème de combat inutilisable en métropole, « j'eus un entretien avec Susini le 28 avril 1962 au cours duquel je manifestais le désir de nous engager publiquement dans la voie d'un État algérien indépendant dans lequel les Européens jouiraient, en plus de garanties juridiques et politiques sérieuses, de garanties armées. [...] L'idée était de constituer une force locale de 12 000 Européens. [...] Comme différentes opérations de gendarmes mobiles étaient montées contre mes différents PC, alors que sans me consulter, Carvana et Susini transmirent aux équipes spéciales un ordre d'abstention opérationnelle totale... il était clair que Susini, qui de sa propre initiative n'aurait jamais eu le courage de s'engager dans cette voie, était prêt maintenant à apporter ma tête dans la corbeille de ses noces avec le GPRA ».

« Mes équipes spéciales, explique le docteur Perez, me conseillèrent de partir avec elles ou de leur donner l'ordre de tuer Godard, Susini et dix autres personnes, "une véritable Nuit des longs couteaux". Mais nous avions besoin de l'argent du financier, et de le garder vivant... pour mener cette guerre révolutionnaire. »

Il va essayer de la mener en accord avec le CNR (Conseil national de la résistance) présidé par Georges Bidault qui a marqué son hostilité aux accords d'Évian, et qui lance un appel « de gratitude et d'affection à tous les Français d'Algérie », le 18 juin 1962, date exemplaire du refus de toute capitulation.

L'opération Perez allait s'ensevelir, et les appels du CNR demeurèrent sans écho. C'était la deuxième mort de l'OAS, Salan ayant donné son approbation aux « accords » Susini-Farès, Roger Degueldre ayant été pris et fusillé le 6 juillet au moment où les derniers groupes OAS irréductibles d'Oran quittaient la ville[38].

On a pu noter qu'à l'exception de l'armateur Schiaffino, les notables qui, pendant des années, avaient fait échec aux réformes en faveur des musulmans avaient disparu du panorama : les Borgeaud, Blachette, et leurs mentors en métropole, René Mayer, Martinaud-Deplat.

Quant au gouverneur Lacoste, qui, depuis 1956, avait annoncé que pour la rébellion « c'était le dernier quart d'heure », et répétait à qui voulait l'entendre que « lui, il avait des couilles », poussant à l'expédition de Suez contre Nasser, il s'était tapi le 13 mai 1958 et avait ensuite lui aussi disparu du panorama.

Depuis, les ultras de la résistance avaient été des « petits Blancs », du cafetier Ortiz, en 1958, à Perez, « le médecin des pauvres », ou encore des étudiants, des colonels...

Après avoir désigné les dirigeants de la IVe République comme des lâches, des traîtres, il leur était difficile d'en faire autant avec de Gaulle, qu'ils avaient eux-mêmes hissé au pouvoir, Soustelle notamment, et Salan.

Mais, pour les Français d'Algérie, leur majorité au moins, ralliés ou non à l'OAS, leur sentiment était clair : l'homme du 18 juin les avait trahis, abandonnés. Ils ne le lui pardonneront jamais.

L'exode sans retour

L'arrivée des petites gens en métropole laisse à ces premiers « immigrés » des souvenirs ineffables qu'a consignés Jeannine Verdès-Leroux. « Les métropolitains, ils étaient absolument interloqués, parce qu'ils voyaient cette misère s'étaler sur le port de Marseille, de Sète, partout, et ces gens qu'on leur avait présentés comme de grands colons, ils débarquent là sans un rond, c'est une armée de clodos qui envahissaient toutes les villes de Méditerranée [...]. Les gens voyaient débarquer de pauvres familles, complètement démunies, en larmes, avec des valises vides, parfois sans valise. »

L'identification à des riches qui faisaient suer le burnous – voilà qui les fait rejeter par la communauté française de gauche : « Ils n'ont que ce qu'ils méritent. » « On nous a accablés de tous les maux », rappelle un autre. « Un Bônois éprouve de la rancune à l'égard du curé de son quartier lors de son arrivée dans une ville de province. À la messe de minuit, là, le prêtre a demandé à ses ouailles de recevoir des petits musulmans, alors que nous étions démunis, que nous n'avions plus rien[39]. »

Sans doute.

Mais aussi n'avaient-ils pas pris conscience que devant la misère des « indigènes », devant leurs espérances, leurs demandes, puis leurs exigences, ils n'avaient cédé sur rien ?

Encore inconscients des données qui étaient à l'origine de leur malheur, une vraie tragédie, ils étaient sensibles à l'indifférence du pouvoir qu'ils jugeaient les avoir trahis puis abandonnés. Pas un mot de commisération, pas un mot de compassion, a noté Philippe Ariès.

Il est sûr que de Gaulle n'avait guère de sympathie pour la communauté européenne d'Algérie – demeurée longtemps pétainiste –, son cœur étant ou bien de gauche ou bien de droite mais de toute façon devenu antigaulliste. Il ne mesurait pas l'étendue du drame que sa politique allait susciter, même s'il le jugeait inéluctable.

Il n'y avait pas que les Européens d'Algérie à connaître la vengeance du FLN ou les affres de l'exil : les musulmans favorables à l'intégration, ceux qui espéraient devenir des citoyens à part entière, les partisans d'un compromis, les supplétifs enfin – ces harkis – étaient tous, plus ou moins, menacés d'un sort voisin. « À un député du 2e Collège, qui avait eu cinq parents assassinés par le FLN et qui lui disait que dans une Algérie indépendante il souffrirait, de Gaulle répondit : “Eh bien, vous souffrirez”. » C'est bien ce que pense Paul Delouvrier, délégué général du gouvernement en 1960, s'agissant cette fois des Européens : « Quelles que fussent les modalités de la paix, les Algériens les évinceraient par des tracasseries journalières, des assassinats et autres drames. » C'est bien ce qui rend compte de l'exode, massif, pathétique aussi. Et c'est bien ce qui s'est passé. Pour ceux qui sont restés.

Épilogue

Coopérants et pieds-rouges

Lorsque l'indépendance de l'Algérie fut reconnue, en 1962, ce pays s'était déjà vidé d'une grande partie de sa population européenne. Le terrorisme avait fait des ravages, tout comme la guerre et la répression. Victimes de l'armée, de l'ALN, de l'OAS : Européens et Algériens musulmans confondus. De Gaulle et les dirigeants des années 1958-1962 n'avaient pas imaginé de tels massacres, un tel exode, l'exil sans retour pour la grande majorité des pieds-noirs, pour les harkis, pour nombre de fonctionnaires revenus en métropole.

Pourtant, autant au regard de l'intérêt économique des deux États qu'au travers du problème des minorités survivant dans les deux pays, de leur statut, d'importantes négociations suivirent entre Alger et Paris. En outre, bien des liens s'étaient noués, depuis une dizaine d'années, entre les membres des organisations nationalistes et différentes personnalités du monde politique, culturel, syndical, souvent par le chenal de la délégation de France du FNL.

De fait, en 1962, la plupart des dirigeants du gouvernement algérien avaient vécu dans un cadre politique et culturel greffé sur celui de l'ancienne métropole dont ils connaissaient les acteurs et les détours, et plus seulement par l'intermédiaire de leurs avocats. La Ve République hérita de cette situation, et lorsque se mit en place une politique de coopération avec l'Algérie, les dirigeants des deux États choisirent ensemble les hommes qui en porteraient la responsabilité.

C'est ainsi que le gouvernement de la Ve République désigna ceux qui avaient été fidèles jusqu'au bout au projet d'une entente avec le FLN. D'abord les membres de la nébuleuse progressiste chrétienne, tel André Mandouze qui, à l'initiative de Ben Bella, devait être placé à la tête de l'université ; à côté il y avait la pléiade des administrateurs soucieux de donner son élan au nouvel État, une dizaine de milliers de coopérants divers sous l'égide d'Edmond Michelet, de l'ambassadeur Georges Gorse, Hervé Bourges, et d'amis progressistes, tels Stéphane Hessel, Claude Cheysson, etc. D'un esprit plus révolutionnaire figuraient également ceux qu'on a dénommés les « pieds-rouges » – trotskistes, anarchistes, marxistes et internationalistes de tout poil, tels Michel Raptis (dit Pablo), Henri Curiel, attentifs à faire de l'Algérie le foyer d'une nouvelle révolution mondiale[40].

À lire le tome II des *Mémoires* d'André Mandouze, publié en 2003, et, comme le premier tome, un demi-siècle après les événements, on sent une nette différence de ton, même si le sous-titre « À gauche toute, bon Dieu » se veut aussi explicite que celui du tome I, « D'une histoire à l'autre ».

Évoquant ce retour en Algérie, en 1962, l'enthousiasme est là, certes, puisqu'on lui a dit qu'il y serait « chez lui », mais un certain embarras à revoir ceux de ses collègues qui étaient restés et qui avaient été les chantres de l'Algérie française. Ce à quoi « s'opposaient et *s'imposaient* [c'est nous qui le soulignons] de bruyantes embrassades à l'algérienne auxquelles donnaient lieu des retrouvailles avec d'anciens étudiants ».

Or ces fêtes, le droit ou l'obligation de se détendre, voilà qui n'avait plus rien à voir avec l'engagement des combats d'hier et d'avant-hier, et rencontrer Ben Khedda ou Ben Bella, voire son ministre de l'Éducation nationale, prenait l'allure convenue d'une visite officielle, même si étaient évoqués les problèmes essentiels, certes, mais bien circonscrits, de l'enseignement en Algérie, de diplômes équivalents, de nominations, etc.

Or, dans ses fonctions, André Mandouze sent bien qu'il est au service du ministère qui, par différentes manœuvres, lui met des bâtons dans les roues. Sans doute en passant par-dessus et en rencontrant Ahmed Francis ou Ben Bella, cela finissait par s'arranger[41]...

L'effacement de Ben Khedda, président de la République algérienne qui disparaît des cérémonies officielles, à qui se substitue Ben Bella, puis l'arrestation de Boudiaf, un des chefs historiques de la lutte pour l'indépendance, autant de changements qu'André Mandouze affecte de se représenter comme des « péripéties », et qui pourtant révèlent aussi l'existence de forces politiques non identifiées mais, en tout état de cause, hostiles au cours pris par la coopération avec des Français peu suspects d'avoir été colonialistes. Et qui, transformés en muets du sérail, se gardent bien d'émettre le moindre jugement sur la façon dont on rogne sur leur capacité d'agir.

Comme la foudre, une question de Boumediene éclaire André Mandouze sur la nature du problème : « Finalement, Monsieur le Recteur, avec cette université combien de futurs communistes fabriquez-vous à l'Algérie ? » Et il ajouta : « Les étudiants, Monsieur le Recteur, j'ai appris à les connaître pendant la guerre ; je les ai mis et fait mettre à l'épreuve aux frontières. Je pense que vous voyez de quoi je parle. » André Mandouze le vit d'autant mieux que le secrétaire général de la faculté devait s'écrier lors d'une réunion de professeurs : « Il est inadmissible que l'on parle encore français dans cette université. » Jean-François Kahn, de passage à Alger, notait qu'on y dénonçait la diffusion d'œuvres étrangères, qu'on exigeait que les magasins soient fermés à l'heure de la prière, que les emplois soient réservés aux seuls musulmans, que les préceptes de l'islam soient rigoureusement appliqués[42].

L'auteur de *La Révolution algérienne par les textes* avait tout compris : il donna alors sa démission.

Et si le message n'avait pas été clair, Boumediene en confirma bientôt le sens à Francis Jeanson : « Nous ne ferons rien de valable et d'authentiquement algérien si nous ne faisons pas appel aux jeunes, à leurs potentialités. Parce que les hommes déjà formés l'ont été dans une école qui n'était pas algérienne[43]. »

Les Français, pieds-rouges ou pas, qui, depuis 1962, avaient voulu se comporter vis-à-vis des Algériens indépendants comme auraient dû le faire auparavant les Français d'Algérie, n'avaient pas vu que les « interlocuteurs valables » qu'ils avaient croisés et avec lesquels ils avaient traité, sympathisé, avaient été peu à peu submergés par un mouvement venu des profondeurs – islamique sinon islamiste – et qu'allait incarner Boumediene avec son armée des frontières. Pouvaient-ils imaginer que, privés de la liberté et ayant lutté avec eux pour qu'ils l'acquièrent, ces Algériens pouvaient en être exclus à nouveau ?

Ainsi que l'a exprimé joliment André Akoun, après qu'il avait dû quitter l'Algérie, c'est l'Algérie qui le quittait…

Revenir, sait-on jamais ?

Les Européens d'Algérie n'avaient pas imaginé l'inimaginable.

Pourtant, dès la fin de 1958, le maire d'Alger, Jacques Chevalier, avait lancé cette phrase : « Avec ou sans chéchia, je resterai en Algérie. »

Que pouvait signifier ce propos à l'heure où de Gaulle « les avait compris » ? Pour sa part, de conviction anticommuniste et chrétienne, il juge qu'il faut s'associer avec les musulmans pour prévenir leur alliance avec le communisme athée. À l'heure de la guerre froide, ce danger-là lui semble mortel pour la présence des Français en Algérie. Bien qu'il n'ait rien à voir avec les libéraux d'Algérie, Jacques Chevalier passe pour un libéral : n'a-t-il pas été le seul à négocier, avant 1956, avec Fehrat Abbas, et en 1962 n'a-t-il pas facilité le contact de l'OAS et du FLN ?

Il reste ainsi que bien des Européens d'Algérie s'imaginent, après les accords d'Évian, qu'un *modus vivendi* s'établira entre Paris et le gouvernement algérien.

Beaucoup d'entre eux sont partis en métropole, déjà près de 180 000 entre juin 1960 et décembre 1961, un exode que les crimes croisés du FLN et de l'OAS ont accéléré. Mais il en est qui veulent croire que cette crise une fois passée, ils pourront revenir sur cette terre algérienne où ils sont nés. On compte 565 000 départs entre mars et septembre 1962.

Différente de celle des exilés sans retour, voici cette autre décision, à l'heure du cessez-le-feu de mars 1962, que prennent ceux qui, sans avoir aucun lien avec le FLN, ne veulent pas céder à la terreur OAS. Condamnée à mort et victime de deux attentats, cette famille Vie le Sage doit, certes, quitter l'Algérie dans le courant de 1961 mais elle décide de revenir après l'indépendance[44].

Elle sait bien que l'OAS commande en Oranie où la guerre franco-française est aussi meurtrière que l'autre. L'OAS est chez elle et libère sans effort ces quinze activistes que les CRS ont pu arrêter, et c'est la préfecture qui doit se fortifier, s'entourer de barbelés, autant contre le FLN que contre l'OAS. À Oran, l'OAS « permet aux Européens encore là de montrer leur virilité, qu'à côté de ceux d'Alger ils ne sont pas des tapettes ».

Mais que faire de cette virilité si de Gaulle conclut un accord avec le GPRA ? « Mourir, répond un commerçant, nous sommes tous prêts à mourir. Regardez cet établissement, monsieur, c'est tout ce que je possède. Ma famille est là depuis 1870. Où voulez-vous que j'aille ? – Et rester tout simplement ? – On ne pourra pas rester, ce sera le communisme. – Mais avec les musulmans, vous voulez vous entendre ? – Bien sûr, faut leur faire leur place. D'ailleurs on a commencé, regardez Sid Cara, il a été ministre. – Et Benkhadda, Ben Bella ? – Ah non, pas ceux-là, s'ils arrivent on descend dans la rue. »

Dans l'intérieur des terres, il en est qui veulent rester eux aussi. Celui-ci, en faisant le coup de feu tant qu'il faudra : en mai 1956, il s'est retranché dans sa maison transformée en bunker et a tué 17 fellaghas. Parmi eux, il a reconnu 10 de ses ouvriers à qui il devait remettre la médaille du travail. Cet autre-là est un « gros », installé depuis 1894. Il possède 200 hectares et fait travailler 5 000 ouvriers. Un autre colon voudrait être Algérie française, « mais je n'y crois pas et ce n'est pas dans mes idées. Alors nos amis nous tournent le dos. Mais quand l'heure du choix viendra, on se battra. Il faudra bien que nous soyons avec les Européens. On essaiera de rester à la maison ». Ainsi le bled bascule vers l'OAS. « Qu'est-ce que vous voulez, dit un autre, qu'on aille en France ouvrir les portes devant les cinémas ? » Sûrs pourtant que l'heure de l'égorgement est proche, ils ont décidé de rester... Ceux qui, à l'opéra d'Oran voient alors jouer *La Fille du tambour major* se sont levés quand l'armée défile dans Milan. Tous les spectateurs se lèvent et crient : « Vive la France, à bas de Gaulle. »

On leur demande : « Que ferez-vous en cas d'accord avec le FLN ? » Et Philippe Hernandez, pseudonyme de Yves Vie le Sage, de leur adresser la lettre d'une pied-noir à un pied-noir : « Vous m'avez dit, l'OAS c'est notre force, notre espoir... Vous vous trompez, c'est vous qui êtes sa force, son espoir... Vous m'avez dit, on n'est pas des tapettes. D'accord, la tapette c'est celui contre qui les choses se font. Or l'Algérie sera indépendante, personne ne peut en douter. La paix va se faire parce que le FLN la veut, 40 millions de Français la veulent, 2 millions d'hommes la souhaitent. Tout ce que l'OAS peut faire, c'est que cette paix se fasse de la manière la plus désastreuse pour vous, dans un bain de sang, un déferlement de haines inexpiables, et, finalement dans le grand silence qui s'étendra sur vos tombes abandonnées... [...]

Pour celui qui se bat contre vous, Paris, c'est encore chez lui. Croyez-vous qu'il ait l'intention de vous discuter le droit d'être chez vous en Algérie ? [...]

Le ciel, la terre, la mer sont notre ciel, notre terre, notre mer. Gardez-les... Pas en suivant ceux qui essaient de pêcher dans une eau qu'ils ont troublée. Il vous suffit d'un peu de courage. Votre désespoir n'est que le refus d'un nouvel espoir. Le refus d'espérer est le seul péché mortel. Ne soyez pas les assassins de votre âme[45]. »

Espérances, illusions. Ceux qui restèrent – quelques milliers – eurent à en connaître du lourd ressentiment de ceux qui, depuis un siècle, sentaient chacun en soi et tous en groupe le poids de cette humiliation qu'avait pu être une occupation étrangère. Même si celle-ci était ancienne, même si ses héritiers étaient prêts à changer du tout au tout leur rapport avec les Arabes.

Delouvrier ne s'était pas trompé. Pour ceux qui, à la campagne, se dénommant pieds-verts, avaient voulu affronter l'épreuve, oui, l'épreuve dépassa le pire jamais imaginé. Venus d'en bas, les massacres d'Européens ne furent guère stigmatisés par le pouvoir algérien qui, on le verra, n'était pas nécessairement hostile au départ de tous les Européens, s'il ne l'a pas suscité.

La famille Vie le Sage quitta elle aussi définitivement l'Algérie en 1972.

Les harkis, ces victimes

Dans sa présentation du livre de Mohammed Hamounou, Dominique Schnapper observe qu'à l'instar du mythe gaulliste de la France tout entière résistante, sauf quelques traîtres collabos, il a existé un mythe FLN, d'une nation algérienne tout entière dressée contre la puissance coloniale, sauf quelques collaborateurs traîtres, entre autres les harkis.

Comme tous les mythes celui-ci contient sa part de vérité, en ce sens que la population algérienne dans son ensemble était, certes, hostile au colonialisme, elle était nationaliste aussi bien, ce qui ne signifiait pas que dans sa totalité cette population ait exigé l'indépendance, rien d'autre, et une insurrection armée[46].

Beaucoup souhaitaient, selon l'expression de l'époque, être des « citoyens à part entière », d'autres un statut d'intégration ou une solution fédérale, d'autres l'indépendance par étapes, par la négociation aussi bien – comme cela avait été le cas pour l'Inde dans l'Empire britannique. Durant les années 1950, la montée en puissance du monde arabe revivifiait l'appartenance à sa civilisation, à l'époque de Nasser surtout. Pourtant, une partie du FLN était attentive, sourcilleuse même à l'endroit de ceux qui, au Caire, tel Ben Bella, pouvaient vouloir faire de l'Algérie une simple province du monde arabe : certains propos de Nasser inquiétaient. D'autres nationalistes enracinaient plutôt l'Algérie dans sa tradition islamique, et suivant l'enseignement de Ben Badis, le fondateur des ulémas en Algérie, y voyaient les sources de son histoire. Politiquement, ce courant manquait de vigueur durant les années 1950-1962, mais vingt ans plus tard, sa légende s'est développée en accréditant un autre mythe, celui de la pérennité de la nation algérienne qui avait toujours existé avant, pendant et après la présence des Turcs et des Français.

Il a fallu l'insondable obstination des dirigeants français, stimulés par les Européens d'Algérie, à perpétuer le statut colonial dans les « départements » français, pour qu'une partie du MTLD, devenue FLN, passe à l'action armée et décrète cette révolution qui l'instituait en État prétendant exercer la violence légitime.

Il y parvint par le fer et par le sang en moins d'un an et demi (novembre 1954-été 1956) puisque successivement les autres partis algériens – les centralistes, le PCA et les ulémas – proclamèrent leur autodissolution, seuls les messalistes se transformant en MNA et devenant à ses yeux des collaborateurs et des traîtres[47].

On a dit quel a pu être, pendant cette période, le comportement des militants UDMA, MTLD, PCA, celui de certains membres des ulémas. Or, si la sympathie du plus grand nombre des musulmans allait bien aux uns ou aux autres, la plupart des habitants non européens n'étaient pas des militants. Les événements allaient pourtant les bouleverser, les solliciter et les menacer de toutes les façons[*].

---

* En novembre 1954, la plupart ignoraient le détail des scissions du MTLD, la rupture d'une partie des militants d'avec Messali Hadj, le petit nombre de ceux qui, déterminés, étaient passés à l'action armée.

En ville, cela avait pu commencer par un simple appel à la grève, et des militants anonymes avaient intimé : « Baissez les rideaux de fer. » Quelques heures plus tard, policiers ou forces de l'ordre lançaient la menace : « Levez les rideaux de fer*. » C'est ainsi que des commerçants, des artisans devaient obtempérer aux uns et aux autres avant que d'autres militants passent et réclament une cotisation pour les moudjahidin. Or déjà on en payait une aux ulémas... mais jusque-là cela ne s'accompagnait pas de menaces de représailles... Était-ce devenu un vrai racket ? Sans doute, et, selon la rumeur, certains commerçants européens payaient une redevance au FLN : sait-on jamais[48]...

Dans les campagnes, ou pour ceux qui avaient servi dans l'armée française, ou qui étaient en relation avec l'administration, le dilemme pouvait devenir tragique.

Voici Khelifa Haroud, né en 1922, journalier près de Sétif, mobilisé de force en 1943 qui rentre au pays à la fin de la guerre. Marié, il part travailler en métropole et s'y trouve à la Toussaint 1954. Il rentre chez lui et, bientôt, durant l'été 1956, des hommes des villages voisins (connus) et d'autres venus d'ailleurs (inconnus) font irruption dans son village de Kabylie imposant aux villageois garde forcée et impôt révolutionnaire. Quand les tours de garde se multiplient, trois ou quatre fois par semaine, il proteste. Un de ses amis, commissaire politique du FLN, lui dit : « Écoute, si tu veux t'enfuir, fais-le. J'ai pu te couvrir deux fois, mais là, je ne peux plus rien pour toi, sauve-toi. » Khelifa ne comprend pas pourquoi « il devrait nourrir les fellaghas avant ses enfants »... Puis sa décision est prise et, en montrant la caserne, il dit à sa fille Zahia : « Un jour, je vais rentrer là-bas. » En 1958, il y va, est emprisonné avec des FLN, ce qui est un gage de sécurité. Un peu plus tard il revient chez lui encadré de militaires, à l'abri des regards on embarque sa famille. « On est passé de l'autre côté », dit son fils et, comme quatre autres familles du village, Haroud

* Pendant la « bataille d'Alger », en 1957, l'ordre de grève a pour fonction, entre autres, d'identifier les ralliés aux FLN et les « traîtres ».

et les siens vont vivre dans un espace réservé à ceux qui craignent pour leur vie. « Un troisième enfant vient de naître, l'armée paie au mois alors que le FLN prélève. » Haroud craint pour sa vie n'ayant pas montré plus de gages que les tours de garde...

À peine est-il enrôlé 2e classe dans le 28 BCA qu'une délégation du village voisin de Tizmourines se présente et demande des armes et des fils de fer barbelés pour se protéger car ils viennent de refuser de payer l'impôt révolutionnaire. Un collecteur est bientôt abattu... Le village est évacué. C'est la guerre.

Trois ans plus tard, ayant intégré la SAS (Section d'administration spécifique), Khelifa Haroud sent qu'il ne pourra pas demeurer au village. Mais comment ce fellah connaîtrait-il la substance des accords d'Évian selon lesquels le gouvernement algérien n'exercera pas de représailles contre les harkis ? Le jour de l'indépendance, il est dans sa maison et sa petite fille Zahia voyant les autres petites filles danser sort pour participer à cette fête... Mais une femme du village lui fait remarquer que son

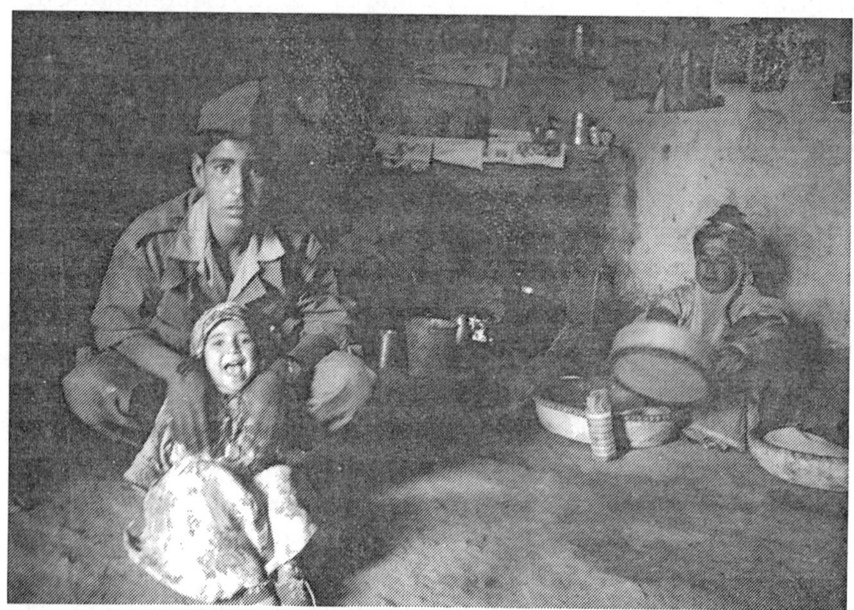

Figure 11 : *Supplétif musulman dans sa mechta, mai 1961.*

père a été harki et qu'elle n'a pas sa place ici. La famille alors se terre jusqu'à ce qu'on emmène Khelifa dans un camp. Deux ans plus tard, avec d'autres, il est convoqué, il doit s'engager dans l'armée algérienne ou partir pour la France : « On a tous levé la main pour partir en France[49]. »

Désarmés à leur insu lors des accords d'Évian, les supplétifs avaient été abandonnés par le gouvernement français qui, après le retour massif des pieds-noirs en métropole, totalement imprévu, n'envisageait plus celui des musulmans dont les accords d'Évian prévoyaient la réinsertion civile dans leur pays. Au moins, Khelifa Haroud eut la chance de pouvoir survivre. Ce qui ne fut pas le cas de tous ceux qui, en Algérie, furent massacrés.

De fait, l'engagement de la plupart des harkis et autres supplétifs n'était pas « pour la France », ou « contre l'indépendance ». Ils voulaient pour se défendre contre les exactions du FLN, cette autodéfense qui les poussait dans les bras de l'armée. Or cette violence du FLN avait pour fonction d'obliger chacun à choisir son camp, à éliminer tous ceux qui pourraient être les artisans d'un dialogue, d'un compromis. Il tue pour s'imposer comme seule force légitime. Et si, désillusionnés par le bavardage stérile des partis nationalistes, et pleins de rancœur à l'encontre des colons, la majorité des jeunes adhéraient à la lutte armée, il n'y avait pas non plus de place pour tous – faute d'armes – et, comme dans *Lacombe Lucien*, se retrouvèrent dans l'armée ceux qui, soucieux d'action, avaient voulu être fellaghas... Mohammed Hamounou a publié de nombreux témoignages : « Pour être admis, il fallait, à moins d'être pistonné, être poursuivi par l'armée française, commettre un attentat. On désignait à l'intéressé une victime, on lui indiquait le lieu, la date et l'heure de l'assassinat, et il devait exécuter strictement les ordres[*]. La moindre erreur était punie de mort. Cela se produisit trois fois dans mon village[50]. »

---

* Souvent, comme il est bien montré dans le film de Pontecorvo, *La Bataille d'Alger* (1965), le premier attentat était une épreuve pour le combattant volontaire ; on lui donnait une arme inutilisable, ce qu'il ignorait.

Déjà, le 31 décembre 1956, 4 149 musulmans auraient été ainsi assassinés selon les sources françaises, sans compter les disparus. Chiffres à considérer avec prudence, qui pourraient cacher des musulmans tués par les Français, mais qui témoignent du tribut payé par la population civile.

Les hommes jeunes ne comprennent pas le refus de les recruter : « Ils nous ont enlevé nos papiers et nous ont abandonnés comme des animaux dans les montagnes [...]. Ils disaient que c'était pour que les Français ne nous tuent pas, qu'on allait travailler pour eux, mais rien du tout. S'ils nous avaient laissé nos armes ou proposé de rentrer dans le maquis, cela aurait été acceptable... Un jour, l'armée est venue faire des ratissages et nous a vus. On a levé les mains et on s'est rendus. Chacun a choisi ce qu'il a voulu : moi j'ai choisi de rentrer dans l'armée, dans la SAS, et plus tard dans les harkis[51].

« Un jour, j'ai perdu une vache, raconte un autre. J'ai cherché partout. Tout à coup j'ai vu les militaires. J'ai pensé à me sauver car j'avais peur. Mais je me suis dit qu'ils me prendraient pour un fellagha et qu'ils allaient me tuer. Alors j'ai levé les bras... Ils m'ont demandé ce que je faisais et j'ai expliqué, et ils m'ont laissé. Mais quelqu'un du village nous avait vus de loin. Il est allé dire au chef local du FLN que je donnais des renseignements à l'armée. Un ami m'a prévenu qu'ils devaient venir me chercher pour me tuer la nuit. Je me suis sauvé vers le poste et je me suis engagé. »

Hocine Hamani, près de Tizi Ouzou, avait fait son service militaire pendant la guerre. « Les fellaghas sont venus me chercher... Tu quittes l'armée ou ton père paiera à ta place... Dans le Djurdjura il fallait faire le guet, ils égorgeaient les villageois qui refusaient de les aider. J'ai vu des centaines de cadavres dans les ravins... Les femmes violées criaient au secours... [...] En 1958, j'en ai eu marre... J'étais jeune et inconscient. J'ai été à la caserne et je suis revenu avec un uniforme sur le dos... Tombé dans une embuscade, j'ai reçu une balle et ma jambe s'est mise à pendouiller. Amputé à l'hôpital d'Alger, je suis rentré chez moi. Mais à l'indépendance ils sont venus me chercher ; des amis, on avait gardé les chèvres ensemble. Ils sont tombés sur ma mère et l'ont frappée avec la crosse du fusil, lui ont cassé quatre côtes… Je me suis enfui avec mes béquilles ; ils m'ont poursuivi, quatre d'un côté, quatre de l'autre, avec leurs kalachnikov. Puis ils m'ont capturé… Le chef était un ami : “Pars, c'est fini, ne reviens plus jamais.” Ils m'ont déposé devant une agence de voyages et j'ai pu acheter un billet et me suis retrouvé à Rivesaltes avec d'autres harkis, vivant dans des tentes qui s'envolaient sous le vent, derrière des grillages, comme des condamnés.

Voilà ce que la France nous a offert. On l'a vécu comme une trahison […]. Parfois je me sens en colère contre la France. Mais je me dis aussi que c'est moi qui l'ai choisie. Alors j'assume. »

« Oui, dit un autre harki, en arrivant en France, on s'attendait à une fanfare, des drapeaux, des hourras… Rien. On nous a cachés comme des voleurs[52]. »

UN AVENIR ENGLOUTI

Trois sociétés.

Celle des États-Unis d'abord, qui, en ce début de siècle, s'éveille à une dynamique de confiance en l'avenir. Sa marque ? Le progrès et la prospérité. Le flot de ses nouveaux immigrants s'élance avec ardeur vers une vie nouvelle, débarrassée des interdits et handicaps de la vieille Europe. La statue de la Liberté les accueille. Successivement avec Antonin Dvorak, Franz Kafka, Elia Kazan, la musique, la littérature, le cinéma ont chanté cette terre vers laquelle ils se tournent. Et puis l'Amérique n'est-elle pas le seul pays où, en se retroussant les manches, on peut, tel Rockefeller, en une vie devenir millionnaire ? Le seul aussi où l'argent, oui l'argent tout seul, peut faire de vous, né réprouvé ou misérable, un homme du monde ? L'argent, seul agent d'une démocratisation de la société, seule valeur reconnue et glorifiée.

1929, avec la crise, le mythe chancelle[1]...

Et voici la société soviétique.

1917. En quelques mois, l'inaccessible est atteint : abattre l'ancien régime, éliminer les cadres de la société, instituer un gouvernement populaire. Un immense cri d'espérance accompagne cette mutation. Elle inquiète les classes dirigeantes du monde entier et ne réussit à se consolider qu'au prix de conflits à l'extérieur et de violences à l'intérieur. Pour les exploités, elle incarne le devenir d'une humanité nouvelle fondée sur la science et l'égalité de tous. Quarante ans après, le lancement de Gagarine dans l'espace manifeste le succès de ce croisement.

Pourtant, alors que l'économie stagne et que la société évolue, le carcan politique demeure.

Avec Gorbatchev et Eltsine, il éclate.

Et la société aussi.

Encoconés dans une existence sans risques, voilà des millions d'individus projetés dans l'inconnu. Comment réagissent-ils[2] ?

La société française.

Dans la France urbaine, alors que d'une crise à l'autre semblait inscrite l'inévitable déchéance de l'artisanat, un groupe social nouveau est d'abord apparu, celui des cadres, tandis qu'une partie du mouvement ouvrier ne cessait de rêver après une révolution de 1789 inachevée. Or la lente amélioration des conditions de vie, l'accroissement du nombre d'éléments peu portés à soutenir la violence révolutionnaire – les fonctionnaires notamment –, la lente érosion de la classe ouvrière – un effet de la modernisation des techniques, de l'automation également –, voilà qui réduit la capacité d'agir de ceux qui ont en tête le « grand soir ». Au mieux, en 1968, ce sont les jeunes qui en ont fêté une parodie[3].

Jusqu'alors, à la suite du réformisme allemand et du Welfare State anglais, les dirigeants français avaient institué et renforcé l'État-providence. « Toujours plus », demandait la société qui croyait en ses inéluctables progrès. Or voilà qu'en 1974 et 1982, suite à la crise pétrolière et à l'accélération de la mondialisation, un temps d'arrêt est marqué : « feux clignotants », « sortie du tunnel », chacun veut croire à ces diagnostics de nos sages. Cela ne durera pas.

La situation est nouvelle.

Alors que, depuis un siècle – sauf en temps de guerre –, les sociétés urbaines de ce pays vivaient dans un climat offensif de revendications, le retournement qui s'opère avec la montée du chômage a placé cette société salariale sur la défensive, atteignant bientôt aussi bien les cadres que les ouvriers ou les employés, amenant les syndicats à dire « heureux sont ceux qui ont un travail fixe ». Or même l'avenir de ces derniers est devenu aléatoire. Et qui donc avait vraiment jeté l'alarme ? Tandis qu'une partie du monde des artisans était broyée par la machinerie industrielle – le meuble par exemple –, qu'une autre résistait à la concurrence des grandes surfaces – la boulangerie –, ou survivait – la coiffure –, apparaissait et se développait un autre groupe social nouveau, les exclus*.

Comment, ici ou là, les individus ont-ils réagi à une conjoncture imprévue ?

Trois situations nouvelles sont ainsi examinées ici, selon leur ordre d'apparition : aux États-Unis d'abord, en France ensuite, puis en URSS quand tout un monde s'engloutit.

---

* *Cf.* Zdatny Steven, *Les Artisans en France au* XXe *siècle*, Belin, 1999 ; et Bertaux-Wiame Isabelle, *Transformation et permanence de l'artisanat boulanger en France*, 2 vol., MSH, 1978.

États-Unis – 1929 – La crise

« Jamais je n'avais élevé la voix contre mon père », rapporte Arthur Miller. Lorsque la crise s'abat, il vient d'avoir quinze ans. « Ma colère n'était pas dirigée contre lui, mais contre son incapacité à s'accommoder de l'effondrement de ses affaires. Je fus atteint d'une immense pitié lorsqu'il dut se séparer de son chauffeur, puis vendre le bungalow où nous passions l'été. »

La mère d'Arthur Miller réduisit ses dépenses, ensuite « nous avons déménagé de Haarlem à Brooklyn, puis un échelon plus bas dans un bungalow sur East Third Street... puis ma mère dut faire du charme au banquier pour reporter d'une échéance le paiement des intérêts de l'emprunt. Au début des années 1930, elle avait vendu ou déposé au mont-de-piété tous ses bijoux sauf une broche de diamant qu'elle tenait de sa mère. Allions-nous perdre le poulailler dans lequel nous vivions ? »

Sans jamais se plaindre, ni même parler de ses problèmes professionnels, le père d'Arthur Miller ne vendait plus ses vêtements de confection, pantalons et autres vestes. Il devenait de plus en plus renfermé, faisait des siestes de plus en plus longues. « J'avais conscience de la colère que faisait naître chez ma mère cette abdication muette. D'abord une certaine impatience, lorsque se déclenchèrent les malheurs, puis de l'inquiétude, finalement une espèce de mépris railleur qui filtrait dans le ton de sa voix [...]. Tantôt elle était émue, tantôt elle lui faisait des remarques acerbes sur sa stupidité[4]. »

Les gens étaient en train de devenir fous. Quand le marché de la Bourse s'effondra, pratiquement en une nuit, personne ne put arrêter l'hémorragie ni comprendre ce qui se passait, une profonde panique s'empara de chacun et remit en question la confiance dans les organismes officiels et les banques. Des financiers furent mis en prison, d'autres se jetèrent par la fenêtre... Les Américains se blâmèrent eux-mêmes au lieu d'en rendre responsable le système économique et financier. « Pourquoi n'as-tu pas fait d'économies au temps de la prospérité ? », demande un petit écureuil à une victime de la faillite des banques... « J'en ai fait, répondit-il, et voilà ! », dit la légende d'un cartoon. « Certains pères de famille ruinés éprouvèrent un sentiment de culpabilité tel qu'à New York cent mille personnes furent traumatisées au point de ne jamais pouvoir retravailler[5]. »

Et la mère de pester contre Hoover pour qui on avait prié la veille : ce salopard qui avait osé affirmer que la prospérité était au coin de la rue.

Arthur Miller observe qu'aux États-Unis la crise suscita des affrontements entre pères et fils, et que nombre d'écrivains sont les fils de pères qui ont été à leurs yeux des ratés : Fitzgerald, Faulkner, Hemingway, Steinbeck... Ils ont jailli de terre, tels les milliardaires qu'ils méprisaient tant, et un seul parmi eux, Steinbeck, exprima des vues révolutionnaires dans *Les Raisins de la colère*. Pour sa part, le jeune Arthur Miller devait écrire plus tard, en se référant à cette crise, *La Mort d'un commis voyageur*.

L'Amérique n'avait été que promesse de réussite. La crise apparaissait comme une promesse non tenue.

Or, comme ces milliers de confectionneurs qu'a étudiés Nancy Green, le père d'Arthur Miller avait connu, certes, les problèmes de la concurrence, de la réglementation du travail à domicile, etc., mais jamais l'idée d'une crise ne l'avait effleuré. Comme ces milliers d'immigrés pleins d'espoir décrits par

Kazan, chacun pensait – *An American Romance* de King Vidor en témoigne – qu'aux États-Unis le problème du chômage ne se posait pas. Il fallut cette crise pour que le rêve devînt cauchemar, et que, même dans la confection, on renforce ses attaches syndicales pour mieux se défendre face aux banques[6].

Ou bien qu'on s'organise autrement. Et c'est King Vidor, déjà lui, qui dans *Notre pain quotidien* (1934) montre comment des chômeurs, des déclassés, des exclus de la grande dépression s'organisent en communauté agricole.

Ayant à peu près le même âge qu'Arthur Miller, Studs Terkel joua dans des *soap operas*, fut commentateur sportif, et commentateur de jazz. Quarante ans après la crise, chaque fois qu'il passe devant un motel « à vendre », sa gorge se noue et il se rappelle le motel de sa mère, qu'elle a dû abandonner. Dure époque dont on a hérité la peur de perdre, de perdre son job, son appartement, les objets qu'on a acquis... et le besoin a surgi, pour lui, impératif, d'interroger les survivants : ainsi est né *Hard Times*, composé de plus de cent cinquante témoignages. Or lui-même se remémore que, telle la famille de Miller, les milliers et millions de chômeurs, de protestataires qui composaient ces marches de la faim n'en voulaient pas à la société, ils entendaient une petite voix intérieure qui leur soufflait : « Tu es un raté[7]. »

Comment réagirent les Américains ?

Les vétérans de la Grande Guerre figurèrent parmi les premiers qui décidèrent d'agir collectivement. En Indiana, où tous étaient touchés par la mévente, ils se réunirent et décidèrent de refaire la marche de Coxey, un chômeur qui, en 1894, en avait regroupé d'autres pour aller manifester à Washington. Ils s'installèrent dans les wagons d'un train de marchandises et à chaque arrêt en ville obtinrent du pain et des saucisses, des conserves... L'information circula et, à chaque arrêt, des groupes s'additionnaient aux précédents... « Quand on approcha de Washington, plusieurs wagons étaient occupés, c'était comme une armée de mendiants qui, à chaque arrêt, se déversait pour demander à manger. L'atmosphère était bon enfant et dans chaque petite ville aucune hostilité ne se manifestait – au contraire. Et, entre nous les manifestants, même si on n'était pas d'accord sur les causes de la crise, régnait une bonne camaraderie. Parmi nous, il y avait un ménage avec un bébé. Quand on lui apporta de la nourriture, l'homme refusa, sa femme aussi. On lui apporta un pâté qu'il refusa aussi. Il refusait de manger, de boire, sa femme aussi. À l'arrêt suivant, comme le bébé criait, on réussit à rapporter une bouteille de lait. Mais les parents refusèrent de la prendre… Il faisait chaud et on passa alors sous un long tunnel, recevant toute la fumée de la locomotive. À la sortie du tunnel, le bébé qui ne criait plus était mort. Une immense tristesse nous envahit tous.

À Washington, rien n'était prévu pour nous accueillir, sauf un service d'ordre. Mais les soldats qui faisaient barrage étaient tous jeunes ; ils auraient pu être les fils des vétérans. Hoover avait refusé de recevoir les pétitionnaires, et les soldats hésitaient à charger. Un soldat noir, portant un drapeau américain, hurla alors : "J'ai combattu pour ce drapeau en France, je combattrai aussi Pennsylvania Avenue." Le service d'ordre lui donna un coup de baïonnette dans les jambes. Blessé, il fut évacué. Et la bagarre commença, les manifestants furent refoulés de l'autre côté du Potomac, chassés par des pompes à gaz vomissant. »

Cette *Bonus March* fut un échec. Les manifestants n'avaient pas obtenu la prime qu'ils espéraient. Jim Sheridan, qui nous a rapporté ce récit, décida d'aller à New York. Mais là, étant un non-résident, il ne put bénéficier d'aucune aide et devint mendiant professionnel[8].

La lente déchéance et la résignation, chez Miller, la révolte chez les vétérans de l'Indiana, que rejoignent d'autres sans travail et qui n'obtiennent rien de Hoover, voilà deux réactions contrastées pour un même résultat.

Autre comportement, la migration à la recherche d'un job, comme Steinbeck puis Ford l'ont immortalisé dans *Les Raisins de la colère*. Ed Paulsen, dans le Dakota, a pu en trouver un à 10 dollars le mois, et voilà que le krach arrive. Mais « qu'est-ce que cela pouvait dire pour nous ? Je me trouvai un petit boulot de ramasseur de pommes à Washington, et finalement atterris à

Figure 12 : *1929, soupe populaire à New York.*

San Francisco... Les queues pour une soupe y étaient terrifiantes... Avec nos idées de petits-bourgeois, nous n'avions plus les moyens de nos opinions, de nos idées. La queue pour un job sur les docks n'avait pas de fin : mille personnes se battaient comme des chiens pour quatre appelés... À l'appel d'un orateur on se rendit à la mairie : on voulait du travail, une protection, de quoi manger... La moitié d'entre nous étions des Noirs. Quelques types essayaient de nous vendre des pommes mais nous n'avions pas une dîme... On ne voulait pas détruire la société, mais un job. Car les trois mille personnes qui étaient là, charpentiers, maçons, mécaniciens avaient foi en leur métier. Ils ne parlaient pas de révolution, mais d'un boulot... Un certain Upton Sinclair nous donna des idées : les prix étaient trop bas, il fallait réduire la production pour qu'ils haussent : avec des pommes et des oranges il fit une montagne qu'il arrosa d'essence, et y mit le feu.

Pour la première fois je comprenais le sens de sa campagne qui se faisait sur le slogan EPIC : *"End Poverty in California"*[9]. »

De quelle hauteur n'était-on pas tombé ? Que ne disait-on pas ? Le pays perd la tête avec cette prospérité, jugeait le colonel Theodore Roosevelt. Au reste, disait le président de la compagnie de moteurs Pierce-Arrow, cette prospérité ne connaîtra pas d'interruption... Le travailleur est en train de devenir un capitaliste... Nous allons vers un monde sans pauvres, affirmait le président Hoover, en août 1928... On est entré dans une ère nouvelle où déjà la prospérité ne connaissait plus de variations saisonnières, où les règles anciennes ne valaient plus rien, où il fallait apprendre à suivre le courant...

À moins de le précéder.

C'est à la Bourse qu'on observe cette orgie de spéculation, par un jeu à terme fébrile et dont tout le pays a connaissance. De fait, ces boursicoteurs sont moins nombreux que le laisserait croire le tapage que leurs opérations suscitent : ils sont 1 371 920 à New York, et 1 million et demi pour tout le pays. On n'écoute pas ceux qui mettent en garde contre la fascination suscitée par l'envol des cours... On a trop emprunté pour trop dépenser en attendant d'avoir bien investi : par exemple, le parc automobile est passé de 10 millions 500 000 unités en 1921 à 26 700 000 en 1929, le nombre de radios de 100 000 en 1922 à 4 428 000 en 1929, etc. Le surinvestissement a joué autant que s'installe une sous-consommation relative (car on avait trop produit) mais qui s'annonce déjà chez les fermiers, dans le bâtiment et une part de l'industrie. Ensuite le krach boursier donne le coup de grâce[10].

Beaucoup sont désemparés.

Axel Cramer était un mécanicien avec un bon salaire dans une usine d'automobiles. Économes, sa femme et lui ne pensaient qu'à l'avenir de leurs trois enfants. Ils s'étaient construit leur maison avec beaucoup de soin, pendant leur temps libre. Avec la dépression, il perdit son emploi. Leurs économies y passèrent et ils durent vendre leur maison, ce qui avait tellement

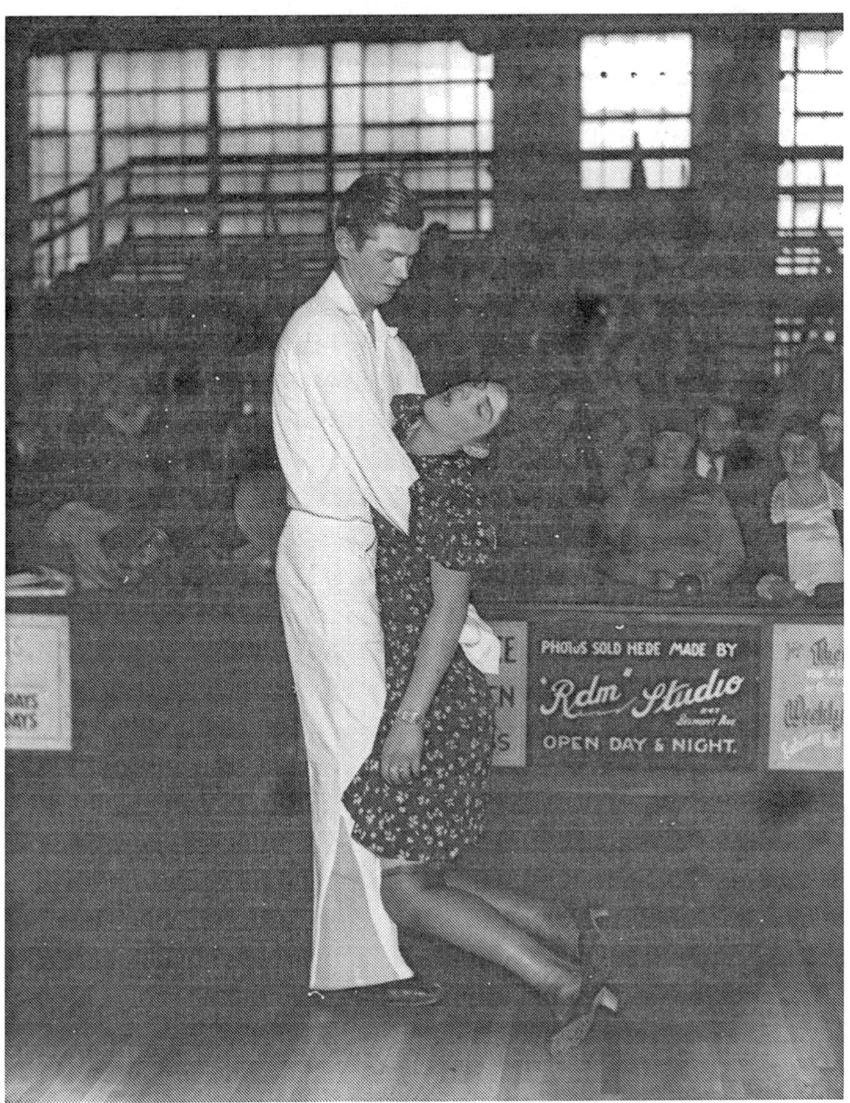

Figure 13 : *USA, 1930, Marathon de danse.*

compté pour eux tous, et avec la chute des prix, ils n'en tirèrent pas grand-chose. « À quoi cela m'a servi d'avoir tant travaillé et fait des économies ? J'ai perdu ma maison, je n'ai plus rien. Je ne vaux pas plus que le pauvre qui n'a jamais rien possédé. Et je suis trop âgé pour trouver un emploi. » Il avait quarante-deux ans mais beaucoup n'embauchaient pas au-dessus de quarante ans. Comment éduquer les enfants ? Son ressentiment lui enseignait que le travail et l'épargne ne sont pas les vertus qu'on croyait... « Comment se comporteront nos enfants ? », répétait-il[11].

Cette famille de Philadelphie vivait bien avec le salaire du père. Les enfants allaient à l'école, étaient bien habillés et bien nourris. Tout allait normalement lorsque, subitement, le chômage s'abattit. Ils n'avaient pas d'économies, et l'épouse prit des *boarders* pour gagner un peu d'argent. L'aîné, qui avait vingt-trois ans, quitta la maison et on ne l'a plus revu. Nerveusement atteinte et travaillant trop, la mère eut une tumeur au poumon. Les deux plus jeunes enfants tombèrent malades. Au début, le père, stoïque, ne disait rien.

Et puis, un beau jour, quand tout allait mal et que la famille broyait du noir, il revint à la maison avec de l'argent. Il avait rencontré des marins qui lui avaient confié de la contrebande. Il croyait pouvoir en vendre une partie mais, sans expérience, il fut coincé, arrêté et condamné à dix ans de travaux forcés à Atlanta[12].

D'autres, vivant l'ivresse mortelle d'un rêve impossible, espérant gagner la prime de 1 500 dollars, participèrent à des marathons de danse jusqu'à en perdre leur énergie vitale et être conduits au suicide. Conté par H. Mc Coy, ce drame a été transposé au cinéma par Sydney Pollack en 1969 : *They Shoot Horses, don't They* ? *(On achève bien les chevaux.)*

Mais, au début des années 1930, Hollywood cherche à relever le moral des Américains en multipliant les films d'évasion, telles les comédies musicales, et en valorisant les femmes pleines d'initiatives, telle Joan Crawford.

La crise n'a pas épargné les plus riches même si elle les a moins surpris – à moins qu'elle n'ait donné l'occasion à quelques-uns de se hisser dans le club fermé des millionnaires en dollars. En 1929, il y en avait 513, en 1932 ils n'étaient plus que 20. Globalement, les riches furent moins riches, mais les suicides moins nombreux aussi que la légende ne l'a fait croire et surtout les salaires des banquiers résistèrent à la crise, à défaut de leurs placements, si l'on y ajoute les bonus dénommés publiquement « indemnités supplémentaires ». Albert H. Wiggin, par exemple, garda ses 175 000 dollars par an de salaire pour les quatre années 1929-1932. Il demanda néanmoins à ses employés une réduction modérée des leurs pour permettre à la « prospérité » de réapparaître car, leur expliqua-t-il, « ce ne sont pas les hauts salaires qui font la prospérité, mais la prospérité qui permet les hauts salaires[13] ».

D'autres, tel William Benton, qui travaille dans une agence de publicité, comprend que la chute des prix peut être une manne si l'on sait s'en servir – au moins pour les objets bon marché et indispensables. Un jour de 1929, déprimé par l'échec de sa publicité pour Pepsodent, il rentre chez lui, il faisait chaud et, toutes fenêtres ouvertes, il entend de tous les côtés *Amos and Andy*, une sorte de tube. Il propose à son patron d'en acheter les droits et, aussitôt dit aussitôt fait, le tube relance Pepsodent. C'était la première fois qu'on se servait d'un tube pour une publicité radio. Or Pepsodent était un produit bon marché, aussi Benton recommença avec le café Maxwell, puis avec le savon Palmolive, tous produits que, dépression ou pas, il fallait se procurer.

Mais, bien sûr, ceux qui s'enrichirent le plus avaient joué à la baisse, ne se procurant les produits que lorsqu'ils avaient chuté de 30 à 50 %.

Le docteur David J. Rossman, psychiatre, témoigne qu'il eut à soigner des millionnaires qui eurent des crises d'angoisse... « Je suis ici parce que j'ai tout perdu. Il me reste juste un appartement sur Long Island qui vaut 750 000 dollars, je vais essayer de le vendre... Pour vous dire vrai, docteur, je me sens coupable pour tout l'argent que j'ai gagné... J'ai joué la baisse et me suis fait jusqu'à 50 000 à 75 000 dollars par jour. Cela a duré : j'ai eu le sentiment que je prenais l'argent aux veuves et aux orphelins... » Et il commençait à ressentir ce qu'était la situation de ceux qui n'ont plus d'argent[14].

Martin de Vries, autre millionnaire, juge que les gens n'ont que ce qu'ils méritent. « Ils ont spéculé... Alors pourquoi chercher qui doit être blâmé ? C'est leur faute. Ils ont joué, fait une erreur, alors pourquoi chercher ailleurs ? C'est comme tous ces gens qui font la queue pour du pain. Je suis triste pour eux, à coup sûr. Mais qu'ont-ils fait alors pour mettre un peu d'argent de côté ? Ils s'achetaient des chemises en soie à 20 dollars au lieu d'acheter des chemises Arrow à 2 dollars, et de garder la différence à la banque ou autrement. J'ai un ami qui s'est acheté trop de bons de Commonwealth Edison. Il jouait à terme*. Il se croyait riche, il a tout perdu. Il s'est fait sauter la cervelle. Le gouvernement n'a rien à voir avec tout cela.

Au vrai, les gens ne veulent plus travailler. Nous avons une femme de ménage de couleur qui est chez nous depuis quinze ans. Elle a un petit-fils : on lui a offert 2 dollars de l'heure pour retapisser notre chambre avec du papier peint. On lui fournissait tout : papier, colle, échelle, éponge. Rien à faire. Il a refusé. Je l'ai fait moi-même[15].

Hoover est arrivé au mauvais moment. Si Jésus-Christ avait été là à sa place, on aurait eu le même problème. La dépression ? Ce n'est pas la faute de Hoover. En 1932, un Chinois ou un singe auraient été élus contre lui. Pas de problème. »

Or, ce qui frappe dans l'enquête menée par Studs Terkel, et que confirment celle de Robert Coolen Angell qui date de 1965 et celle de James Mickel Williams menée dès 1933, c'est bien que sont très rares les mises en cause du gouvernement, sauf quelques jurons à l'encontre de Hoover ; très rares également, et pratiquement inexistantes, les attaques contre le patronat, contre le capitalisme. Au reste, aux élections de 1932, les socialistes de Norman Thomas n'ont eu que 2,2 % de suffrages exprimés, moins que Eugene V. Debs, avant la crise en 1920 – et avant la guerre en 1912. Quant aux communistes, ils n'en ont obtenu que 0,3 %[16]...

---

* De fait, il n'y a pas, à cette date, de marché à terme à la Bourse de New York, mais on peut tourner la difficulté par des prêts au courtier (J. Heffer).

Non, la voie révolutionnaire n'est pas celle qu'ont choisie les Américains. Révolutionnaires, l'ont été peut-être leurs parents italiens ou russes, ou allemands. Nouveaux émigrés et Américains de tradition sont furieusement individualistes même s'ils font désormais plus massivement appel au syndicat[17]. Cette faillite collective, c'est leur échec à chacun. Une fois passé le temps de l'abdication muette pour beaucoup, de la révolte pour quelques-uns, le ressort est remonté et, à l'exclusion d'un grand nombre, ont répondu pour des millions de victimes de la dépression l'optimisme et l'énergie créatrice.

Le trait qui différencie l'Américain de 1929-1932 du Français de ce dernier quart de siècle est que celui-ci est porté à faire retomber sur le gouvernement et le patronat, sur eux seuls, la responsabilité du désarroi dans lequel il se trouve. Sont encore plus loin du comportement américain les Russes victimes des effets de la *perestroïka* qui, explicitement, continuent à attendre tout de l'État, ne cessent de faire appel à lui et ne survivent que grâce aux bribes de ce régime soviétique, ce « cocon » qui les protégeait autrefois.

France : entre deux crises

L'émergence des cadres

La révolution de 1917 a sécrété l'apparition des apparatchiks, figure nouvelle des sociétés contemporaines. En France, la crise des années 1930 a suscité l'émergence des cadres, un groupe social qu'ignoraient jusque-là les recensements statistiques, le droit, le roman et qu'aucune organisation ne revendiquait.

De fait, la crise de 1929 a durement touché le petit patronat qui, en France, comptabilise de 5 000 à 11 000 faillites par an jusqu'en 1935. Alors que dans les grandes entreprises protégées par des ententes la distribution des dividendes ne subit pas trop son contrecoup (base 100 en 1919, elles passent à 118 en 1935), il n'en va pas de même pour les petites entreprises dont les dividendes tombent de 100 à 33 (Jean Touchard). Bientôt, coincés entre le grand patronat et les revendications de la classe ouvrière, ignorés par les grands affrontements sociaux de 1936 à l'heure du Front populaire, l'ensemble des ingénieurs, techniciens et maîtrise cherche à s'imposer en tant que partenaire social.

On doit à Luc Boltanski l'œuvre majeure qui a mis au jour la genèse et le développement de ce groupe social apparu dans les années 1930 et dont l'apogée se situe entre les années 1960 et 1975[18].

Malgré les réticences des plus diplômés à admettre parmi eux des individus mal définis mais qui occupent aussi des positions de pouvoir intermédiaires dans les entreprises, l'union entre les uns et les autres est une nécessité pour se faire entendre. Ils constituent un syndicat. Après la grande peur des années 1930, par l'action particulière de Lamirand, Vichy assure les conditions favorables à la reconnaissance de ce vaste agrégat auquel la Charte du travail accole le nom d'« ingénieurs et cadres », cette classe moyenne de la production, laquelle se dénomme bientôt du seul nom de « cadre ». Depuis la fin de la Seconde Guerre mondiale, cette catégorie sociale brouille la division traditionnelle héritée de la lutte des classes – ouvriers et patrons – en imposant une représentation ternaire qui se consolide à mesure que grossissent ses rangs : 5,6 % de la population active en 1954, 15 % autour des années 1980. La gauche et la droite se la disputent. Reformulant, réinterprétant et ordonnant de façon cohérente les éléments de leur expérience vécue, Luc Boltanski définit ce qu'est un cadre[19].

Le milieu de ce monde des cadres est hétérogène : l'une de ses particularités est la croissance en nombre d'ingénieurs et de techniciens, de petits patrons qui n'ont suivi qu'un court parcours dans l'enseignement supérieur, jusqu'aux trois quarts du total vers 1973. Ils se greffent sur les centraliens, polytechniciens, etc., mais montent rarement au sommet dans les entreprises géantes où le grand patronat fait la loi. Leur trajectoire est liée aussi au type d'entreprises dans lesquelles ils exercent, aux regroupements qui s'opèrent tandis que les activités commerciales prennent le pas, avec le marketing et le succès des Trente Glorieuses, sur toutes les autres.

La place du cadre se traduit de différentes façons : son temps de travail n'est pas réglementé, sa rémunération est liée à la fonction, aux résultats, non à la durée de ce travail. Son profil a changé peu à peu, la fonction de commandement devant laisser la place au dynamisme, à la communication. Le modèle est américain, et bientôt *L'Express* le popularise. L'esprit de management prend la relève du corporatisme et ce sont ces cadres qui l'incarnent. Surtout ils s'intéressent à la gestion de l'entreprise et leurs luttes se situent en son sein, à la différence de la classe ouvrière dont les revendications portent sur le salaire et les conditions de travail, à moins d'être révolutionnaires.

Pendant les années de leur montée en puissance, après guerre, on peut suivre le parcours d'un cadre supérieur, Paul Blondel, polytechnicien[20]. D'abord affecté comme tel à la recherche, chez Ameliorair, il intervient dans les projets de conditionnement d'air pour les usines textiles. Or c'est le commerce extérieur qui le passionne et il passe à la Société alsacienne de constructions mécaniques (SACM) en 1965. Là, « il éprouve la quasi-impossibilité d'obtenir un prix de revient crédible pour les machines qu'elle fabrique ». Alors, un des tout premiers, il pratique une sorte de fuite en avant dans la vente d'usines « clés en main » dont il peut mieux aménager le coût total. Pendant près de quinze ans, il parcourt le monde : la chronologie de ces voyages constitue en quelque sorte le tracé des progrès de l'industrie française dans un secteur particulier. Or, à partir de 1979, le rideau va tomber : les métiers à tisser de Ruti surclassent les siens, Ruti qui sera bientôt absorbé par Sulzer et Sulzer par le groupe italien Somet. Puis les effets pervers des progrès techniques se firent sentir : « Nous avons participé à l'augmentation irrésistible de la productivité des machines, croissant à un rythme double de la consommation textile, ce qui augmenta la production, mais réduisit le matériel et l'emploi. L'ouverture de nos pays au monde entier y a éliminé une partie de l'industrie[21]. »

Fermetures d'usines, licenciement d'ouvriers, bientôt le rideau tombe également sur les cadres. Pendant les Trente Glorieuses, pourtant, ceux-ci avaient connu l'ivresse d'une vie assez exceptionnelle, de responsabilité et d'initiative à l'américaine, avec les risques inhérents.

« Ce qui me plaît, dit un jeune cadre de trente-trois ans, c'est que j'ai le pouvoir. C'est extraordinaire, cela me fait rigoler. Je mange avec des chefs d'entreprise qui ont soixante ans, et ils me font passer devant eux, ils sont aux petits soins. Je jouis. J'ai le pouvoir d'engueuler les gens, c'est agréable. C'est pour cela que tu ne peux plus t'en passer, tu ne peux plus, après, rétrograder. Chez nous, actuellement, les patrons, quand ils veulent les punir rétrogradent les directeurs au rang de sous-directeurs, avec le même salaire. Les types deviennent fous. L'argent ne compte pas. [...] Quand on n'a plus le vent en poupe, c'est fini. Le patron vous emmerde par personne interposée, mais c'est extrêmement calculé, il faut dégoûter le type jusqu'à ce qu'il parte. [...] Par exemple, on le mute plusieurs fois dans plusieurs services. Ou on te fait faire des travaux qui ne sont pas à ton niveau [...]. On te laisse à l'écart des réunions, des conférences, on ne te tient plus au courant de ce qui se fait et tu passes pour un imbécile [...]. Moi, cela ne m'est pas encore arrivé [...]. Les coups viennent quand ton rapport salaire-âge fait que tu ne peux plus trouver l'équivalent ailleurs[22]. »

Ainsi, explique Luc Boltanski, « le cadre commercial doit savoir, pour se maintenir à flot, changer à vue de dispositions, de caractère, passer de l'arrogance à l'effacement, selon qu'il manifeste de l'autorité à l'extérieur de l'entreprise, ou la subit à l'intérieur. Pour le remettre à sa place, il suffit de substituer aux relations entre cadres des accords directs, avec leur côté mondain, entre patrons, et sans l'en avoir averti ».

Les années 1960 et les suivantes, celles de l'apogée, ont vu le nombre des cadres supérieurs passer, en France, de 352 975 à 910 040. Pour la première fois apparaît alors dans *Le Monde* un article sur « les cadres en solde ». C'est au même moment qu'O. Gelinier écrit *Fonctions et tâches de la direction générale* où ce grand patron expose les recettes qui permettent de se débarrasser des cadres encombrants. Leur calvaire commence, que la crise de 1974 ne fera que rendre plus dramatique. « Arrivons au cas le plus courant de cadre qui n'a pas d'ancienneté particulière, écrit O. Gelinier. Il a, par exemple, quarante-cinq ans dans la maison depuis cinq ans ; il a été promu directeur commercial depuis deux ans [...]. On constate son échec. Le conserver à sa place actuelle est impossible : ce serait compromettre pour vingt ans – de quarante-cinq à soixante-cinq ans – la réussite de l'entreprise. Ce serait admettre une dévolution du pouvoir de type féodal, fondée sur un mélange de hasard et de droits acquis, non fondée sur le jugement par les résultats. Ce serait témoigner peu d'égards envers ceux qui ont un chef peu efficace [...]. Il doit être déplacé ou renvoyé [...]. Mais un renvoi sans précautions perturberait les autres cadres : il faut objectiver le problème pour que la décision n'apparaisse pas comme un caprice [...], juger la performance, non la dignité de l'homme, exercer une pression psychologique sur l'intéressé... »

« Ils m'ont rendu la vie impossible », explique Joseph qui travaille depuis son licenciement à l'Institut de formation permanente[23].

On a pu croire que le groupe social des cadres avait pris la relève de celui des rentiers qui peu à peu s'était épuisé, après la crise des années 1930 et le deuxième conflit mondial.

Il n'en est rien. De fait, l'invention de ce groupe social témoignerait plutôt, à son origine, de la conscience d'une possible disparition lente de ces rentiers et de la nécessité de faire apparaître une sorte de classe moyenne, entre le travail et le capital. Car les hauts salaires des cadres supérieurs existaient avant que ce terme et cette catégorie se désignent ainsi. Pour les cadres des années 1950-1975, les revenus du capital sont devenus de plus en plus souvent des revenus d'appoint et non plus un moyen d'existence[24].

Grandeur et déchéance du monde ouvrier

En septembre 2002, à l'occasion de la fermeture de l'une des dernières mines de charbon encore en activité, celle de Merlebach en Lorraine, un mineur licencié, condamné au chômage, disait son regret, lui qui travaillait depuis plus de vingt ans, que ses enfants ne puissent prendre la relève.

Ce vœu – mais s'il avait gardé son travail, ses enfants l'auraient-ils comblé ? –, cette nostalgie, se sont retrouvés tout au long du dernier demi-siècle, mais jusqu'alors la mine était apparue comme la sève de l'activité des classes populaires, et les mineurs se jugeaient le groupe social qui donnait son énergie au Progrès.

Au lendemain de la Première Guerre mondiale, en France au moins, mais également en Grande-Bretagne ou en Allemagne, la fierté de la profession s'accompagna du sentiment d'une mission à accomplir, si tant est que, dans le mouvement ouvrier, on considérait les mineurs comme une avant-garde, « celle qui contribuerait à transformer le genre humain », et « apporterait la paix éternelle ». Dans *La Tragédie de la mine* (*Kameradschaft* – 1931), G. W. Pabst faisait de la fraternité entre mineurs français et allemands le gage de la paix future. En France, ces mêmes années et les décennies qui suivirent, le secrétaire général du parti communiste, Maurice Thorez, se déclarait « mineur », alors qu'il appartenait certes à une famille de mineurs, mais lui-même était en réalité aide-commissionnaire dans les bureaux de la société où avaient travaillé les siens[25].

Dans les mines, comme dans la métallurgie, la fierté pouvait s'attacher aussi bien à une usine, ou à une cité : on a affaire à un véritable « patriotisme » d'entreprise. Un ouvrier l'explique à Noëlle Gérôme :

« Ce qui rend Gennevilliers différente, c'est surtout la forge. Sur Corbeil ils n'ont pas de forge. Nous, on voit fabriquer la pièce jusqu'à l'usinage [...]. Un bout de ferraille, on voit comment le forgeron la travaille [...]. Pour trouver de meilleurs forgerons que ceux d'ici, eh bien ils peuvent toujours s'accrocher. Sans les forges, il y a beaucoup de l'usine qui disparaît [...].

L'espace, le lieu, les machines à la limite, même les gens me laissent indifférents et pourtant je suis très fier d'être ici, quand même, dans une entreprise de forgerons. Si je passe avec des amis sur l'autoroute juste derrière, je suis très fier de dire : “C'est là que je travaille..." À cause de la forge (les gens de la fonderie et de la mécanique ne vont pas être contents) mais la philosophie de l'entreprise, ce qui est à la source, à la source du moteur, c'est ici que les pièces en sont créées. [...] En banlieue il y a beaucoup de forgerons qui sont venus bosser ici... C'est quand même un gros tempérament en général, par rapport à la hiérarchie, à la direction, ça a toujours été historiquement – les forgerons dans leur ensemble ont toujours été une population à tempérament fort [...] [26].

C'est comme une famille... Entre forgerons on s'entendra toujours même si la mentalité a changé. On ne fera pas d'amalgame avec un autre métier... Nous ne sommes que 40 et il y a 2 500 personnes autour de nous, mais on se considère entre nous [...]. Pour nous, c'est nous les plus importants [...]. Si on supprime la forge [...}, si on enlève tout ça, je ne sais pas. Mais pour moi je ne souhaite qu'une chose, c'est que si ça se faisait, ça, je serais déjà parti à la retraite ou en préretraite. »

Ainsi le mythe ne concernait pas que les mineurs. Il s'entretenait aussi bien chez les ouvriers de la métallurgie, d'autres activités industrielles qui au lendemain de la Seconde Guerre mondiale incarnaient l'avenir révolutionnaire ou réformiste de l'ensemble de la société, pilotés par les partis de gauche et d'extrême gauche, par les syndicats, le tout adossé à la formidable forteresse qu'était devenue l'URSS, « sauvegarde des travailleurs, menace pour les possédants ».

Or, quelques décennies plus tard, au lendemain des élections présidentielles de 2001, le socialiste Pierre Mauroy observait que, durant sa campagne, son parti avait omis de parler de la classe ouvrière, de s'adresser à elle. Quant aux communistes, ils savaient depuis une dizaine d'années déjà, sinon plus, que leur clientèle s'était en partie évaporée, votant en partie pour le Front national qui comptabilisait déjà un aussi grand nombre de voix ouvrières que les partis « ouvriers ». On est loin de l'époque – aussi bien 1947 que 1936 – où le mouvement ouvrier, c'est-à-dire les organisations qui parlaient au nom de ces travailleurs, se divisait sur les modes de passage au socialisme, c'est-à-dire sur un projet global.

En France, effet de la guerre froide, de la politique brutale de l'URSS en Europe de l'Est – Berlin 1953, Potsdam et Budapest en 1956, Prague en 1968 –, effet également de la faillite du modèle soviétique, de la mise au jour de l'ampleur de la répression et de l'extension du Goulag, le parti communiste lui-même avait pris ses distances avec l'idéal qu'avait représenté Moscou[27].

Mais si le décrochage du *mouvement* ouvrier d'avec ce modèle tenait à sa semi-faillite, le *monde* ouvrier lui-même était frappé par les effets des transformations de la vie industrielle, puis du marasme économique qu'autour de 1974 on croyait associés seulement à la crise pétrolière ; en vérité, celle-ci constituait le révélateur et l'accélérateur des progrès de l'automation, puis de la mondialisation. Ce changement qui se révélait durable n'était pas une panne, dont on attendait « qu'aux dirigeants rouges succèdent des clignotants verts » qui signifieraient « la sortie du tunnel ». Elle était l'effet d'un changement des rapports entre l'économie du pays – la France – et celle du reste du monde. Dès 1974, les faillites augmentent de 17 % en France, la production baisse, l'inflation atteint 15 % et le chômage massif fait une brusque apparition. Pour résister à la concurrence, effet de la libéralisation des échanges dont profitaient jusqu'alors les industries nationales, les solutions adoptées – pesée sur les salaires, recours à l'armée de réserve des travailleurs du tiers monde, exportation des implantations industrielles vers la périphérie, autres formes de localisation – font monter le chômage qui, vingt ans plus tard, atteint le pic de 3 millions en 1995, la mine et les industries métallurgiques ayant été les premières frappées[28].

Dans *Les Derniers Jours de la classe ouvrière*[29], Aurélie Filippetti se remémore ce temps de la mine où son père, au mieux, eût pu devenir ingénieur mais, mineur, il ne voulait pas diriger des mineurs. Chaque matin il descendait, « avec, au ventre, la solidarité des copains et la peur de la mort ». Sa fierté c'était la solidarité ouvrière, avec le ciment du parti communiste. « Entre eux, pas de collègues, rien que des camarades. Ils se moquent des sidérurgistes, plus égoïstes, déjà individualistes. L'éternelle rivalité qui surgit… […] Au bal, le samedi soir, il y a le clan des mineurs, frimeurs, un peu flambeurs, enviés et admirés, capables de croquer en une soirée un demi-mois de salaire. Réputé gras, le salaire d'un mineur, année 1950 […], grâce aux luttes, salaire équitable. »

« Nous n'avons pas fini de liquider cette histoire, dit aujourd'hui son père, brisé, sur son lit d'hôpital. On ne peut pas faire comme si tout cela n'avait pas existé, notre espoir, nos luttes, jour après jour. On ne peut pas balayer tout cela d'un revers de manche, comme ça, et se dire qu'on s'est trompé. » En 1968, surpris par la victoire, il a crié : « On a gagné. » Mais trente-cinq ans après, on mesure ce qu'il est advenu en Lorraine, avec la crise, la concurrence, la délocalisation, les licenciements : « Sols effondrés, affaissements miniers, les maisons fissurées à cause de l'ennoyage des mines… »

Alors que depuis un siècle – sauf en temps de guerre – le monde ouvrier et les sociétés urbaines vivaient dans un climat offensif de revendications et que l'État-providence, dès 1945, semblait devoir assurer la sécurité de leur avenir, le retournement qui s'est opéré avec la nouvelle révolution industrielle et la mondialisation a placé la société salariale et plus encore le monde ouvrier sur la défensive, au point que les syndicats ont été contraints de dire que « sont heureux ceux qui ont un travail fixe ». La précarité de l'emploi, la dégradation des acquis sociaux – dénommés « avantages sociaux » par les habitués de la fortune –, la mise en cause du niveau des salaires et des garanties diverses, voilà qui a contribué à dissoudre le monde ouvrier : l'usage de la sous-traitance, l'exportation des salaires les plus bas en dehors de l'entreprise accentuant sa parcellarisation.

Les effets de crise dans la classe ouvrière se sont révélés au niveau des individus aussi désespérants que la faillite du projet historique qu'elle était censée incarner, et que, de façon symbolique, a scellé la chute du régime soviétique.

Les prémices de cette déchéance sont apparues dès le début des années 1960 – par conséquent bien avant la crise de 1974. Georges Pompidou déclarait alors que le pays ne supporterait pas de compter plus de 400 000 chômeurs. Or on savait déjà que les mines, les industries lourdes, les entreprises de mécanique seraient les premières menacées. Dans *Nous, travailleurs licenciés*, on retrouve, à vif, les réactions de ceux qui se retrouvèrent confrontés à une situation totalement inattendue, que le patronat n'avait pas su prévenir, que les syndicats n'avaient pas su prévoir.

« Le 17 avril 1964, les délégués du comité central de notre usine à Saint-Étienne étaient convoqués à une réunion extraordinaire du comité. L'ordre du jour était laconique : "Consultation du comité central sur une modification de structure de la société." De fait, il ne s'agissait pas de consulter les délégués mais de leur annoncer les licenciements collectifs qui, en six mois, devaient toucher plus de 500 agents du personnel. L'administrateur-directeur général déclara : « "Si nous résolvons bien le reclassement, la question du traumatisme disparaîtra assez vite." C'est cette phrase qui, plus que d'autres, suscita une réaction. Ce licenciement fut une cassure nette qui nous jeta au fossé, comme une voiture victime d'un accident mécanique [...]. Notre travail, notre place, c'était notre vie, ce qui nous permettait de voir venir donc de voir la vie... Cet accident, pour moi, m'a privé de la vue. » [...]

« Car la liberté, pour un ouvrier, cela a été la sécurité de l'emploi, pouvoir se rendre au travail tous les jours, faire construire sa petite maison, faire son jardin, élever ses gamins. »

Certes, la décision fut prise de faire grève.

« Mais un gars, si tu lui demandes ce qu'il pense des grèves, c'est pas seulement que la grève est efficace, ou qu'elle a un but, qu'il verra. Il verra tout à la fois : comment sa femme accepte qu'il soit en grève, que son salaire soit amputé, que cela gênera sa promotion, que dans son coin, il va peut-être être tout seul. » [...]

« À Firminy, on avait demandé aux commerçants qu'ils ferment boutique une journée pour nous soutenir. Car une grève pour tous était une catastrophe. "C'est la classe ouvrière qui vous fait vivre..." Eh bien ! sauf quelques-uns, les commerçants n'ont jamais fait ce geste[30]. »

« Quant aux administrateurs, ils utilisent un langage je ne dirai pas technique mais intellectuel, avec des mots "conjoncture, processus de disparition, évolution, adaptation", j'ai l'impression que j'ai devant moi un manipulateur [...]. C'est comme s'il faisait un tour, et qu'on ne puisse pas comprendre [...]. Et puis, ces efforts pour nous dire qu'il fait ce qu'il peut pour nous "reclasser", pour éviter les licenciements, cela signifie que le patron considère que le travail est pour les ouvriers un moyen de gagner leur vie... Jeter à la rue des gens enracinés à leur usine, c'est « une malhonnêteté, une trahison... Je n'étais qu'une petite abeille, mais j'étais une abeille tout de même [...]. Par le travail on n'est pas propriétaire de l'usine, on se l'approprie[31]. »

Trente ans après, la déchéance a atteint des pans entiers du monde industriel construit au XIXe siècle, de sa classe ouvrière. Politiquement intégrée jusque-là, elle est socialement marginalisée et juridiquement domestiquée. En outre, l'État s'est désengagé d'un certain nombre d'activités productrices tout en cherchant une solution sociale au chômage. Le malaise général se développant, la maladie et l'absentéisme deviennent une forme moderne nouvelle de défection individuelle à ce mal de vivre[32].

Près de Longwy, Pierre Bourdieu a interrogé une de ces familles déchues. « Dans leur petite maison, rue des Jonquilles, M. et Mme M. ont un visage avenant, souriant et pourtant parcouru d'inquiétude, voire de crainte lorsque sont évoqués, à mots couverts, certains problèmes de voisinage [...]. "Vous savez, dans ce coin-là, on compte, oh on est sept Français, parce que même en face, là... Oh vous savez, moi je ne sors pas beaucoup [...]." M. L., échappé aux grandes vagues de licenciement, a conservé son emploi [...], son salaire a été diminué de 30 à

40 % maintenant qu'il ne travaille plus en feux continus [...], les équipes sont passées de 9 à 4 [...] pour une production constante, voire même accrue, les contraintes et les contrôles renforcés pour minimiser les absences, même en cas de maladie." On ne doit pas tomber malade, il n'y a personne pour vous remplacer. Maintenant il faut demander une autorisation pour être malade... Le gars se casse un pied à l'usine, il y a une voiture de l'usine qui vient le chercher à la maison... et qui le ramène tous les jours... Les syndicats sont affaiblis [...]. Ils nous rabâchent : 'Tu as du travail, estime-toi heureux...' Moi cela fait sept ans que je n'ai pas arrêté pour maladie... En septembre j'ai fait une entérite. J'ai été neuf jours à la maison : quand j'ai repris le boulot, mon chef de service m'a appelé ; l'ingénieur m'a dit que j'avais mis de la mauvaise volonté... et après seulement il m'a demandé ce que j'avais eu..."

Au vu de cette faillite, comment les jeunes pourraient-ils désirer être ouvriers à leur tour[33] ! »

Autres attitudes : l'exemple de Lotta continua *et des mineurs gallois*

La rancœur ou la résignation, le repli sur soi : sans doute ce comportement ne concerne qu'une partie des victimes des changements dans l'économie industrielle. D'autres fractions du monde ouvrier ont continué à être combatives, chacune à sa manière.

En témoigne, durant les années 1970, l'attitude des ouvriers italiens de la Fiat, qui, tel nombre de leurs camarades en France, n'ont plus le regard tourné vers Moscou mais vers l'expérience chinoise.

Autre posture, en hérisson, celle des mineurs gallois : ne pas céder, ne jamais céder, mais prendre des initiatives. Pour l'honneur.

La flamme révolutionnaire s'était réallumée en 1968, en Allemagne d'abord, puis en France avec le mouvement de Mai. Elle s'accompagna de la redécouverte et du retour de ce que le régime soviétique avait étouffé dans l'histoire ouvrière, les conseils. Leur forme avait retrouvé vie dans les événements de 1956 en Hongrie. Pour les révolutionnaires de tous les pays, leur répression signifiait la fin du modèle et du mythe soviétiques.

Plus que de soviets (représentants politiques élus d'une classe), il s'agissait de l'équivalent des comités d'usine que le parti bolchevik avait fait peu à peu disparaître dès 1918. C'est dans le contexte de cette régénérescence, en 1956 à Budapest, puis en Pologne, puis à Paris et en Italie que réémergea l'idée, reprise de Gramsci, de l'« hégémonie de la classe ouvrière » à ce stade du développement industriel où, à partir de quelques entreprises, il semblait devenir possible de paralyser l'ensemble de la production et où c'était l'organisation des responsabilités dans l'entreprise, sur la gestion, qui, plus que le montant des salaires, sécrétait les principaux conflits sociaux.

Mais c'était au moment aussi où après des tentatives d'application de l'autogestion refluaient déjà les luttes menées par les collectifs : symbolique fut la tentative des ouvriers de chez Lip, de sauvegarder leur entreprise.

Pendant ces années-là, d'après 1968, où syndicats et partis « ouvriers » s'étaient déconsidérés, une parole autonome venue d'en bas s'était exprimée, émanant de militants anonymes, ordinaires.

Après le tout feu tout flamme des milieux révolutionnaires, c'est en Italie que cette situation se perpétua de la façon la plus nette.

Militant de *Lotta continua*, Luciano Parlanti[34], en 1971, veut croire encore aux capacités révolutionnaires des ouvriers, ceux de la Fiat en particulier. Mais le parcours de son analyse fait foi qu'il n'est pas dupe de ses illusions. En quelques paragraphes, on passe du triomphalisme au désenchantement…

« L'usine, ces dernières années, nous l'avons changée. Aujourd'hui, par bien des côtés, elle est à nous.

Cela fait douze ans que je travaille à la Fiat... Je me rappelle l'époque où, dès que trois ouvriers se réunissaient pour discuter, le gardien qui circule à bicyclette arrivait aussitôt et les menaçait.

Aujourd'hui, on fait des meetings et même des assemblées improvisées. Jadis, on n'avait pas le droit de dépasser la ligne blanche délimitant son poste de travail, tu étais cloué là. Si tu mettais le pied dehors, le chef arrivait, il relevait ton numéro pour te muter. Aujourd'hui, nous faisons des kilomètres dans tous les sens dans les ateliers. Nous pouvons aller nous changer sans pointer. Et avant, malheur à qui parlait politique. C'est comme cela que tous les cadres politiques ont été vidés. Aujourd'hui, ce serait impossible.

Autrefois, le chef était un directeur. Un regard, et l'ouvrier se mettait au garde-à-vous, comme à la caserne. Interdit de fumer, et si tu avais faim, il fallait cacher un morceau de pain dans ton bleu... Aujourd'hui, on casse la croûte quand on veut. [...] »

Toutes ces observations semblent illustrer le film de René Clair *À nous la liberté* (1931) où apparaît de façon parodique, la passivité des ouvriers dans l'usine...

« Mais le plus important, ce sont les conquêtes que nous avons arrachées sur le plan du travail. Autrefois, quand la chaîne tombait en panne, s'il fallait une demi-heure pour la réparer, tu devais rester pour récupérer...

Cela ne veut pas dire qu'ils n'essaient pas de nous avoir alors qu'aujourd'hui tu peux voir directement le chef d'atelier. C'est sa hiérarchie qui lui a craqué entre les mains à M. Agnelli [...].

Pourquoi sont-ils si vaches ? Parce qu'ils y ont intérêt, touchant une prime de 50 000 lires si dans leur équipe on ne relève pas plus de cinq incidents sur une période donnée... S'il t'arrive quelque chose, ils disent que c'est rien, et le docteur est d'accord, ou bien les fayots vont faire les vendanges chez eux, gratis, bien sûr. [...] À la Fiat, pour faire carrière, il faut avoir une ferme. Tu apportes au chef le vin nouveau et le salami et il te fait passer à une catégorie supérieure... On passe chef par piston ou par parenté [...].

Si on se demande pourquoi les ouvriers ne luttent pas comme avant : c'est qu'en particulier ils ne sont pas d'accord avec la plate-forme revendicative du syndicat... Les rotations ne servent pas à nous former... Sur le 127, il y a des machines où si tu mettais un singe il deviendrait idiot. Tu pousses un bouton, c'est tout ; alors à quoi bon faire des rotations ? Et aux postes faciles on a mis des femmes... On n'apprend rien, comment s'étonner que les ouvriers n'ont plus envie de se battre avec ce truc... »

Comme, décidément, l'exemple à suivre ne peut venir d'ici – c'est-à-dire du monde capitaliste –, c'est en Chine et non en URSS que les militants révolutionnaires pensent le trouver*. Ainsi, toujours à la Fiat, Franco Platania explique que « certes, en Occident on peut se trouver un peu mieux ou un peu moins bien, mais le pouvoir y est toujours aux mains des patrons ». En Chine, « personne ne refuse de produire parce que la production sert à renforcer la capacité de lutte afin de continuer la révolution. Ils parlent toujours de continuer la révolution [...]. Là-bas, les usines sont gérées par les ouvriers et les ouvriers en assemblée peuvent élire le comité révolutionnaire et s'ils veulent, l'envoyer aux orties. Dans une usine de machines à coudre, en un an ils avaient changé onze fois le comité [...]. Le comité est la direction administrative de l'usine ; la direction technique est assurée par la "triple alliance", les cadres politiques, les techniciens et les masses ».

Suit une description idyllique des relations de travail dans une usine avec cette conclusion : « Trois choix sont ouverts à l'ouvrier : utiliser la machine, la détruire, l'améliorer. En Chine, ils l'améliorent... Chez nous, si la Fiat brûle qu'est-ce que j'y perds ? »

---

* Pourtant, il ressort d'une intervention d'un délégué de la Fiat au colloque d'*Il Manifesto* en 1971 que l'expérience soviétique fascine encore : on a su s'y débarrasser des patrons et instaurer un régime social qui assure la sécurité. « Qu'ils viennent en Italie, les Cosaques, pour mettre les choses en place. » (*Il Manifesto*, Le Seuil 1978, p. 186-193.)

Le cas des ouvriers de la Fiat à Turin se retrouve ailleurs, en France notamment, où, pour la même période, les autobiographies réunies par Jean Peneff[35], par exemple, témoignent que dans les corporations les mieux organisées et les plus combatives – les métallos de la région de Nantes notamment –, on a vu survivre une conception de l'Histoire fondée sur l'idée d'un affrontement constant, sur une lutte anonyme, sans personnalisation, avec un optimisme sur l'issue de ces luttes, malgré les échecs, et sur une régénérescence de la dynamique combative, une sorte d'héritage de la mémoire.

Les espaces de liberté ont été conquis certes, comme en témoigne l'exemple de la Fiat à Turin. Or, de fait, ils se limitent aux formes de la dépendance dans le travail – alors que le discours sur le combat mené porte haut : sur la relation avec le capital, et dans le cadre de la grande Histoire.

En Italie, *Lotta continua* n'est plus, mais Agnelli est toujours là.

La manière de faire des mineurs gallois a été différente.

L'obstination des mineurs gallois

Le cas de la mine Tower en pays de Galles, près de Merthyr Tydfill dans la vallée de Cynon est un fait exceptionnel. Mineurs d'abord, ils n'ont pas voulu céder quand Margaret Thatcher, en 1994, a voulu fermer les puits dans un bassin dont les traditions combatives remontent au début du XIXe siècle.

Ils n'avaient pas cédé aux patrons ni à Churchill lors de la grande grève de 1926, ils n'avaient pas cédé en 1944, ils ne céderaient pas à Mme Thatcher.

Se constituant en coopérative, ils mirent en commun leurs indemnités de licenciement et coururent le risque de racheter la mine en offrant double prime à la banque qui réussirait à leur faire gagner ce marché. La mine était rentable et, dix ans après, en 2003, elle peut produire 800 000 tonnes par an, mais se limite aux 600 000 pour faire face à d'éventuels aléas de la conjoncture. La coopérative fonctionne de manière rigoureusement démocratique puisque c'est l'assemblée des mineurs – quelques centaines – qui choisit directement, après audition, le directeur financier et les membres du bureau, renouvelés régulièrement.

Lorsque ce bureau, en 1999, crut bon de proposer une diversification des activités pour assurer l'avenir de l'emploi, il eut affaire à la grogne des mineurs : ils s'étaient battus pour la mine, pour la mine seulement, et la dignité de leur métier – pas pour que la mine Tower devienne une sorte de musée des luttes ouvrières, avec activités touristiques et culturelles à l'appui.

La mine d'abord, ses équipes de football et de rugby certes, ses écoles et centres éducatifs voire, mais pour la mine et ses mineurs. Seul projet accepté, celui qui assure la survie de la communauté, voire le passage sur vingt ans aux plus jeunes et pour que ne les tente pas une évasion vers d'autres horizons. Dans *Charbons ardents* (1999) Jean-Michel Carré a pu filmer en direct l'aventure unique de ces mineurs gallois, incarnation d'une expérience « autogestionnaire », ou « coopérativiste » réussie, et sans guère d'équivalents, même si en 1968 et après, en France, des expériences voisines avaient été tentées, par exemple chez Lip ou aux usines Wonder.

Il semblerait que la mondialisation resserrant son étau ici, élargissant aussi des possibilités ailleurs comme ici, cadres et syndicats, ouvriers et employés pourraient reconsidérer leurs manières de défendre leurs droits, qui datent du XIXe siècle, et qui se perpétue, comme on le voit par exemple dans *Coup pour coup* de Marin Karmitz (1972).

La sacralisation de l'attachement à une profession, à une seule, l'ouvriérisme aussi bien ont fait bien des dégâts dans le passé. Le monde a changé, plus vite que les mentalités et que la capacité d'une société à en prendre la mesure. Il y a là toute une formation des jeunes à reconsidérer pour les préparer à une mobilité professionnelle qui devient un gage d'adaptation à l'avenir.

En Russie, une société aux abois (1985-2000)

Quand Herzen prophétisait que « si la Russie accomplissait une révolution, elle ne le ferait pas à moitié », il n'imaginait pas que cette prophétie se réaliserait deux fois : en 1917 et après 1985[36]. Le démantèlement du système soviétique à l'époque de Gorbatchev – « il a tout cassé et il a disparu » – puis le passage au libéralisme à l'époque d'Eltsine ne se sont pas, certes, opérés en un tournemain, des secteurs du système soviétique ne se décomposant que par éléments successifs, un peu à la façon d'un iceberg, sauf que ce démantèlement ou cette survie n'ont pas concerné nécessairement une région ou une autre mais aussi bien un secteur d'activité. Or, inéluctablement, par le changement politique d'un côté, les privatisations sauvages ou pas de l'autre, l'ensemble des conditions de vie de la population s'est transformé.

Et si, avec la privatisation des biens de l'État, est apparue une catégorie de millionnaires de la *nomenklatura* qui ont su se saisir des biens de l'État à bon compte – les kleptocrates – et si un autre groupe de millionnaires parvenus, des tout jeunes, a fait fortune par de petits trafics de vêtements et autre matériel électronique plutôt qu'achever ses études, quitte à avoir maille à partir avec la justice – la « mafia-jeune » –, à côté de ces deux groupes, la plus grande partie de la population a fait naufrage avec la disparition d'une partie des services sociaux, cet apport du régime communiste, avec la quasi totale sécurité de l'emploi.

On a retiré à la population sa bouée et on lui a dit : maintenant nage[37].

« Il suffisait de naître et l'État donnait tout gratuitement : crèches, jardins d'enfants, écoles, universités, congés payés, maisons de cure, médecine gratuite. » Et voilà qu'un beau jour on annonce que la médecine n'est pas gratuite, et on sacrifie tout ce qui n'est plus rentable : crèches financées par les entreprises désormais en faillite, laveries, etc. « Il n'y a plus d'argent, sauf pour la nourriture[38]. »

De fait, quand Gorbatchev arrive au pouvoir, en 1985, la nourriture courante était, certes, à prix taxés mais bon marché. Avec cette particularité qu'on ne la trouvait plus. Les magasins étaient vides, ou vidés dès l'aube après qu'on eut enduré de longues files d'attente, et encore en tout et pour tout pour acquérir un peu de fromage ou de kéfir, voire quelques saucisses. À Khabarovsk, en 1986, à l'intérieur d'une grande surface ne figuraient plus, orphelines, que des piles de boîtes de tomates. Plus un seul client, et pour cause, mais dix employés pour servir. Sur les vastes murs, bien visibles dans toute leur hauteur puisqu'il n'y avait plus rien sur les étagères, on pouvait lire cette phrase, écrite naguère en lettres de feu : « Ici, on est au service des travailleurs. »

La même année, pas loin de Moscou, sur une grande route, subitement notre chauffeur prend une petite rocade à droite, vers un bois. « *Benzin* », nous dit-il en continuant sa route. De fait, un peu plus loin, on aperçoit une file de voitures : il se met derrière. À l'arrivée, un préposé siphonne un pipe-line qui passait par là. Un pourboire proportionnel à la durée du siphonnage et on repart. Deux camions-citernes nous avaient précédés[39]. Il est vrai que, pour l'essence, il n'est pas aisé de trouver un marché parallèle – comme pour les fruits que l'on peut toujours trouver, au prix fort cette fois, au marché kolkhozien...

Cette pénurie n'a cessé de s'aggraver, et sur tous les produits, il y a excès de demande : viande, montres, savon, vêtements, la liste est devenue interminable, telles les files d'attente partout et pour tout, aussi nombreuses que les anecdotes qui les concernent...

« Que va-t-on vendre ici ? demande un passant au premier quidam d'une longue file.

— Je ne sais pas, répond l'autre, accoudé à une porte cochère. J'étais fatigué, je me suis accoudé, un peu assoupi, et une file s'est formée derrière moi...

— Il n'y a rien à vendre ? Mais alors, vous pouvez partir.

— Que non, vous ne savez pas le bonheur qu'il y a à figurer le premier d'une file. Je reste. »

Pour acquérir quelque chose, le vrai problème n'est pas l'argent, mais l'accès au produit ; le terme le plus employé n'est pas « acheter » *(pokupat')* mais se procurer *(dostat')*. On a accès soit par privilège, quand on est haut placé, soit par ses relations, qu'on soigne, soit en rendant un service, ou en faisant du troc. C'est pour cela qu'à la sortie du métro par exemple, les Russes achètent ce qui s'y vend – des pommes, des livres, des disques, des pommades, que sais-je ? – et plus qu'ils n'en ont besoin pour échanger le surplus avec un collègue contre d'autres produits ; c'est pour cela aussi que beaucoup se procurent des produits en faisant la queue, « échangeant » ainsi ce temps passé là contre d'autres produits, etc.

L'autre fléau de la vie quotidienne des Russes avant et après la *perestroika*, c'est bien la faillite des services publics urbains et des services communaux.

Grâce à l'enquête d'une jeune sociologue russe, Anna Minaeva, on dispose d'une source unique pour la compréhension du monde soviétique, le « journal d'un appartement », qu'elle a trouvé chez une dame retraitée de Leningrad et qui date de l'époque dite du « socialisme développé ». En voici les extraits, pour 1979, 1982, 1986.

« Il fait froid dans la maison.

2. Radiateur explose dans l'esc.

9. L'eau chaude est coupée.

12. Radiateur réparé. Esc. sali.

16. On a balayé l'esc.

31. Hier soir on a remis l'eau chaude.

Février

1. L'eau chaude est coupée.

5. On a remis l'eau chaude.

10. Le gond de la porte est cassé. La porte pend.

Il fait froid dans la maison.

17. La porte est réparée.

18. Un type est venu changer la plaque à gaz.

20. Avons appelé Lengaz*. Disent qu'ils ne doivent pas changer les plaques.

21. Avons appelé la milice. [...], demandent les contacter si le type de Lengaz vient à nouveau.

Mars

3. Plein d'ivrognes dans l'esc. Avons appelé la milice [...], sont arrivés une demi-heure plus tard, il n'y avait plus d'ivrognes.

4. Les ivrognes de nouveau dans l'esc.

20. L'ampoule est cassée dans l'esc. [escalier – A.M.].

22. L'eau chaude est coupée.

27. On a remis l'eau chaude.

31. Des ivrognes dans la cour, une huitaine. En ai chassé deux de l'esc.

Juillet

1-31. Pas d'eau chaude [...].

Août

1. Pas d'eau chaude.

2. L'eau chaude coule du robinet d'eau froide. Avons appelé la section de l'habitat. Ont dit d'attendre lundi. Avons rencontré le plombier. Il s'est mis à dire que c'était pas *(sic !)* son sous-sol, mais fini par réparer.

---

* Leningrad-gaz.

8. Pas de lumière dans l'escalier.

13. Ont réparé la lumière dans l'escalier.

14. Le soir, 6 ivrognes dans la cour. Fument, boivent, hurlent

22. Avant 5 h du matin la radio plein volume s'entend du sous-sol. Avons demandé au plombier qui reprend le sous-sol. Dit qu'il a oublié d'éteindre la veille.

23. Le soir un type a sonné à la porte, a demandé à boire. Avons refusé.

26. Le matin le camion d'alimentation rentra dans une voiture privée. L'autre s'est fait bien écraser.

Juin

3. On a remis l'eau chaude.

6. L'eau chaude est coupée.

13. Dehors t – 14, dedans + 19.

À 16 h un milicien était debout. Portait une serviette. Des voix montent du sous-sol. Odeur forte d'alcool et de tabac. Sont partis tôt, vers 19 h.

14. Les ivrognes sont toujours nombreux. Le matin, vers le canal Griboedov, une queue immense à l'échoppe des spiritueux. Dans tous les coins il y a des poivrots. On voit les tronches effrayantes des hommes et des femmes.

17. Dehors t – 21, dedans + 17.

Pas d'eau chaude. Les conduits de chauffage sont à peine tièdes.

Le réverbère ne marche pas [...]

23. Dégel. Les rues sont mouillées. On glisse. La neige n'est pas ramassée. Une flaque d'eau près de l'entrée. Pour sortir, il faut marcher à travers la flaque. Elle provient du monceau de neige en train de fondre. L'eau coule sur l'escalier. [...]

Juin-juillet-août – pas d'eau chaude jusqu'au 26 septembre [...]

Décembre

[...]

31. Le compteur déréglé fait des étincelles – les sapeurs sont venus. On a coupé des câbles (prix : 3 roubles) »

Il ne s'agit pas-là d'un texte postmoderne, note avec humour Anna Minaeva qui a compté que l'eau chaude a été coupée 44 fois pendant la tenue de ce journal[40].

Quant à la façon dont sont gérés les services communaux, on le pressent à la lecture de cette information que le regretté Basile Kerblay nous avait communiquée et qui est extraite des *Izvestija* de 1984.

À Bor, près de Gorki (redevenue Nijni-Novgorod), l'asphaltage des rues traînait en longueur. La municipalité, lasse de cette impuissance, eut l'idée de désigner comme responsable de cette tâche celui des membres du conseil de la ville dont la rue était la plus mal pavée. L'effet fut immédiat, la rue du conseiller fut aussitôt asphaltée. Mais ses efforts s'arrêtèrent là. Espérant, par ce biais, résoudre son problème, la municipalité confia ensuite cette responsabilité à un second conseiller dont la rue était un bourbier. Le travail fut immédiatement exécuté. On passa à un troisième conseiller et ainsi de suite.

Cet exemple montre que l'écart est grand entre les principes du régime et le fonctionnement social réel où jouent les passe-droits et où on attend tout des Institutions de l'État. Le régime du « socialisme développé » avait laissé naître ces comportements.

Successivement, la libération des prix en 1992, la spoliation de l'épargne en 1993 et l'hyperinflation quasi persistante ont paupérisé l'essentiel de la population salariée de l'État, dont le revenu réel fut réduit à rien, ou presque.

Entre 1990 et 1993, le taux d'inflation passe de l'indice 100 à l'indice 63 676, les salaires nominaux de 100 à 23 932, les salaires réels de 100 à 37[41].

Ogoniok, de mars 1992, publie en 1992 la lettre d'une enseignante de la région du lac Baïkal, en Sibérie.

Elle a pris des initiatives pour accroître des revenus qui avaient diminué des deux tiers. Elle explique :

« Il y a trois ans déjà, j'ai conclu un contrat avec l'État d'après lequel une partie de ma paie serait épargnée pour l'achat d'une voiture par ces versements réguliers à la Banque d'État.

Après avoir, au bout du compte, versé 18 000 roubles, cela s'est révélé être une fiction puisque la voiture coûtait, trois ans plus tard, 100 000 roubles supplémentaires. [...]

Je travaille comme enseignante au BAM (Baïkal-Amou-Magistral) en Sibérie. Bien entendu, je n'ai pas cet argent. On m'a dit que cet État qui avait conclu ce contrat n'existe plus aujourd'hui. Pourtant, les caisses d'épargne ont été montées par le gouvernement de Russie (RSFSR). Il y avait bien, alors, des fonctionnaires pour soutirer cet argent gagné à la sueur de notre front, aujourd'hui, plus personne pour tenir les promesses... En 1989, pour 3 000 roubles je pouvais meubler un appartement et acheter réfrigérateur, TV couleur, et quelques paires de bottes. Hélas, j'aurais dû tout acheter à l'époque. Au contraire, j'ai préféré donner cet argent à l'État en faisant confiance à son honnêteté. Je suis restée en rade.

Qu'est-ce que notre État de droit est prêt à faire pour compenser cette perte ?

Comment faire un million ? J'ai inventé un produit à l'usage du grand public dont les matières premières étaient composées de déchets d'usine, on a fabriqué le produit à la chaîne.

[...] Pour verser une paie de 60 000 roubles, il me faut 60 000 roubles. Après la vente de la marchandise, le règlement de toutes les factures, impôts, salaires, crédits bancaires, je me retrouve endettée. Le million a été englouti en impôts par le même État qui a croisé les bras[42].

Notre État est perpétuellement confronté à la même catastrophe, il a toujours cherché quelqu'un à rançonner. Combien de fois il lui a fallu, ces dernières années, effectuer des hausses de prix, soit au détail, soit globalement, et combien de fois sont apparus de nouveaux impôts ? [...]

On dit que l'on se dirige vers l'économie de marché. Mais de quel marché parle-t-on, quand l'État prend tout cet argent en faisant grimper aussi les prix ? Mon produit se serait vendu dix fois moins cher si l'État ne m'avait pas arraché dix fois la peau. Maintenant, je n'entreprends plus rien. Je reçois un peu d'argent, mais sans faire d'effort. J'apprends l'anglais : peut-être qu'il y aura une chance de foutre le camp de ce pays. »

Naturellement ce sont les retraités qui sont le plus victimes de l'inflation. « Vivre, c'est compter », consigne Alexei Ivkine dans le supplément des *Izvestija* en juin 1994. Il a eu entre les mains le cahier d'écolier qui sert de livre de compte à Maria Solodova, où elle consigne ses dépenses et ses recettes. Au vu de la montée de l'inflation, les montants qu'elle indique n'ont de sens qu'en relation avec ce qu'elle peut acquérir. Voici ce qu'écrit Alexei Ivkine :

« Elle habite un appartement de 18 m^2 qui vient d'être privatisé. En 1950, elle a eu la tuberculose et, depuis, elle a droit à une pension d'invalidité du deuxième groupe.

En mai 1994, sa pension se monte à 141 000 roubles, soit les 84 000 roubles qu'elle touche depuis le mois de mars, plus les 57 000 roubles supplémentaires que le gouvernement de Moscou verse à toutes les femmes qui ont combattu pendant la dernière guerre. En tant qu'ancien combattant, Solodova ne paie que la moitié de son loyer et des charges communales.

Le studio de notre retraitée compte six ampoules électriques de 40 watts, une radio et un téléviseur mais, comme celui-ci est en panne depuis au moins dix ans et qu'il n'est pas raccordé à l'antenne collective, Mme Solodova n'a pas de redevance à payer. Elle possède également un grand réfrigérateur et une machine à laver qu'elle utilise rarement. En juin, sa facture d'électricité se monte à 180 roubles.

Solodova paie donc 1 600 roubles pour son loyer et les charges le onze du mois, dès qu'elle touche sa pension. Aussi, que ce soit en mai, en juin ou en juillet, les pages de son livre de comptes commencent-elles toujours de la même façon : 141 000 – 1 600 = 139 000 roubles, ou plutôt, 140 000, car Solodova arrondit au chiffre supérieur.

[...] Les médicaments sont délivrés gratuitement. Elle ne dépense rien en transports, n'achète plus depuis longtemps de journaux, préférant écouter la radio. [...]

À partir du mois de mai, elle vit dans la datcha aménagée que loue pour la famille son fils unique à raison de 601 000 roubles par mois. Maria Solodova a décidé de participer à la location pour 100 000 roubles par mois. Il ne lui reste donc que 40 000 roubles pour tout le reste. [...]

[...] Je n'achète plus jamais de charcuterie mais de temps en temps, j'aurais plaisir à manger une petite saucisse. Pour ce qui est des fruits, je ne me permets que les pommes. Très rarement, je fais une folie : j'achète une ou deux oranges, un citron ou un pamplemousse, j'en ai si envie, surtout du pamplemousse ! [...]

Quant à la viande de bœuf, j'en consomme deux fois moins qu'avant les réformes. J'achète le plus souvent des cuisses de volaille (je commence par faire du bouillon puis je les passe à la poêle) ou du foie de bœuf. Les sucreries et les douceurs, j'y ai tout à fait renoncé. [...]

Si je disposais de la totalité de mes 141 000 roubles, j'achèterais davantage de fruits et de légumes, surtout des baies pour avoir des conserves en hiver. Et il me resterait encore 50 000 roubles...

— Qu'en feriez-vous ?

— Peut-être bien que j'achèterais des actions[43]. »

« Des actions ? La privatisation, on s'est fait avoir, dit un ouvrier à un enquêteur, en 1997. On y croyait, et, résultat, on se retrouve sans réel droit de contrôle sur l'entreprise parce que nous n'avons pas notre mot à dire lors de l'assemblée des actionnaires. Nos actions ne valent rien. Ce sont des bouts de papier, autant s'en débarrasser[44]. »

En ce temps-là encore – 1995-1997 –, les salaires ou les retraites avaient été payés. Mais bientôt les délais de règlement s'alourdirent jusqu'à deux ou trois mois, plus encore, pour atteindre jusqu'à une année de retard. Valery Pissiguine a fait la collecte d'informations dans *Trud* et autres publications russes sur la façon dont les présidents d'associations agricoles, directeurs d'usines ont rémunéré leurs employés et ouvriers faute de pouvoir verser un salaire qui, en tout état de cause, eût été illusoire vu l'inflation. Près de Novgorod, le lait ne parvenant pas à être écoulé, on ne paie pas les employés, mais on mène les bovins à l'abattoir et on leur distribue les jeunes veaux « en compensation du salaire dû ». D'autres ont reçu en salaire des lots de casseroles qu'ils fabriquent – à charge pour eux de les revendre ou de les échanger ; d'autres, des soutiens-gorge, de la vodka à Nijni-Novgorod, de la confiserie à Samara, de l'essence à Iujnoouralsk[45].

Mais ces procédures ne sauraient être pratiquées dans les usines nucléaires, les barrages, les transports, etc. D'autant qu'avec les privatisations furent réduits les effectifs de nombre d'entreprises. Certes, la grève a pu être une réponse, celle de la colère, et ce fut le cas dans les charbonnages du Kouznets. La

Figure 14 : *1985. « Même sous le comptoir, il n'y a rien ! »*

cessation de travail a commencé à Kemerovo [et qui était] accompagnée de celle des enseignants, dont le sort confinait désormais à la pauvreté. Privatisation, mise en cause des syndicats anciens ont constitué l'essence d'un conflit dont l'enjeu était le ralliement, ou non, aux réformes d'Eltsine[46].

Autre processus : devant ce désarroi, le suicide, la maladie, voire la hausse de la mortalité apparaissent comme un effet du traumatisme causé par l'appauvrissement généralisé, la désorganisation du travail, le brusque changement de vie. Pourtant, si ces faits apparents sont clairs, l'explication est plus complexe car la hausse de la mortalité a des racines plus anciennes, liées en partie à la déchéance du système sanitaire à la fin de l'époque Brejnev. L'espérance de vie à la naissance a dégringolé de 64,9 ans en 1986, à 57,3 ans en 1994. Recul des naissances, fléchissement du nombre des mariages sont dus également à la chute des revenus et surtout à l'insécurité quant à l'avenir. Comme dans l'Allemagne de 1923, à l'époque de l'inflation, il y a eu en Russie une remontée de la tuberculose depuis 1990. Plus : on a assisté à une véritable épidémie de crises cardiaques, à une progression de 25 à 65 % des maladies cérébro-vasculaires. Le fait que ces traits frappent la tranche d'âge de quarante à cinquante ans n'est pas sans signification – il est lié à la conjoncture –, et pas à l'alcoolisme qui a sévi avant, pendant et après ces dix années terribles[47].

Sans doute, il y a eu d'autres réponses individuelles aux changements venus d'en haut et qui ont pris de court le plus grand nombre : vu les problèmes qu'a toujours posé le ravitaillement, d'aucuns ont créé leur propre entreprise agricole privée, pas trop loin des grandes villes, souvent à partir d'un lopin acquis à bon compte ou d'une datcha ; d'autres ont transformé en musée leur entreprise désaffectée, ou organisent encore la visite payante de la prison, etc. Beaucoup ont voulu profiter de la liberté retrouvée pour partir à l'étranger, c'est-à-dire en Europe et aux États-Unis, en Israël ; on a ainsi pu parler d'une fuite des cerveaux, mais qui a été moindre qu'on le prévoyait, alors que les hommes d'affaires, au contraire, ont été plus nombreux à s'enraciner hors de Russie ou à y investir[48].

Une énigme demeure pourtant.

Comment se fait-il qu'il y ait eu si peu de mouvements sociaux, de grèves notamment, en réponse au marasme qui a atteint une bonne partie de la société (les statisticiens jugent qu'on a pu compter jusqu'à 30 % de la population vivant en dessous du seuil de pauvreté), étant entendu que les retraités ont constitué une très bonne part des victimes des réformes ?

Une première réponse, donnée par Cécile Lefèvre, est que le système de protection sociale hérité du régime soviétique a survécu malgré tout, au moins dans les grandes entreprises qui ont résisté à la crise. Par exemple l'entreprise automobile GAZ de Nijni-Novgorod, en 1992, continuait à construire 4 000 appartements par an, longtemps proposés gratuitement ou à bas prix : la liste d'attente comportait encore 20 000 noms. Cent huit jardins d'enfants accueillaient 16 000 enfants, les établissements médicaux utilisaient 4 000 personnes. GAZ assurait également l'approvisionnement de base des salariés par toute une série de trocs avec d'autres entreprises. Autant pour l'usine Moskvitch, de Moscou.

À la question : « Comment l'usine réussit-elle à acheter les produits qu'elle subventionne pour ses employés ? », le vice-président du syndicat de l'usine répond :

« Il y a deux-trois ans, des accords de troc ont été passés, des voitures contre d'autres productions. Ces accords existent toujours, aux prix de 1990. Pour l'usine, c'est devenu moins avantageux. Mais on essaie de maintenir cette règle en matière de politique sociale : des salaires élevés, et des produits vendus deux fois moins cher qu'en ville par l'usine. Il existe aussi un accord avec des firmes étrangères, comme avec Estée Lauder, dont l'usine vend certains stocks de cosmétiques. Bien sûr, toutes ces ventes préférentielles donnent lieu à des opérations de spéculation, sur tous les produits, et particulièrement les voitures (elles ne sont vendues à moitié prix que depuis peu, justement devant ce phénomène, car avant, elles étaient encore meilleur marché, de l'ordre de 40 000 roubles, pouvant être

Figure 15 : *1990. Restructuration dans une entreprise soviétique.*

payées à crédit). Finalement, cette politique sociale coûte très cher à l'usine : elle a dépensé 1,7 fois la masse salariale rien qu'en achats de denrées et autres biens à revendre à ses employés. Il faut ajouter à cela le tarif préférentiel pour les voitures et l'accès aux différents services. Au bout du compte, les dépenses de politique sociale correspondent à deux fois la masse salariale[49] [...]. »

« Il existe un problème de vol de pièces détachées dans l'usine. Mais on ne licencie pas les voleurs. Une des fiertés à Moskvitch est en effet de n'avoir encore licencié personne. Par ailleurs, l'usine a toujours du mal à satisfaire sa demande de main-d'œuvre ouvrière qualifiée et donc ne licencie pas. Les sanctions sont donc par exemple la rupture de la promesse de vente d'une voiture. On peut aussi supprimer les primes, qui représentent environ 30 % du revenu total perçu par l'employé. »

Une deuxième donnée bien analysée par Myriam Désert est que l'entreprise constitue autant un havre d'assistance et un espace distributif qu'un lieu de travail. Le point important est que « les licenciements (liés à la privatisation) n'ont pas généralement pris la forme juridique du licenciement ; le fait que l'emploi du temps de tous soit plus ou moins assuré par une réduction du temps de travail de chacun implique en effet une part importante de chômage technique, congés sans solde etc. [...] Mais *ils continuent d'appartenir au collectif de l'entreprise* », quitte à chercher ailleurs de petits boulots. Mais le marché, en s'ouvrant, est devenu une sorte de « cheval de Troie » dans l'entreprise, sécrétant des conflits nouveaux entre services, un atelier pouvant être accusé de vivre « aux crochets des autres », etc. Ajoutons, différence avec les temps passés, que l'acquisition de nourriture est un sujet de préoccupations bien plus réel que la signature de conventions collectives[50].

Si, à l'intérieur de l'entreprise les relations horizontales ont pris le pas sur les relations verticales, à l'extérieur, l'économie de réseaux, dite « informelle », a pris la relève de l'économie parallèle et s'étend aux relations sociales ; Svetlana, une vendeuse dans un magasin passée thérapeute, explique la différence :

« Je ne sais pas comment définir le système de réseau. Avant c'était simple. Je travaillais dans l'alimentaire. Je connaissais des directeurs de magasin et je pouvais avoir "derrière le comptoir" des choses qui n'étaient pas mises en vente. Je n'étais pas à l'aise, mais je me consolais en me disant que tout le monde faisait pareil. Maintenant, je ne demande rien d'illégal aux gens que je connais. Je n'éprouve plus de gêne et me sens libre. L'important c'est la bienveillance. Je demande, on me demande. Il n'y a pas de malaise. Je ne sais pas obtenir quelque chose avec de l'argent. »

Toute jeune, Oksana, élargit les données (Oksana, vendeuse, vingt et un ans, vient d'arriver à Saratov, en provenance d'une petite ville) :

« Je n'utilise pas de réseau, mais je n'ai rien contre. Parce que je pense que, dans la vie qui est la nôtre, il y a des problèmes qu'on ne peut pas résoudre autrement et il me semble que c'est une bonne chose que le réseau, ça existe. Si on a un problème qu'on n'arrive pas à résoudre, c'est la solution ultime. Et cette perspective, tu l'as toujours en tête. Autrement dit, tu es sûr de résoudre ton problème avec le réseau. Mais quand même, quand j'y ai recours, je ne me sens pas trop à l'aise. Parce que cela signifie que je n'ai pas pu résoudre mon problème toute seule. Le réseau, c'est le symbole de la limite de tes possibilités. C'est comme une borne frontière. De ce côté-ci, c'est ton territoire, de l'autre, celui de l'adversaire. Donc, quand tu as recours au réseau, tu signes d'une certaine façon un acte de reconnaissance de ton impuissance. D'où le malaise. Mais en même temps t'es content d'avoir fait preuve d'astuce et d'avoir résolu ton problème[51]. »

Ainsi, faire grève, ne pas se rendre dans son entreprise, c'est se priver de tout, également de ses réseaux informels.

« Ici, il n'y a pas de problèmes, déclare le chef de la police à Valery Pissiguine, sociologue et historien. Pas de problèmes, tout est calme. » Un beau gars, le visage ouvert, quarante ans ou un peu plus : « Vous comprenez, à Pouchkino, il n'y a pas de riches, rien que des pauvres et des très pauvres. Pas de business, pas d'industrie, rien ni personne à exploiter. On vit des allocations. Et même pas de ressources cachées : rien, ceux qui ont voulu faire des affaires ne peuvent pas joindre les deux bouts...

— Et la corruption ?

— La corruption ? Quelle corruption... Il rit. Puisqu'on vous dit qu'ici il n'y a rien, pas d'investissement, pas de placements en banque, pas même de correspondance avec la ligne Saint-Pétersbourg-Kiev qui passe à vingt kilomètres...

— Et la délinquance ?

— Aucune délinquance organisée. Juste de la délinquance non organisée...

— Non organisée ?

— Oui, des voleurs, quoi...

— Mais qu'est-ce qu'ils peuvent voler ?

— N'importe quoi, tout ce qui leur passe sous la main. Pour 90 % ce sont des vols dans les maisons, datchas, caves, n'importe. On emporte les oiseaux, les porcs, les vaches, les chevaux, les ché...

— Et on ne fait rien ?

— Bien sur que si, on les arrête, on les juge, on les condamne, on les coffre. Et quand ils ont fait leur temps, ils reviennent... Tenez, l'année dernière, il y a eu un boom sur le cuivre... Ils allaient partout où il y avait du cuivre : sécheuses à grain, appareils enregistreurs, etc. Maintenant, il y a un boom sur l'aluminium. Ils le piquent partout, puis le revendent, cela file ensuite dans les pays baltes... »

Puis, il fait l'inventaire des quinze derniers délits en août et septembre, la nuit en général...

« — Oui, conclut Alexandre Petrovitch, vous voyez, ici il ne se passe rien, tout est calme[52]... »

De fait, le taux de délinquance est bien monté en flèche à la fin du régime Gorbatchev et plus encore à l'époque d'Eltsine, pour redescendre quelque peu depuis l'arrivée de Poutine, mais il demeure trois à quatre fois moindre qu'aux États-Unis et encore inférieur à celui de l'Europe occidentale. Surtout, les meurtres et les viols ne forment que 4 % du total, 6 % le hooliganisme, mais 70 % les vols simples, comme à Pouchkino.

S'il est vrai que la délinquance organisée a fait un bond prodigieux entre 1985 et 1995 puisqu'on a comptabilisé 4 300 bandes et 150 syndicats, cette « marche triomphale du crime », « prix à payer pour sortir de l'État policier », disait Eltsine, on note également que la presse russe, et celle d'Occident à sa suite ont manifesté une complaisance particulière à grossir le trait et que lorsque aujourd'hui l'État veut mettre fin au scandale des privatisations – ce hold-up sur les richesses de la nation –, les mêmes organes de presse parlent d'atteintes aux libertés[53]...

Ainsi, en Russie postsoviétique, quand l'effondrement des conditions de vie a frappé une majorité de citoyens, ceux-ci n'ont pas jugé, comme aux États-Unis en 1929, lors de la grande dépression, « qu'ils avaient raté leur vie ». Ici, en Russie, c'est l'État, l'État seul, qui est jugé responsable de ce marasme, et des malheurs de tous les temps. À Efremov, bourgade perdue en 1917, et tout aussi perdue en 2002, un camionneur retraité déclare qu'« il est resté un esclave, un esclave russe et fier d'être un Russe ». Dans cette bourgade également, comme à Pouchkino, on vit en dehors de l'Histoire, du moins le croit-on. On écrit à la capitale du district parce que les bureaucrates « nous ont volé », et qu'on nous y traite de « commerçants bourgeois » sous prétexte qu'« on vend notre récolte... ». Ils ne sont jamais venus à Efremov et, « si on leur parlait, ils ne nous comprendraient pas[54] ».

Or, si cette fracture culturelle se révèle aussi grande, la Russie n'est pas composée que de bourgades telles qu'Efremov ou Pouchkino, qui constituent les cibles privilégiées des écrivains et cinéastes.

À l'autre extrême de la société – hormis les affairistes, très entreprenants, et les retraités, ces sacrifiés –, il y a en Russie une forte minorité de créateurs qui contribuent à la régénération du pays – ce que l'Occident rechigne à reconnaître.

Au Bourget, ces dernières années, le Sukhoi a gagné le prix de l'avion de démonstration, tandis que, dans l'espace, c'est une

2 CV soviétique qui dépannait des astronautes américains ; de jeunes Russes ont gagné la coupe Davis, et leurs tenniswomen tiennent la cote en 2004, pour ne pas parler de la Bereznaja et Tikhonov, toujours à la pointe des ballets. À Avignon comme à la biennale de Venise, les troupes et les réalisations russes font une bonne partie du spectacle ; sans parler de la mode qui, avec Seredin et Vassiliev, s'est imposée à Rome, Paris et Londres : il suffit, pour s'en convaincre, de regarder Fashion TV. Les ventes de pétrole de gaz et d'armes ne vont pas mal non plus et grossissent ainsi le nombre de ceux qui constituent désormais la classe moyenne.

Mais, à lire nos gazettes, qui a conscience de ce qui se passe dans ce pays ? On ne veut y voir que les violences commises en Tchétchénie, les atteintes à la liberté, que dénoncent d'ailleurs les journaux... russes. Les succès de la Russie nouvelle sont tenus pour négligeables à côté d'une promesse et d'une espérance trahies : cet idéal que, pour beaucoup, le projet des Soviets avait pu incarner...

Figure 16 : *1995. Faute de salaire, on rémunère les travailleurs avec les produits de l'usine.*

Retour sur deux ou trois cas...

Les situations qui ont été examinées, tout comme les réponses qui leur ont été apportées constituent bien ce que R. Koselleck dénommait « un réservoir d'exemples » susceptibles d'éclairer le passé, certes, mais également les actions à venir.

Or, ici, il s'est agi d'un nombre limité de situations de crise, abordées avec le parti pris de les saisir à leur émergence, si bien qu'il faudrait les croiser avec d'autres approches – et aborder aussi d'autres situations.

L'entrée dans la vie ne coïncide pas nécessairement avec l'entrée dans l'Histoire. « L'enfance dure longtemps », juge G. Belloin, militant communiste toute sa vie et qui prend conscience très tard de sa crédulité. Pour d'autres, l'événement les foudroie, et détermine une prise de conscience à l'heure de leur exécution tels ces policiers d'Elisavetgrad, ou lors d'une guerre, d'un conflit familial, d'actes criminels, dont ils ne prennent la mesure qu'après coup.

Le désaveu du père constitue souvent un rite de passage, pas seulement de l'entrée dans la vie, mais d'une prise de conscience que l'Histoire frappe à la porte, qu'il faut réagir à ce défi : une situation qu'on a rencontrée lors des crises économiques en Allemagne en 1923, aux États-Unis en 1929, en Russie à l'heure de la *perestroïka* (voir *La Petite Vera*). La mise en cause de l'impuissance du père a caractérisé également les jeunes « blousons noirs » en France au début des années 1960 lorsqu'ils le stigmatisaient « tout juste capable de mener des grèves trotte-menu pour être augmenté de 2 % ». Aux États-Unis, c'est la famille tout entière qui est ainsi perturbée par sa déchéance au début des années 1930, comme en Russie durant les années 1990.

L'action offensive des femmes face aux épreuves apparaît clairement dans la Russie des années 1930, mais en Allemagne aussi où elles sont les seules à oser manifester dans les rues « pour qu'on leur rende leurs maris », juifs, arrêtés par la Gestapo. En Algérie, pendant la guerre, comme durant la Résistance en France, elles accomplissent, souvent anonymes, les actions les plus dangereuses. Elles n'en attendent aucune récompense, à moins, en Algérie, d'être réprimées ensuite pour être sorties de leurs fonctions traditionnelles. On en a vu une illustration prémonitoire.

On multiplierait les observations qu'illustrent ou élargissent le spectre de cas présentés dans l'Ouverture de ce livre : refus de voir, ignorance de la société, détermination doctrinaire, obstination culturelle, crédulité devant les personnages charismatiques, opportunisme, ressentiment surtout.

Le ressentiment, cette force obscure de l'Histoire.

Un autre trait, ma foi surprenant, est bien la capacité d'une société que ses élites jugent amorphe, de se mobiliser en quelques jours et à montrer une lucidité politique pour le moins saisissante : le cas des Russes en février 1917, les soldats notamment, celui des militants nationalistes en Algérie illustrent cette intériorisation des rapports entre sa propre existence et les développements de l'Histoire. Mais cette intériorisation peut prendre une autre figure ; et le témoignage de F. Kafka n'est-il pas trompeur ? Certes, il va à la piscine l'après-midi de la déclaration de guerre, mais n'intériorise-t-il pas, mieux que d'autres, la montée de la violence et de l'enfermement que secrète la société qui l'entoure : ce qu'il ressent s'exprime dans *Le Procès* (1914) et *Le Château* (1920).

Pour rendre compte des réseaux d'intelligibilité et de participation à l'Histoire, oui, il reste encore du travail...

Notes bibliographiques

Notes portant sur la Préface

1. Observation de Georges Hyvernand, repérée par Arlette Farge.
2. J.-P. Melville, *Le Silence de la mer*, d'après Vercors, 1948 ; entretien à « Ouvrez les guillemets », émission de 1972, avec Bernard Pivot et Gilles Lapouge.
3. Fernand Braudel, *La Méditerranée et le monde méditerranéen à l'époque de Philippe II*, 1949, Paris, Le Livre de poche, 3 vol., 1993.
4. *Jeux d'échelle, la microanalyse à l'expérience*, sous la dir. de J. Revel, Paris, Seuil-Gallimard, 1995 ; ainsi que son intervention au colloque de la BNF, en juin 2004 sur les effets de l'apparition de l'Histoire-Mémoire ; voir également P. Nora, préface aux *Lieux de mémoire*, Paris, Gallimard, 1997 ; ainsi que notre *Histoire sous surveillance*, Paris, Calmann-Lévy, 1985, et que François HARTOG, *Régimes d'Historicité, Présentisme et expérience du temps*, Le Seuil 2003.
5. Giovanni Levi, « Les usages de la biographie », *Annales ESC*, 1989, 6, p. 1325-1336. Sabine Loriga, « La biographie comme problème historiographique », *Biographie Schreiben*, 209-231.
   « Mannequins ou faiseurs d'histoire », à propos de *History and Biography*, sous la dir. de T.C.W. Browning et D. Carradine, *Critique*, janv-fév. 2000, n° 632-633, p. 132-145 ; ainsi que « Être historien aujourd'hui », *Revue de l'Université de Passo Fundo*, manuscrit aimablement communiqué par Sabine Loriga.
6. Véronique Garros, « Œil microscopique et œil télescopique, l'historiographie de l'URSS au miroir des journaux personnels », *Genesis*, 16, 2001, p. 209-214.

Claude Pennetier et Bernard Pudal, *Autobiographies, autocritiques, aveux dans le monde communiste*, Paris, Belin, 2002. *Biography and Society, the Life History approach in the Social Sciences*, edited by D. Bertaux, Sage Studies, 1981.

7. Eugène Ionesco, « Un somnambule sur la crête de l'Histoire », *Contrepoint*, 25, 1978, p. 9-15.

Notes portant sur l'Ouverture

1. Témoignage d'Yvonne-France Blondel, épouse Ferro.
2. « Maurice Halbwachs et les sciences humaines de son temps », *Revue d'histoire des sciences humaines*, 1, 1999 ; notamment « Ma campagne au Collège de France », présenté par L. Macchielli et J. Pluet-Despatin, p. 179-228.
   Annette Becker, *Maurice Halbwachs, un intellectuel en guerres mondiales, 1914-1945*, préface de Pierre Nora, Paris, A. Vienot, 2003.
3. Pierre Nora, *op. cit.*, note 2. Annette Becker, *op. cit.*, p. 152.
4. *Cf.* Annette Becker, citée note 2.
5. *Ibid.*, ainsi que Olivier Wieviorka, « Fascisme et antifascisme », *in La France d'un siècle à l'autre, 1914-2000, Dictionnaire critique* dirigé par J.P. Rioux et J.-F Sirinelli, 1999, p. 706-711, ainsi que Jean Defrasne, *Le Pacifisme en France*, Paris, PUF, 1994.
6. « Ma campagne... », citée note 2.
7. *Ibid.* ainsi que Christophe Charle, « Le Collège de France », *in* Pierre Nora, *Lieux de mémoire*, II, 3, p. 389-425.
8. *Cf.* note 6.
9. Sur la crise du pouvoir de 1925 à 1929, l'exil de Trotski et l'isolement de Boukharine, exposé détaillé dans Pierre Broué, *Le Parti bolchevik*, Paris, Minuit, 1963, p. 228-294 ; ainsi que J.J. Marie, *Staline*, Paris, Fayard, 2001.
10. Curzio Malaparte, *En Russie et en Chine*, Paris, Denoël, 1959, p. 47-48 et 52-53.
11. Cité *in* Marc Ferro, *La Révolution de 1917*, Paris, Albin Michel, 1997, p. 308 ; et Olivier Wieviorka, « Militant », *in Dictionnaire*, cité note 4, p. 615-621.
12. Lily Marcou, *Une enfance stalinienne*, Paris, PUF, 1982, p. 7-11 et 176.
13. Alina Cala, « Jeunes Juifs en Pologne, 1918-1939 », *in Écriture de l'histoire et identité juive, l'Europe ashkénaze*, sous la dir. de D. Bechtel, E. Patlagean, J.-C. Szurek et P. Zawadzki, Paris, Les Belles Lettres, 2003, p. 133-151.
14. Nicolas Offenstadt, *Les Fusillés de la Grande Guerre et la mémoire collective (1914-1918)*, Paris, Odile Jacob, 1999, *passim* ; Général André Bach, *Fusillés pour l'exemple, 1914-1915*, Paris, Tallandier, 2003.

Notes du Chapitre 1
Vivre la Révolution

1. GAORSSLO, 7384, 9, 161, 29-30.
2. N. Krupskaja, *Ma vie avec Lénine*, Paris, éd. 1933, p. 263 et suiv.
3. *Cf.* notre *Révolution de 1917*, Paris, Albin Michel, 1997, p. 63-132.
4. Anciens socialistes-révolutionnaires qui s'étaient présentés aux élections à la Douma de 1906 contre la décision de leur parti puis denommés travaillistes.
5. Naida, *Revolucionnoe dvizenie v carskom flote*, Moscou.
6. GAORSSLO, 7384, 9, 244, 63 a et b, 64.
7. CGVIA, 2148, 1, 813, p. 3 à 23.
8. *Ibid.*
9. CGVIA, 2067, 1, 60, 33 (XIe armée).
10. *Cf. Petrogradskij voenno-revoljucionnij Komitet : Dokumenty i materjaly* (Le Comité militaire révolutionnaire de Petrograd), Moscou, 1966, 3 vol.
11. Sur les revendications paysannes, *cf.* note 3, p. 184-196.
12. CGAORSSSR, 398, 2, 123.
13. *Trudy vtoroj sessii glavnago zemelnogo komiteta. Zacedanija 1-2 julja 1917* g., Petrograd, 1917, p. 35-39.
14. P. N. Persin, *Agrarnaja Revoljucia v Rossii*, 1966, p. 407-418.
15. Lewin Moshe, *La Formation du système soviétique*, Paris, Gallimard, 1987, *passim*, ainsi que Nicolas Werth, « Un État contre son peuple » *in* S. Courtois, *Livre noir du communisme*, Paris, Laffont, 1997.
16. CGAORSSSR, 3, 1, 363, 96.
17. Andrea Graziosi, « Lettres de Kharkov. La famine en Ukraine et dans le Caucase du Nord à travers les rapports des diplomates italiens, 1932-1933 », *Cahiers du Monde russe et Soviétique*, XXX, 1989, ainsi que George Sokoloff, *L'Année noire. Témoignages sur la famine en Ukraine*, Paris, Albin Michel, 2000.
18. Nicolas Werth, « Le pouvoir soviétique et la paysannerie dans les rapports de la police soviétique (1930-1934) », *Bulletin de l'Institut d'histoire du temps présent*, p. 81-82, 2003.
19. *Ibid.*, p. 81-82 et *passim*.
20. *Ibid.*, p. 149-150.
21. Nicolas Werth, cité note 18, remarquable ensemble commenté de documents.
22. Véronique Garros et N. Korenevskaja, *Intimacy and Terror, Soviet Diaries of the Thirties*, New York, The New Press, 1995, p.
23. *Ibid.*
24. *Ibid.*, p. 114.
25. *Cf.* F. X. Nerard, *5 % de vérité, la dénonciation dans l'URSS de Staline*, Paris, Tallandier, 2004.
26. *Raionnye Sovety Petrograda* v 1917 g, L. 1965, tome 3, p. 6 à 179.
27. Marc Ferro, *Des Soviets au communisme bureaucratique*, Paris, Gallimard, coll. « Archives », 1980, p. 67-135.

28. *Ibid.*
29. *Ibid.*
30. Ce n'est pas parce qu'elle était animée par l'« ouvrier » Chjapnikov (et par Alexandra Kollontai) que l'opposition dite « ouvrière » était dirigée, plus que le reste du parti bolchevik, par des ouvriers.
31. À Trifonov, qui souhaitait faire des Gardes rouges la matrice d'une future armée de citoyens. GAORSS-Lo, 4592, I, 2, 11.
32. Bernard Pudal, *Prendre parti : pour une sociologie historique du PCF*, Paris, Presses de la Fondation nationale des sciences politiques, 1989, *cf.* p. 295.
33. Marc Ferro, *La Révolution de 1917, op. cit.*, p. 765 et suiv.
34. On trouvera l'analyse développée de cette phrase dans « Y a-t-il trop de démocratie en URSS ? » *Annales, ESC*, 4, 1985, p. 811-825.
35. Lev Karpinski, « Bureaucratie », *in* J. Afanasev et M. Ferro, *Dictionnaire de la Glasnost*, Paris, Payot, 1989, p. 336.
36. Victor Serge, *Le Tournant obscur*, [Paris, Albatros, 1971].
37. Pierre Broué, *Histoire du Komintern*, Paris, Fayard, 2000. Seul Pierre Broué produit les pseudonymes de tous les dirigeants du Komintern. Voir également son *Parti bolchevique*, Paris, Minuit, 1963.
38. Victor Serge, *passim*.
39. Antonella Salomoni et Marc Ferro, « Discours médical, révolution et maladie en URSS », *Chimères*, 12, 1991, p. 109-122.
40. Pierre Broué, *Le Parti bolchevique*, *passim*.
41. Alain Blum, Martine Mespoulet. *L'Anarchie bureaucratique. Statistique et pouvoir sous Staline*, Paris, La Découverte, 2003.
42. R. P. Browder et A. F. Kerenski, *The Provisional Government 1917*, Stanford, éd. 1961, 3 vol., Recueil de documents. Le tome 2, *passim*.
43. Blum et Mespoulet, *op. cit.*, p. 77 et suiv.
44. *Ibid.*
45. N. Valentinov, article *Contrat Social*, 5, 1964.
46. George M. Enteen, *The Soviet Scholar-Bureaucrat, M.N Pokrovskii and the Society of Marxist Historians*, ville Pennsylvania University Press, 1978.
47. *Ibid.* ainsi que Bernard W. Eissenstat, « M. N. Pokrovskii and soviet historiography : Some reconsiderations », *Slavic Review*, déc. 1969, p. 604-619.
48. Alessandro Mongili, *La Chute de l'URSS et la recherche scientifique. Une science fantôme et de vrais scientifiques*, préface de Marc Ferro, Paris, L'Harmattan, 1998.
49. Jules Humbert-Droz, *Mémoires*, tome 2, *De Lénine à Staline ; dix ans au service de l'Internationale communiste, 1921-1931*, Neuchâtel, La Baconniere, 1970, p. 317-376.
50. *Ibid.*
51. Pour Kameneva, voir plus haut p. 14 ; sur les procès et le Goulag, *cf.* Nicolas Werth, cité à la bibliographie.
52. I. J. Stoljarov, *Récits d'un paysan russe*, préface de Basile Kerblay, Paris, Institut d'études slaves, 1986.
53. Jutta Scherrer, « Pour l'hégémonie culturelle du prolétariat : aux origines historiques du concept et de la vision de la "culture prolétarienne", ainsi que Sheila Fitzpatrick, « The bolshevik dilemna : Class, Culture and poli-

tics in the Early Soviet Years », *in Culture et Révolution*, sous la dir. de Marc Ferro et Sheila Fitzpatrick, Éd de l'EHESS, 1989.

54. S. Frederick Starr, *Melnikov, Solo Architect in a Mass Society*, Princeton, Princeton University Press, 1978, illustré.
55. *Ibid.*, ainsi que c/r de H. D. Hudson, *Blue Prints and Blood, The Stalinization of Soviet Architecture*, Princeton, éd. 1994, par Jean-Louis Cohen, *in Annales ESC*, 1993, p. 665-669, ainsi que A. Kopp, *L'Architecture de la période stalinienne*, Grenoble, Presses universitaires de Grenoble, 1985.
56. Nous reprenons ici une partie de notre article, avec un certain nombre d'ajouts, paru en 1989 : « Un cinéaste dans la cité », dans *Culture et Révolution*, sous la direction de Marc Ferro et Sheila Fitzpatrick, EHESS, p. 83-91. *Cf.* également Gérard Abensour, *Vsevolod Meyerhold*, Paris, Fayard, 1998, notamment les chap. 8 et 13.
57. Sur cette mutation artistique, lire Régine Robin, *Le Réalisme socialiste, une esthétique impossible*, Paris, Payot, 1986 et Eisenstein, *Writings 1922-1934*, edited by R. Taylor, 1988, p. 195-203, Indiana University Press, ainsi que *The Red Screen*, edited by Anna Lawton, Routledge, 1992.
58. *Cf.* Marc Ferro, cité note 55 ainsi que *About Andrei Tarkovsy*, Moscou, 1990.
59. Charles-André Julien, « Journal, 1921, Petrograd-Moscou », *Politique Aujourd'hui*, 1969, p. 13.
60. *Archives nationales*, F7, 12891.
61. Pierre Pascal, *En Russie rouge*, Paris, Librairie de l'Humanité, 1921.
62. Henri Guilbeaux, *Du Kremlin,* Le Cherche Midi, Paris, éd. 1932.
63. Sur les premiers retours d'URSS voir *Au pays des Soviets*, présenté par Fred Kupferman, Paris, Gallimard, coll. « Archives », 1979. Voir également Rachel Mazuy, *Croire plutôt que voir ?, Voyages en Russie soviétique (1919-1939)*, Paris, Odile Jacob, 2002, qui porte sur la gestion des voyages autant que sur les témoignages.
64. Robert Francotte, « Vie d'un militant », *Les Temps modernes*, janv. 1966, p. 1267-1299.
65. *Cf. Ibid* et note 14 de l'Ouverture.
66. Victor Barthélemy, *Du communisme au fascisme ; l'histoire d'un engagement politique*, Paris, Albin Michel, 1978, p. 13-45.
67. *Ibid.*, p. 74-89.
68. Jean Brunet, *Jacques Doriot*, Paris, Balland, 1986, p. 184.
69. Sur le monde des communistes, lire avant tout Gérard Pûdal, *Prendre Parti, pour une sociologie historique du PCF*, PSNFP, 1989 ; ainsi que l'ouvrage collectif *Le Siècle des communistes*, Paris, L'Atelier, 200, cité à la bibliographie, ainsi que S. Courtois et M. Lazar, *Histoire du parti communiste*, Paris, PUF, 1995.
70. Gérard Belloin, *Mémoires d'un fils de paysans tourangeaux entré en communisme. L'enfance dure longtemps*, Paris, Éditions Ouvrières, 2000.
71. *Ibid.*
72. *Actualités françaises*, octobre 1944 : le visage des participants en dit long sur leur déception quand Charles Tillon réitère les propos de Maurice Thorez. Sur les actualités à la Libération, *Cf.* Sylvie Lindeperg, *Clio de 5 à 7, Les actualités filmées de la Libération*, archives du futur, CNRS éditions, 2000.

73. Michelle Perrot et Annie Kriegel, *Le Socialisme français et le pouvoir*, Paris EDI, 1966.
74. Annie Kriegel, *Les Communistes français, 1920-1970*, Paris, Seuil, rééd. 1985.
75. Guillaume Malaurie, *L'Affaire Kravtchenko*, Paris, Laffont, 1982 ; et interview de Gilles Martinet, dans *Histoire parallèle*, 16-1-1999, Arte.
76. Jeannine Verdès-Leroux, *Au service du parti. Le parti communiste, les intellectuels et la culture*, Paris, Fayard, Minuit, 1983, p. 427.
    Lors de l'insurrection de Kronstadt, en 1921, Lénine et Trotski avaient fait tirer sur les manifestants, eux-mêmes anarchistes et bolcheviks, ce qui avait suscité les premières interrogations à gauche sur la nature de la « démocratie des soviets ».

Notes du Chapitre 2
COMMENT L'ALLEMAGNE EST DEVENUE NAZIE

1. *Cf.* bibliographie.
2. Fritz Fischer, *Griff nach der Weltmacht, die Kriegszielpolitik des Kaizerlichen Deutshland 1914-1918*, Dusseldorf, éd. 1961.
3. Cité dans *1919. Le traité de Versailles vu par ses contemporains*, Alvik Éd., 2003, p. 184-185.
4. Sébastien Haffner, *Histoire d'un Allemand, Souvenirs 1914-1933,* Arles, Actes Sud, 2003.
5. *Ibid.*
6. Fraenkel-Manvell, *in* Lotte Eisner, *Fritz Lang*, Paris, Éditions de l'Étoile, 1984, p. 203-204 ainsi que Lotte Eisner, *ibid.*, p. 18, 157-159. En vérité, il semble que F. Lang a quitté l'Allemagne quelques jours plus tard.
7. Patrice-Laure Thivat, « Le théâtre d'exil allemand aux États-Unis, 1933-1945 », *in* Marc Ferro et Sheila Fitzpatrick, *Culture et Révolution*, *op. cit.*, p. 105-121.
8. Alain Boureau, *Histoire d'un historien, Kantorovicz*, Paris, Gallimard, 1990 ; ainsi que Enzo Traverso, *Les Juifs et l'Allemagne : de la « symbiose judéo-allemande » à la mémoire d'Auschwitz* Paris, La Découverte, 1992, p. 118-119.
9. Bernt Engelman, *In Hitler's Germany*, Mathuen, 1986.
10. Gunther Weisenborn, *Une Allemagne contre Hitler*, préf. d'Alfred Grosser, Éd du Félin, 2000 (trad de *Der Lautlose Aufstand* 1953) ; ainsi que Gilbert Merlio, *Les Résistances allemandes à Hitler*, Paris, Tallandier, 2001 ; ainsi que B. Engelman, *op. cit.*, note 7, p. 249.
11. Peter H. Merkl, *The Making of a Stormtrooper*, Princeton, Princenton University Press, 1980, p. 192-193.
12. W.S. Allen, *Une petite ville nazie, 1930-1935*, préf. de A. Grosser, Paris, R. Laffont, 1967 Jan Kershaw, *L'Opinion allemande sous le nazisme, Bavière 1933-1945*, Paris, CNRS Éd., 1995. Robert Gellately, *The Gestapo*

and German Society, enforcing Racial Policy, 1933-1945, Oxford, Clarendon, 1990.

13. W.S. Allen, *op. cit.*, p. 50.
14. *Ibid.*, p. 104 et *passim*.
15. H.B. Givesius, *Jusqu'à la lie*, 2 vol., Paris, Payot, 1947, *De l'incendie du Reichstag à la crise Fritsch-Blomberg*, p. 101-102.
16. Norbert Frei, *L'État hitlérien et la société allemande, 1933-1945*, Paris, Seuil, 1994, p. 246-247.
17. Charlotte Beradt, *Rêver sous le IIIe Reich*, préface de Martin Leibovici, postface de Reinhardt Koselleck et de F. Gantheret, Paris, Payot, 2002.
18. Peter Merkl, cité note 11.
19. R. Gellately, p. 61, ainsi que W.S. Allen, p. 319, Kershaw et Johnson, *passim*.
20. *Ibid.*
21. Philippe Burrin, *Hitler et les Juifs, Genèse d'un génocide*, Paris, Seuil, 1989.
22. *Ibid.* Philippe Burrin qui écrit : « En exterminant les Juifs, Hitler vengeait par avance une éventuelle défaite », p. 169.
23. N. Frei, *op. cit.*, p. 292-294.
24. Marian Apfelbaum, *Retour sur le ghetto de Varsovie*, Paris, Odile Jacob, 2002.
25. Eric Johnson, *op. cit.*, p. 559.
26. Liliane Crips, « Biologisme et national-féminisme : le cas d'Agnès Bluhm (1862-1943) », *in Feminisme et nazisme*, sous la direction de Liliane Kandel, Paris, Odile Jacob, 2004, p. 96-109 ; ainsi que Rita Thaelmann, *Être femme sous le IIIe Reich*, Paris, R. Laffont, 1982.
27. Paul Weindling, « Weimar eugenics : The Kaiser Wilhelm Institute for Anthropology, Human Heredity and Eugenics in social context », *Annals of Science*, 42, 1985, p. 303-318.
28. N. Frei, *op. cit.*, p. 284-288.
29. Chiffres *in* Omer Bartov, *L'Armée de Hitler*, pref. de Ph. Burrin, Paris, Hachette, 1999, p. 127 ; Weisenborn dit 24 000., *op. cit.*, p. 140.
30. Bartov, *op. cit.*, p. 295 et *passim*.
31. Sur les données de cet ensauvagement *(Verwilderung)* et ses données, nous suivons Omer Bartov, *op. cit.*, surtout p. 23-53 et 93-155.
32. Omer Bartov, *op. cit.*, p. 152.
33. *Ibid.*, p. 42 et 38.
34. Gunther Weisenborn, cité note 8, p. 141-143.
35. *Dernières Lettres de Stalingrad*, Paris, Buchet-Chastel, 1997.
36. Theodor Pliever, *Stalingrad*, 2 vol., Genève, Éd de la Cremille, 1970.
37. Vassili Grossman, *Choses vues*, 1945, p. 62.
38. *Ibid.*, p. 72.
39. Dans *Histoire parallèle*, Arte, 6/2/1993.
40. Marlis Steinert, *Hitler*, Paris, Fayard 1991, p. 517-518.
41. *Ibid.*, p. 298-304.
42. Témoignage in *Histoire parallèle*, Arte, 22/10/1994.
43. N. Frei, *op. cit.*, p. 294-304.

44. Ce transfert et ce parcours de l'oubli ont bien été analysés au cinéma, par B. Fleury-Villate : *Cinéma et culpabilité en Allemagne, 1945-1990*, Perpignan, Institut Jean-Vigo, 1995.
45. Alexandre et Margareta Mitscherlich, *Le Deuil impossible*, Paris, Payot. A. Mitscherlich était psychologue à Nuremberg lors du procès.
46. Ernst von Salomon, *Le Questionnaire*, Paris, Gallimard, 1953.
47. Pierre-Yves Gaudard, *Le Fardeau de la mémoire ; le deuil collectif allemand après le national-socialisme*, Paris, Plon, 1997, p. 63.
48. R.W. Fassbinder dit explicitement que son projet est de recomposer cette histoire-là de l'Allemagne dans sa globalité ; *cf.* R.W. Fassbinder, *L'Anarchie de l'imagination*, Entretiens et interviews, Paris, L'Arche, 1987.
49. *Cf.* P.-Y. Gaudard, *op. cit.*, note 42.
50. Telford Taylor, *Procureur à Nuremberg*, Paris, Seuil, 1995.
51. Alfred Speer, *Journal de Spandau*, Paris, Robert Laffont, 1975, p. 17 et suiv.
52. *Ibid.* ainsi que Taylor, *passim* ; ainsi que p. 463 et suiv.
53. A. Speer, *passim*. Le Maréchal Keitel, avant son exécution en 1946, reconnut « s'être laissé enserrer dans les rêts de criminelles machinations » (Keitel, *op. cit.* p. 293).

Notes du Chapitre 3
DILEMMES SOUS L'OCCUPATION

1. Pour la période 1940-1944 on dispose désormais d'une excellente synthèse : Julian Jackson, *La France sous l'Occupation*, Paris, Flammarion, 2004. Elle ne dispense pas de consulter les œuvres maîtresses de J.-P. Azema, R. Paxton, J.-L. Crémieux-Brilhac, P. Laborie cités plus loin, et la bibliographie.
2. Zoltan Szabo, *L'Effondrement*, Paris, Exils, 2002, p. 121 et suiv.
3. Témoignage personnel.
4. Témoignage de M. Hébrard, p. 213-215, *in* Marc Ferro, *Revivre l'Histoire*, avec la coll. de Claire Babin, Paris, Liana Levi-Arte, 1995.
5. Jean de Baroncelli, *Vingt-Six hommes*, Paris, Grasset, 1940-1941. Futur critique cinématographique du *Monde*.
6. Sur cette évolution, relire J.-B. Duroselle, *L'Abîme, 1939-1945*, Paris, Seuil, 1990. Lire également colonel Villelume, *Journal d'une défaite*, Paris, Fayard, 1976, favorable à Pétain ; à confronter avec Dominique Leca, *La Rupture de 1940*, Paris, Fayard, 1978, qui le contredit sur de nombreux points.
7. D. Leca, *op. cit.*, p. 218.
8. Bonne mise au point dans Éric Roussel, *Jean Monnet*, Paris, Fayard, 1996 ainsi que Jean Lacouture, *De Gaulle*, Paris, Seuil, 1999, tome I, *passim*.
9. *Ibid.* ainsi que J.-L. Crémieux-Brilhac, *La France libre : de l'appel du 18 juin à la Libération*, Paris, Gallimard, 1996.

10. François-Yves Guillin, *Le Général Delestraint, premier chef de l'armée secrète,* Paris, Plon, 1995, p. 402. Ainsi que J.-L. Crémieux-Brilhac, cité note 9.
11. Robert Paxton, *L'Armée de Vichy*, Paris, Tallandier, 2004 ; traduit de l'ouvrage paru en 1966, *Parades and Politics at Vichy*, et complété par Pierre de Longuemar.
12. Henri Noguères, *Histoire de la Résistance,* 5 vol., 1967-1981, tome 1, Paris, Robert Laffont.
13. *Ibid.*
14. Simone de Lattre de Tassigny, *Jean de Lattre, mon mari*, Paris, Presses de la Cité, 1971 ; ainsi que le témoignage de Guy Decôme, dans *Revivre l'Histoire*, cité note 4, p. 119-120.
15. Conte B., *Une utopie combattante, l'École nationale des cadres d'Uriage, 1940-1942*, Paris, Fayard, 1991.
16. *Ibid.* et témoignage de l'auteur.
17. R. Belot, *Henri Frenay, De la Résistance à l'Europe*, Paris, Seuil, 2003, *passim*.
18. *Ibid.*, p. 119.
19. Robert Salmon, *Chemins faisant*, tome 1, *Vers la Résistance*, préface de Stéphane Hessel, Paris, LBM, 2004, p. 135 ; et Olivier Wievorka, *Une certaine idée de la Résistance : Défense de la France, 1940-1949*, Paris, Seuil, 1995.
20. Guillain de Benouville, *Le Sacrifice du matin*, Paris, Robert Laffont, 1947, p. 25.
21. Colonel Passy (A. Dewavrin), *Missions secrètes en France*, tome 1, 1951, rééd. complète, Paris, Odile Jacob, 2000, belle préface de J.-L. Crémieux-Brilhac.
22. J.-L. Crémieux-Brilhac, *La France libre : de l'appel du 18 juin à la Libération*, Paris, Gallimard, 1996, ainsi que sa préface à Passy, citée note 21.
23. Laurent Douzou, « L'entrée en résistance », *Le Mouvement social*, 180, 1997, p. 9-21.
24. *Cf.* l'inventaire d'Alain Guerin, *La Résistance*, Paris, Omnibus, 2000, p. 1634-1649.
25. Henri de Lattre, *Le Bon Choix*, préf. de Jean Griot, Paris, éd. 1997.
26. Pierre Lacarrière, *Les Volontaires de l'aube*, Kiron, Éd du Felin, 1989.
27. Jean Sagnes, *Revue d'Histoire moderne et contemporaine*, oct-déc. 1991, ainsi qu'O. Wievorka, *Les Orphelins de la République : destinée des députés et sénateurs français (1940-1945)*, Paris, Seuil, 2001.
28. Daniel Cordier, *Jean Moulin, l'inconnu du Panthéon*, Paris, J.-C. Lattès, tome I, 1989 ; ainsi que J.-P. Azéma, *Jean Moulin*, Paris, Perrin, 2003.
29. *Cf.* Marc Ferro, *Pétain, op. cit.*, le chapitre 2, p. 112-128 ainsi que Philippe Burrin, *La Dérive fasciste, Bergery, Doriot, Déat*, Paris, Seuil, 2003.
30. J.-F. Sirinelli, *Les Droites en France*, Paris, Gallimard, Coll. « Folio », 1995, p. 571.
31. François-Martin Fleurot, *Les Royalistes dans la Résistance*, Paris, Flammarion, 2000.

32. André Philip, *Les Socialistes*, Paris, Seuil, 1960, succinct sauf sur Léon Blum ; voir surtout Jacques Sadoun, *Les Socialistes sous l'Occupation*, Paris, PUF, 1982, 2 vol., et Guérin., *op. cit.*, p. 370.
33. Sur ce dilemme, central, lire Guillaume Piketty, *Pierre Brossolette, un héros de la Résistance*, Paris, Odile Jacob, 1998, ainsi que les travaux de J.-P. Azéma, D. Cordier, J.-L. Crémieux-Brilhac, cités aux notes 28 et 9.
34. Sur le parti communiste pendant la guerre, Stéphane Courtois, *Le PCF dans la guerre*, Paris, Ramsay, 1980, et, du même « Un été 40, négociations entre le PCF et l'occupant à la lumière des archives de l'Internationale ouvrière », *Communisme*, n°s 32-33-34, 1993.
35. Quand furent placardées ces affichettes ? En tout cas courut alors la rumeur d'un gouvernement Thorez lorsque au Conseil des ministres de Cangé, le 13 juin Weygand l'annonça et qu'ayant appelé le préfet Langeron, Mandel le démentit.
36. Mikhail Narinski, « Le Komintern et le PCF, 1939-1941 », *Communisme*, 32, 33, 34, 1993, p. 11 à 40.
37. Georges Guingouin, *Quatre ans de lutte sur le sol limousin*, Paris, Hachette, 1974.
38. *Ibid.*, ainsi que Michel Trubmann, *L'Affaire Guingouin*, Éd Souny, 1994, et Alain Guerin, *Chronique de la Résistance*, Paris, Omnibus, préface de M.-M. Fourcade et H. Rol-Tanguy, 2000.
39. *Ibid.*, ainsi que Raymond Ruffin, *Ces chefs de maquis qui gênaient*, Paris, Presses de la Cité, 1980, et Roland Dumas, *Le Fil et La pelote*, Paris, Plon, 1996.
40. Jean-Marc Berlière et Frank Liaigre, *Le Sang des communistes, les Bataillons de la jeunesse dans la lutte armée, automne 1941*, Paris, Fayard, 2004.
41. *Ibid.*, ainsi que Pierre Daix, *J'ai cru au matin*, Paris, Laffont, 1976.
42. Marc Ferro, *Pétain*, *op. cit.*, p. 340-351.
43. Berlière et Liaigre, *op. cit.*, note 40.
44. *La Vie à en mourir, Lettres de fusillés 1941-1944*, préface de François Marcot, présentation de Guy Krivopissko, Paris, Tallandier, 2003, p. 341-343.
45. *Ibid.*, *passim*.
46. Témoignage personnel, Vercors, juillet-août 1944.
47. Alain Guerin, *op. cit.*, note 38, p. 1630-1633.
48. Jacques Semelin, *Sans armes face à Hitler*, Paris, Payot, 1998, préface de J.-P. Azéma. Le témoignage sur le cheminot émane de M. Jeanmougin, en octobre 1940, *in Revivre l'Histoire*, cité note 4, p. 23-25.
49. Olivier Wievorka, « À la recherche de l'engagement », *Vingtième Siècle*, oct-déc. 1998, p. 58-71.
50. Témoignage personnel, Grenoble, mai 1944, ainsi que *Être jeune en France (1939-1945)*, sous la dir. de W. Dereymez, préface de F. Bedarida, Paris, L'Harmattan, 2001, et Jacques Semelin, « Qu'est-ce que résister ? », *Esprit*, janvier 1994, p. 50-63.
51. Olivier Wievorka, *op. cit.*, note 49.
52. Julian Jackson, *op. cit.*, note 1, p. 203-204.
53. Sur Jean Moulin, Jean-Pierre Azéma, *Jean Moulin. Le politique, le rebelle, le résistant*, Paris, Perrin, 2003, p. 102-130 ; Daniel Cordier, *L'Inconnu du*

Panthéon, 3 vol. Paris, J.-C. Lattès, 1989-1993 ; ainsi que « La Résistance et les Juifs », *Annales*, 3-1993, p. 621-627.
54. *Ibid.*
55. Texte dans M. Olivier Baruch, *Servir l'État français*, Paris, Fayard, 1997, pour le 19 et 23 février 1942, p. 685-686.
56. Marc Ferro, *Pétain*, *op. cit.*, p. 468-471, ainsi que Pierre Laborie, *Les Français des années troubles*, Paris, Seuil, 2001.
57. M. O. Baruch, *op. cit.*, p. 225-261 et p. 489-529.
58. *Ibid.*, p. 511.
59. Texte d'octobre 1943, cité dans M. O. Baruch, *op. cit.*, p. 515.
60. François Bloch-Lainé et Claude Gruson, *Hauts Fonctionnaires sous l'Occupation*, Paris, Odile Jacob, 1996, p. 21-93.
61. *Ibid.*, p. 113 et suiv.
62. Jean Marcou, « Le Conseil d'État, juge administratif sous Vichy », *in Juger sous Vichy, in* série *Le Genre Humain*, Paris, Seuil, 1994, p. 83-97.
63. Robert Paxton, « La spécificité de la persécution des Juifs en France », *Annales ESC*, 3, 1993, p. 605-621.
64. Lucien Steinberg, *Les Allemands en France*, Paris, Albin Michel, 1980, p. 126-127.
65. Jean-Marie Berlière et Laurent Chabrun, *Les Policiers français sous l'Occupation*, Paris, Perrin, 2001.
66. *Archives nationales*, A.G 30, *cf. Petain*, p. 149-154, ainsi que Laurent Douzou, *Voler les Juifs*, Paris, Hachette, 2001.
67. J.-M. Berlière, *op. cit.*, note 65, p. 250-252, ainsi qu'Annette Wievorka, *Les Biens des internés des camps de Drancy, Pithiviers et Beaune-La-Rolande*, Mission d'étude sur la spoliation des Juifs en France, avril 2000, cité par J.-M. Berlière ; voir également Laurent Douzou, *Voler les Juifs*, *op. cit.*
68. J.-M. Berlière, *op. cit.*, p. 152.
69. *Ibid.*, p. 227-238.
70. *Ibid.*, p. 98-105.
71. *Ibid.*, p. 105-113.
72. *US Archives 851/00*, 9/2443, Rapport parvenu en mars 1943.
73. Philippe Burrin, *La France à l'heure allemande, 1940-1944*, Paris, Seuil, 1995, à compléter, pour le cinéma, par J.-P. Bertin-Maghit, *Le Cinéma français sous l'Occupation*, Paris, Olivier Orban, 1989, et pour les cinéstes, Pierre Darmon, *op. cit.*, à la bibliographie Vivant témoignages dans J.-P. Bertin Maghit et Didier Deleskewicz, *Tourner sous l'Occupation*, Arte, 1998.
74. Marcel Ophuls, *Le Chagrin et la Pitié*, 1973 ; Joseph Losey, *Monsieur Klein*, 1976.
75. Jean-Paul Sartre, « L'Enfance d'un chef », dans *Le Mur*, 1939, ainsi que *Réflexions sur la question juive*, Paris, Paul Morihien, 1946.
76. *Archives nationales*, A.G II, dossier Affaires juives.
77. Michel Winock, *La France et les Juifs de 1789 à nos jours*, Paris, Seuil, 2004, p. 226.
78. Pierre Laborie, « Le statut des Juifs de Vichy et l'opinion », *in Les Français des années troubles*, Paris, Desclée de Brouwer-Seuil, 2001.
79. F. Bloch-Lainé, *op. cit.*, note 60, *passim*.

80. Renée Poznanski, *Être juif en France pendant la Seconde Guerre mondiale*, Paris, Hachette, 1994, p. 200.
81. Témoignage de l'auteur.
82. Lettre publiée dans Sylvie Schweitzer, *André Citroën*, Paris, Fayard, 1992 p. 215-216.
83. Robert Salmon, *Chemins faisant, vers la Résistance, Du Lycée à Défense de la France*, *op. cit.*, p. 143-144.
84. *Ibid.*
85. Cité *in* L. Douzou, « L'entrée en Résistance », *Le Mouvement social* 1997, p. 11.
86. Olivier Wievorka, *Une certaine idée de la Résistance, Défense de la France, 1940-1949*, Paris, Seuil, 1995.
87. Henri Szwarc, « Souvenirs, l'étoile jaune », *Annales ESC, Vichy, l'Occupation, les Juifs*, 1993-3, p. 629-635.
88. D. Peshhanski, *La France des camps*, Paris, éd. 2002 ; et Adam Rayski et Stephane Courtois, *Qui savait quoi. L'extermination des Juifs*, Paris, La Découverte, 1987.
89. Ce document figure dans Marc Ferro, *Questions sur la Deuxième Guerre mondiale*, Paris, Casterman-Giunti, 1993, p. 151.
90. Cité *in* Jackson, *op. cit.*, p. 438-439. C'est Henri le frère d'Annie Becker devenue Annie Kriegel, qui a conduit l'auteur au maquis du Vercors. Avec ma gratitude.
91. Renée Poznanski, *Être juif en France pendant la deuxième guerre mondiale*, *op. cit.*, *passim*.
92. René-Raoul Lambert, *Carnet d'un témoin, 1940-1943*, présenté et annoté par Richard Cohen, Paris, Fayard, 1985, p. 152, 199, 247.
93. *Ibid.* La « résistance » de Vichy aux Allemands s'est manifestée par le refus de faire porter l'étoile jaune aux Français israélites et aux Juifs étrangers qui résidaient en zone libre. Mais, après son occupation par les Allemands en novembre 1942, Laval a fait imprimer « Juif » sur les cartes d'identité nouvellement créées.
94. Lire Dominique Missika, *La Guerre sépare ceux qui s'aiment*, Grasset, 2001.
95. Pierre Rigoulot, *La Tragédie des Malgré-Nous*, Paris, Denoël, 1990, et Jean-Pierre Rioux, « Le procès d'Oradour », *L'Histoire*, fév. 1984.
96. *In* Marc Ferro et Denise Babin, *Revivre l'Histoire*, *op. cit.*, p. 75-103 et autres témoignages.
97. Raymond Bourgart, *op. cit.*, à la bibliographie.
98. Paul Dutter, *op. cit.*, à la bibliographie.
99. Dominique Muller, *Les Malgré-Nous*, Paris, Seuil, 2003.

Notes du Chapitre 4
L'ALGÉRIE À L'ÉPREUVE

1. Jeannine Verdès-Leroux, *op. cit.*, p. 360.
2. Franz Fanon, *Les Damnés de la terre*, Paris, La Découverte, rééd. 2003.

3. Mohammed Dib, *in* Leila Sebbar, *op. cit.*, p. 107-119.
4. Jean Cohen, *op. cit.*, *passim* et témoignages personnels.
5. Cité *in* Georgette Elgey, *op. cit.*, *passim*.
6. Villatoux, *in* Jean Charles Jauffret, *op. cit.*, p. 505.
7. Témoignages de Jean Daniel, Jean Cohen, Yvonne Ferro.
8. Michèle Baussant, *op. cit.*, p. 322.
9. Témoignage à l'auteur, 1955.
10. Témoignage.
11. Mohammed Harbi, *op. cit.*, 1984.
12. Daho Djerbal, *in* Jauffert et Vaisse, p. 200.
13. Témoignage personnel, 1955 et Daniel Lefeuvre, *in* Jauffret, p. 56-73.
14. *Ibid.*
15. *Ibid.*
16. Mohammed Harbi, *op. cit.*, 2001.
17. *Ibid.*
18. *Cf.* Meynier, *Histoire intérieure du FLN*, Fayard, 2002, p. 177.
19. *Ibid.*
20. Sylvie Thébault, *op. cit.*, p. 17 et suiv.
21. André Mandouze, tome 1, *op. cit.*, p. 163-164.
22. Léon Werth, *op. cit.*, p. 209.
23. André Mandouze, *op. cit.*, *passim*.
24. Témoignage personnel. Le texte figure dans *Oran républicain*.
25. *Ibid.*
26. André Mandouze, *op. cit.*, *passim*.
27. Olivier Todd, *op. cit.*, p. 700 et 821.
28. A. Hamon et H. Rotman, *op. cit.*, p. 300-306.
29. Jean Cohen, *op. cit.*, *passim*, ainsi que B. Stora, *in* Harbi et Stora, *op. cit.*, p. 287-317.
30. *Ibid.*
31. Benjamin Stora, *op. cit.*, p. 200-218.
32. *Ibid.*
33. Bernard Ulmann, *op. cit.* le chapitre II, p. 185-220 ; ainsi que Merry et Serge Bromberger, Lacouture, Rémond, Roussel, cités à la bibliographie.
34. Jean-Jacques Susini, *op. cit.*, tome 1, p. 14 et suiv.
35. *Ibid.*
36. *Ibid.*, p. 383 et suiv.
37. Cité par Jeannine Verdès-Leroux, *op. cit.*, p. 224.
38. XXX, *OAS parle*, annexes ; et pour l'action de l'OAS en métropole, Jacques Delarue, *op. cit.*, à la bibliographie.
39. Jeannine Verdès-Leroux, *op. cit.*, p. 374, 381 et *passim*.
40. Bedarida et Fouilloux, article *Cahiers de l'IHTP*, 9, 1988.
41. André Mandouze, *op. cit.*, tome 2, 2003, p. 1 à 60.
42. Cité *in* Mandouze, *op. cit.*, tome 2, p. 61.
43. Interview de Boumediene, *in* Francis Jeanson, *op. cit.*, p. 235.
44. Yves Vie le Sage a laissé des souvenirs que sa petite-fille Emmanuelle a consigné dans son scénario sur *Les Pieds-Verts*.
45. Philippe Hernandez fut le pseudonyme d'Yves Vie le Sage.

46. Dominique Schnapper, préface à Mohammed Hamounou, *Et ils sont devenus harkis*, Paris, Fayard, 1993, p. 7-12.
47. Sur cette histoire intérieure rappelons les travaux de Mohammed Harbi, notamment *Les Archives de la Révolution algérienne*, Jeune Afrique, 1981, ainsi que Gilbert Meynier, cité note 18.
48. Scènes bien reconstituées dans *La Bataille d'Alger*, 1965, Gillo Pontecorvo, 118 minutes, avec la participation de Yassef Saadi.
49. Jean-Jacques Jordi, « Khelifa Haroud, harki, 1957-1967 », *in* J.-C. Jauffret, cité note 7, p. 360-371.
50. Mohammed Hamounou, *op. cit.*, note 46, p. 158. Quelquefois, le premier essai se faisait « à blanc », pour éprouver le volontaire qui, bien entendu, l'ignorait. *Cf.* une séquence de *La Bataille d'Alger* sur des actions commises en 1957.
51. *Ibid.*, p. 161.
52. Témoignage de Jocelyne et Hocine Hamani, dans *Destins de harkis*, texte et photos de Stephan Gladieu et Dalila Kerchouche, Paris, Autrement, 2003, p. 96.

Notes du Chapitre 5
UN AVENIR ENGLOUTI

1. Sur la crise de 1929, lire Jean Heffer, *La Grande Dépression, les États-Unis en crise*, Paris, Gallimard, 1976. Pour son cadrage, *cf.* Éric J. Hobsbawn, *L'Âge des extrêmes, Histoire du court XXe siècle*, Paris, Complexe-Le Monde diplomatique, 1999.
2. Sur la crise de la société après la fin de l'URSS, *cf.* Georges Sokoloff, *Métamorphose de la Russie, 1984-2004*, Paris, Fayard, 2003, ainsi que Véronique Garros (sous la direction de), *Russie post-soviétique : la fatigue de l'Histoire ?*, Bruxelles, Complexe, 1995.
3. Sur cette crise, *cf.* François Ewald, *L'État-providence*, Paris, Grasset, 1990, ainsi que Pierre Rosanvallon, *La Crise de l'État-providence*, Paris, Le Seuil, 1994.
4. Arthur Miller, *Au fil du temps, une vie*, Paris, Grasset, 1987, p. 100 et suiv.
5. Freidel Frank, H. N. Drewry, *America is*, Charles Merill, Pub Cy Pantheon Books, 1978.
6. Nancy Green, *Du Sentier à la 7e Avenue. La confection et les immigrés, Paris-New York 1880-1980*. Paris, Le Seuil, 1998, p. 65-103.
7. Studs Terkel, *Hard Times, An Oral History of the Great Depression*, New York, Pantheon Books, 1970, 464 p.
8. *Ibid.*, p. 13-25.
9. *Ibid.*, p. 29-35. Sur Upton Sinclair, voir plus loin, note 17.
10. Jean Heffer, *La Grande Dépression, les États-Unis en crise*, Paris, Gallimard, coll. « Archives », 1976.
11. Williams, James Mickel, *Human Aspects of Unemployment and Relief*, University of North Carolina Press, Raleigh, 1933, p. 29.

12. *Ibid.*, p. 39.
13. Jean Heffer, *op cit.*, note 6, p. 126-127.
14. Hard Times, *cité* note 3, p. 78.
15. *Ibid.*, p. 74-75.
16. Angell Robert Cooley, *The Family encounters the Great Depression*, New York, Pantheon Books, 1965.
17. Robert Marjolin, *L'Évolution du syndicalisme aux États-Unis, de Washington à Roosevelt*, Paris, Alcan, 1936, ainsi qu'André Philip, *Trade-unionisme et syndicalisme*, Paris, Aubier 1936.
18. Luc Boltanski, *Les Cadres, formation d'un groupe social*, Paris, Minuit, 1982.
19. Nous suivons ici Luc Boltanski.
20. Paul Blondel, *Affaires en mémoire*, Paris, Éd. Blondel, 99, rue de Courcelles, P. 75017, 2003, 482 p.
21. *Ibidem*, p. 5 et 475.
22. Luc Boltanski, *passim*.
23. Luc Boltanski, p. 431.
24. Cité in François Bourguignon, « Hauts revenus et inégalités » *Les Annales* 2003, p. 673-703 (C/r sur les travaux de Thomas Piketty).
25. Philippe Robrieux, *Maurice Thorez, vie secrète et vie publique*, Paris, Fayard, 1975, p. 15.
26. Noëlle Gerôme, « Ouvriers et usines, à propos de la SNECMA », *in Ouvriers en banlieue, XIXe-XXe siècle*, sous la direction de Jacques Girault, Paris, Éd de l'Atelier, 1998, p. 153-173.
27. Marie-Claire Lavabre, François Platone, *Que reste-t-il du PCF ?* Paris, Autrement, 2003.
28. Pierre Rosanvallon, « Crise et décomposition de la classe ouvrière », *in Crise et avenir de la classe ouvrière*, Paris, Le Seuil, 1979, p. 21-39 ; ainsi que Yves Lequin, « Un ouvrier », *in Annales, ESC*, 1980, 1.
29. Aurélie Filipetti, *Les Derniers Jours de la classe ouvrière*, Paris, Stock, 2003.
30. *Nous, travailleurs licenciés, les effets traumatisants d'un licenciement collectif*, enquête réalisée par P.H. Chombart de Lauwe, Maurice Combe, Henri et M. Paule Ziegler, Paris, 10/18, 1976.
31. *Ibid.*
32. Sur la relation entre grève, maladie et absentéisme, *cf.* Marc Ferro, *Les Sociétés malades du progrès*, Paris, Plon, 1998, p. 95-125.
33. Pierre Bourdieu (sous la dir. de), *La Misère du monde*, Paris, Le Seuil, 1993.
34. Luciano Parlanti, *in* « L'usine et l'école », *Les Temps modernes*, 1971, p. 130-141.
35. Jean Peneff, « Autobiographies des militants ouvriers », *Revue française de sciences politiques*, 1979, 1, p. 53-82.
36. *Lettre à Michelet*, 7 février 1854.
37. L'expression est de Serge Metais, *in* Véronique Garros, *Russie post-soviétique, la fatigue de l'Histoire*, *op. cit.*, p. 185.
38. Dans *Nedelia*, déc. 1993, cité par Marie Hélène Mandrillon, *La Crise sociale en Russie*, Paris, La Documentation française, 747, 1995, p. 11-12.

39. Témoignage personnel.
40. Anna Minaeva, « La pragmatique du journal intime », Colloque Maison des sciences de l'homme, 2004, *Entre les lignes, les frontières, les siècles, les genres*, texte aimablement communiqué par l'auteur.
41. Chiffres publiés par les *Izvestija* du 29 juin 1994, cité *in* Mandrillon, *op. cit.*, note 38, p. 7.
42. *Ibid.*, p. 25. Extrait d'*Ogoniok*, mars 1992, cité *in* K. Feigelson, « Chroniques du quotidien », *Après l'URSS, Inventaire pour un drame*, sous la dir. de Hubert Morelle et Daniel Pineye, Félin, 1993, p. 89-90.
43. *In* Mandrillon, *op. cit.*, p. 25.
44. Entretien aimablement communiqué par Myriam Désert, à partir d'une enquête sur les *relations informelles*, avec Al. Berelovitch et Kathy Rousselet.
45. *Cf.* Valery Pissiguine, « La débrouille », *in* Véronique Garros, *citée* note 37, p. 215-237.
46. Alexis Berelowitch et Michel Wieviorka, *Les Russes d'en bas. Enquête sur la Russie post communiste*, Paris, Le Seuil, 1996, p. 215-271.
47. Marc Ferro, *Les Sociétés malades du progrès*, *op. cit.*, p. 114-116, ainsi que A. Blum, *Naître, vivre et mourir en URSS*, *op. cit.*
48. Valery Pissiguine, *cité* note 45 ainsi que Anne de Tinguy, *op. cit.*
49. Cécile Lefèvre, « Système de protection sociale et entreprises en Russie, Héritages et transformations, 1987-2001 », thèse EHESS, 2003 p. 660 et suiv.
50. Myriam Désert, « Entreprises, d'une solidarité fusionnelle à une solidarité contractuelle ? », *in* Véronique Garros, *citée* note 37, p. 202-215.
51. Myriam Désert, *cf.* note 44.
52. Valery Pissiguine, *Dve Dorogi*, Moskva, 1999, 260 p, p. 228-231.
53. Georges Sokoloff, *Métamorphose de la Russie, 1984-2004*, Paris, Fayard, 2003, p. 386-391 et graphique 5.
54. H. Chatelain et I. Pasternak, *moyen métrage,* 2002.

Sources et bibliographie

« L'Histoire est en quête de vérité, la mémoire de fidélité », écrit François Hartog ; on ajoutera que le roman et le film sont en quête de véracité. Aussi n'avons-nous écarté aucun type de sources dans cet ouvrage.

Autant qu'il se peut, on a fait appel aux archives, dont Marc Bloch rappelait qu'elles ne sont qu'« un témoignage », rejoignant Pokrovski, qui, avant de les utiliser, vérifiait leur marque de fabrique : État, syndicat, firme, etc. Le recours à la presse doit être ausculté lui aussi : de quelle information brevetée dispose, au juste, l'informateur ? Que transmet-il et qu'en retient la rédaction du journal, de la radio, des actualités ? La correspondance privée exige un autre diagnostic : s'agissant des lettres de soldats, par exemple, Jean-Noël Jeanneney, pionnier en la matière, observait, pour celles de 1914-1918, que, selon le destinataire, elles rassurent ou fanfaronnent, l'expéditeur sachant bien qu'un contrôle quelconque peut les ouvrir au passage.

Le recours au témoignage oral est une exigence, pour ce siècle bien sûr, et tant qu'il est possible. Y faisant appel, Francis Bon l'utilise mais le dénomme roman « parce que la transcription des mots tels qu'ils figurent sur son ordinateur, cela passe mal et ne transporte rien de ce qu'il entendait. Il ne rapporte pas les mots tels qu'ils ont été dits ». C'est une observation aussi pertinente que fait Véronique Garros à la lecture de cahiers intimes écrits en URSS à l'époque de la terreur : l'essentiel du témoignage n'est pas dans la substance de ce qui est écrit – et qui peut sembler aberrant – mais dans l'élan d'écriture d'une personne hier encore illettrée ou peu portée à ce genre d'exercice.

De même l'usage des mémoires, biographies, autobiographies, nécessite dans chaque cas une distanciation spécifique. Ajoutons qu'il en va de même pour le film, qu'il soit archive, fiction ou reportage.

ABENSOUR Gérard, *Vsevolod Meyerhold, ou l'invention de la mise en scène*, Fayard, 1998, 590 p. (1)

About Andrei Tarkovsky, collectif, Progress Publishers, Moscow, 1990, 380 p. (1)

AFANASSIEV Youri, FERRO Marc (collectif sous la dir. de), *Cinquante idées qui ébranlèrent le monde*, Payot, 1989, 510 p. (1)

AKOUN André, *Né à Oran, autobiographie en troisième personne*, Bouchène, 2004, 144 p. (4)

ALLEN W. S., *Une petite ville nazie, 1930-1935*, préf. d'Alfred Grosser, Laffont, 1967, 360 p. (2)

AMOUROUX Henri, *La Grande Histoire des Français sous l'Occupation*, 8 vol., Laffont, 1976-1991. (3)

AMRANE-MINNE D. D., *Des femmes dans la guerre d'Algérie*, Karthala, 1994. (4)

APFELBAUM Marian, *Retour sur le ghetto de Varsovie*, Odile Jacob, 2002. (2)

AZEMA Jean-Pierre, *De Munich à la Libération*, 1938-1944, Le Seuil, 1979. (3)

AZEMA Jean-Pierre, *Jean Moulin. Le politique, le rebelle, le résistant*, Paris, Perrin, 2003. (3)

AZEMA Jean-Pierre, BEDARIDA François, *La France des années noires*, Le Seuil, 1993 (collectif). (3)

BACH général André, *Fusillés pour l'exemple, 1914-1915*, Tallandier, 2003, 610 p. (0)

BARONCELLI Jean de, *Vingt-six hommes, 1940-1941*, Grasset, 334 p. (3)

BARTOV Omer, *L'Armée d'Hitler*, préf. Ph. Burrin, Hachette, 1999, 320 p. (2)

BAUSSANT Michèle, *Pieds-Noirs, Mémoires d'exils*, Stock, 2002, 462 p. (4)

Les chiffres entre parenthèses renvoient aux différents chapitres du livre : (1), (2), etc. (0) renvoie à la préface, l'ouverture et les autres éléments du livre. Les ouvrages comportant une importante bibliographie sont suivis d'un astérisque.

BARTHÉLEMY Victor, *Du communisme au fascisme : l'histoire d'un engagement politique*, Albin Michel, 1978, 510 p. (1)
BARUCH M.O., *Servir l'État français*, Fayard, 1997. (3)
BECHTEL D., voir Cala. (0)
BECKER Annette, *Maurice Halbwachs. Un intellectuel en guerres mondiales 1914-1945*, préface de Pierre Nora, Agnès Vienot, 2003, 480 p. (0)
BEDARIDA François, FOUILLOUX Étienne, *Cahiers de l'IHTP*, 1988, 9. (4)
BELOT R., *Henri Frenay, De la Résistance à l'Europe*, Le Seuil, 2003. (3)
BELLOIN Gérard, *Mémoires d'un fils de paysan tourangeau, entré en communisme*, Éd. Ouvrières, 2000, 372 p. (3)
BENOUVILLE Guillin de, *Le Sacrifice du matin*, R. Laffont, 1947. (3)
BERADT Charlotte, *Rêver sous le IIIe Reich*, préface de M. Leibovici, postface de R. Koselleck et de F. Gantheret, Payot, 2002. (2)
BERELOWITCH Alexis, WIEVORKA Michel, *Les Russes d'en bas. Enquête sur la Russie postcommuniste*, Le Seuil, 1996. (5)
BERELOWITCH Wladimir, *La Soviétisation de l'école soviétique*, 1917-1931, L'Âge d'homme, 1990, 214 p. (1)
BERLIÈRE Jean-Marc, LIAIGRE Frank, *Le Sang des communistes. Les bataillons de la jeunesse dans la lutte armée, automne 1941*, Fayard, 2004. (3)
BERLIÈRE Jean-Marc, CHABRUN Laurent, *Les Policiers français sous l'Occupation*, Perrin, 2001. (3)
BERTAUX Daniel (éd.), *Biography and Society, The Life History Approach in the Social Sciences*, Sage Studies, 1981, 306 p. (0)
BERTIN-MAGHIT Jean-Pierre, *Le Cinéma sous l'Occupation*, Olivier Orban, 1989. (3)
BIRNBAUM Pierre, *« La France aux Français ». Histoire des haines nationalistes*, Le Seuil, 1993, 400 p. (3)
BLOCH Marc, *L'Étrange Défaite*, Paris, Société des éditions Le Franc-Tireur, 1946 ; rééd. Gallimard, 1990. (3)
BLOCH-LAINÉ François, GRUSON Claude, *Hauts Fonctionnaires sous l'Occupation*, Odile Jacob, 1996, 274 p. (3)
BLONDEL Paul, *Affaires en mémoire*, Éd. Blondel, 99 rue de Courcelles Paris, 75017, 2003, 482 p. (5)
BLUM Alain, *Naître, vivre et mourir en URSS*, Paris, Cerf, 1993. (5)
BLUM Alain, MESPOULET Martine, *L'Anarchie bureaucratique. Statistique et pouvoir sous Staline*, La Découverte, 2003, 372 p. (1)
BOLTANSKI Luc, *Les Cadres. Formation d'un groupe social*, Minuit, 1982, 520 p. (5)
BON Francis, *Daewoo*, Fayard, 2004.
BOUKOSKI Vladimir, *Une nouvelle maladie mentale en URSS : l'opposition*, Introd. de J.-J. Marie, Le Seuil, 1971, 238 p. (1)
BOURDIEU Pierre (sous la dir. de), *La Misère du monde*, Le Seuil, 1993. (5)
BOUREAU Alain, *Histoire d'un historien, Kantorovicz*, Gallimard, 1990. (2)
BOURGAT Raymond, *Strasbourg toujours, Mémoires d'Alsace*, 1992. (3)

BOURGUIGNON François, « Hauts revenus et inégalités », *Annales,* 2003, p. 673 et suiv. c/r de Thomas Piketty. (5)

BOYER R., MISTRAL J., « Le temps présent, la crise », *Annales, ESC* mai-juin 1983.

BROSZAT Martin, *L'État hitlérien, l'origine et l'évolution des structures du IIIe Reich*, Fayard, 1985. (2)

BROWNING Christopher, *Des hommes ordinaires. Le 101e bataillon de réserve de la police allemande et la Solution finale en Pologne*, préf. de P. Vidal-Naquet, 10/18, 1996. (2)

BRAUDEL Fernand, *La Méditerranée à l'époque de Philippe II*, A. Colin, 1948. (0)

BROMBERGER Merry et Serge, *Les Treize Complots du 13 mai*, Fayard, 1959, 444 p. (4)

BROUÉ Pierre, *Le Parti bolchévique*, Minuit, 1963, 620 p. (1)

BROUÉ Pierre, *Histoire du Komintern*, Fayard, 2000. (1)

BROWDER R. P., KERENSKI A. F., *The Provisional Government 1917*, Stanford, 1961, 3 vol. (1)

BRUNET Jean, *Jacques Doriot*, Balland, 1986. (1)

BURRIN Philippe, *Hitler et les Juifs. Genèse d'un génocide*, Le Seuil, 1989. (2)

BURRIN Philippe, *La France à l'heure allemande*, Le Seuil, 1995, 550 p. (3)

CHARLE Christophe, « Le Collège de France », *in* Pierre Nora, *Lieux de mémoire*, II, 3. (0)

CALA Alina, « Jeunes Juifs en Pologne, 1918-1939, *in Ecriture*. (0)

CARRÈRE D'ENCAUSSE Helène, *De Lénine à Staline*, Paris, 1972, rééd. en 2 vol. chez Flammarion. (1)

CHAMBELLAND Colette, MAITRON Jean, *Syndicalisme révolutionnaire et communisme, les archives de pierre Monatte*, préf. d'E. Labrousse, Maspero, 1968, 460 p. (1)

COHEN Jean, « Colonialisme et racisme en Algérie », *Les Temps modernes*, 1955, p. 580-590. (4)

COHEN Jean, *Chronique d'une Algérie révolue*, L'Harmattan, 1997. (4)

COHEN Jean-Louis, c/r de *The Stalinization of Soviet Architecture* de H. D. Hudson, *in Annales, ESC*, 1993, p. 665-669. (1)

CHOMBART de LAUWE P. H., voir *Nous, travailleurs licenciés*. (5)

COMBE Sonia, « Mémoire collective et mémoire officielle, le passé nazi en RDA », *Esprit*, oct. 1987, 31-48 (2)

CONTE Bernard, *Une utopie combattante. L'École nationale des cadres d'Uriage*, Fayard, 1991. (3)

COOLEY Angell Robert, *The Family encounters the Great Depression*, Panthon Books, 1965, 306 p. (5)

CORDIER Daniel, *Jean Moulin, l'inconnu du Panthéon*, 3 vol., Lattès, 1989-1993. (3)

COURTOIS Stéphane, *Le PCF dans la guerre. De Gaulle, la Résistance, Staline*, Ramsay, 1980. (3)

COURTOIS Stéphane, *Le Livre noir du communisme* (sous la dir. de), R. Laffont, 2000. (1)

COURTOIS Stéphane, LAZAR Marc, *Histoire du parti communiste français*, PUF, 1995. (1 et 3)

COURTOIS Stéphane, RAYSKI A, *L'Extermination des Juifs, qui savait quoi ?*, La Découverte, 1987. (3)

CRÉMIEUX-BRILHAC Jean-Louis, *La France libre, de l'appel du 18 juin à la Libération*, Gallimard, 1996. (3)

CRÉMIEUX-BRILHAC, voir à Passy.

CRIPS Liliane, « Biologisme et national-féminisme, le cas d'Agnès Bluhm », *in Féminisme et nazisme*, sous la dir. de Kandel Liliane, Odile Jacob, 2002. (2)

DAIX Pierre, *J'ai cru au matin*, Laffont, 1976. (2) (3)

DARMON Pierre, *Le Monde du cinéma sous l'Occupation*, Stock, 1997. (3)

DEFRASNE Jean, *Le Pacifisme en France*, PUF, 1994. (0)

DELARUE Jacques, *L'OAS contre de Gaulle*, Fayard, 1981. (4)

DEREYMEZ W. (sous la dir. de), *Être jeune en France, 1939-1945*, préface de F. Bedarida, L'Harmattan, 2001, 346 p. (3)

Destins de harkis, texte et photos de S. Gladieu et D. Kerchou, Autrement, 2003. (4)

Dernières Lettres de Stalingrad, Buchet-Chastel, 2000. (2)

DÉSERT Myriam, « Entreprises, d'une solidarité fusionnelle à une solidarité contractuelle », *in* Véronique Garros, *Russie postsoviétique*, Complexe, 1995, p. 202-215. (5)

DIB Mohammed, « Rencontres », *in Une enfance algérienne*, textes réunis par Leila Sebbar, Gallimard, 1997, p. 107-119. (4)

DOUZOU Laurent, *La Désobéissance : histoire d'un mouvement et d'un journal clandestin : Libération-Sud, 1940-1944*, Odile Jacob, 1995. (3)

DOUZOU Laurent, *Voler les Juifs*, Hachette, 1998. (3)

DOUZOU Laurent, « L'entrée en Résistance », *Le Mouvement social*, 180, 1997, p. 9-21. (3)

DUMAS Roland, *Le Fil et la Pelote*, Plon, 1996. (3)

DUROSELLE Jean-Baptiste, *L'Abîme*, nouv. éd., Le Seuil, 1990. (3)

DUTTER Paul, *J'étais un Alsacien de treize ans lorsque la guerre a éclaté*, 2002. (3)

Écriture de l'histoire et identité juive, l'Europe ashkénaze, sous la dir. de D. Bechtel, E. Patlagean, J.-C. Szurek et P. Zavadski, Les Belles Lettres, 2003, 310 p. (0)

EISSENSTADT Bernard W., « M. N. Pokrovsky and soviet historiography : some reconsideraationas », *Slavic Review*, déc. 1969, 604-619. (1)

EISENSTEIN S. M., *Writings, 1922-1934*, edited by R. Taylor, BFI Books, Indiana Univ. Press, 1988. (1)

EISNER Lotte, *Fritz Lang*, Éd. de L'Étoile, 1984. (2)

ELGEY Georgette, *La République des tourmentes, 1954-1959*, Fayard, 1983. (4)

ENGELMAN Bernt, *In Hitler's Germany*, Mathuen, 1986, 304 p. (2)

ENTEEN George M., *The Soviet Scholar-Bureaucrat, M.N. Pokrovsky and the Society of Marxist-Historians*, Pennsylvania University Press, 1978, 236 p. (1)

EWALD François, *L'État-providence*, Grasset, 1990. (5)

FANON Franz, *Les Damnés de la terre*, Maspero, 1958. (4)

FASSBINDER R.W., *L'Anarchie de l'imagination*, entretiens et interviews, L'Arche, 1987. (2)

FAVAREL Gilles, ROUSSELET Kathy, *La Société russe en quête d'ordre*, Autrement, 2004. (5)

FEIGELSON Kristian, « Chroniques du quotidien », *in Après l'URSS, inventaire pour un drame*, sous la dir. de Hubert Morelle et Daniel Pineye, Félin, 1993. (5)

FERRETTI Maria, « Russie, la mémoire refoulée », *Annales 6*, 1995, p. 1237-1257. (2)

FERRO Marc, *La Révolution de 1917*, nouv. éd. Albin Michel, 1997, 1092 p. (1)*

FERRO Marc, *Pétain*, Fayard, 1987, 790 p. (3)

FERRO Marc, *Histoire des colonisations, des conquêtes aux indépendances XIIIᵉ-XXᵉ siècle*, Le Seuil, nouv. éd. 2000, 600 p. (4)

FILIPETTI Aurélie, *Les Derniers Jours de la classe ouvrière*, Stock, 2003. (5)

FISCHER Fritz, *Griff nach der Weltmacht, die Kriegszielpolitik des Kaizerlichen Deutschland, 1914-1918*, Dusseldorf 1961, 902 p. (2)

FITZPATRICK Sheila, *Education and Social Mobility in the Soviet Union*, Cambridge University Press, 1979. (1)

FITZPATRICK Sheila, GELLATELLY Robert, *Accusatory Practices, Denunciation in Modern European History, 1789-1989*, Chicago, 1997 (1 et 2)

FLEUROT François Martin, *Les Royalistes dans la Résistance*, Flammarion, 2000. (3)

FLEURY-VILLATE Beatrice, *Cinéma et culpabilité en Allemagne, 1945-1990*, Jean Vigo, 1995, 250 p. (2)

FRANCOTTE Robert, « Vie d'un militant », *Les Temps modernes*, janvier 1966, p. 1267-1299. (1)

FREI Norbert, *L'État hitlerien et la société allemande 1933-1945*, préf. d'Henri Rousso, Le Seuil, 1994, 374 p. (2)*

FREIDEL Frank, DREWRY H. N., *America is*, Pantheon Books, 1978. (5)

GARROS Véronique, « L'État en proie au singulier. Journaux personnels et discours autoritaire dans les années 1930 », *Le Mouvement social*, 196, juillet-septembre, 2001. (1)

GARROS Véronique « Œil microscopique et œil téléscopique, l'historiographie de l'URSS au miroir des journaux personnel », *Genesis*, 16, 2001. (1)

GARROS Véronique, KORENEVSKAJA Natalia, LAHUSEN Thomas, *Intimacy and Terror (Soviet Diaries of the 1930 s)*, The New Press, 1995, 396 p. (1)

GARROS Véronique (sous la dir. de), *Russie postsoviétique. La fatigue de l'histoire*, Complexe, 1995, 286 p. (5)

GAUDARD P.-Y., *Le Fardeau de la mémoire, le deuil collectif allemand après le national-socialisme*, Plon, 1997. (2)

GELLATELY Robert, *The Gestapo and German Society : Enforcing Racial Policy 1933-1945*, Oxford, 1990. (2)

GÉRÔME Noëlle, « Ouvriers et usines, à propos de la SNECMA », *in Ouvriers en banlieue, XIXe-XXe siècle*, sous la dir. de Jacques Girault, L'Atelier, 1998.

GIVESIUS Bernd, *Jusqu'à la lie*, 2 vol., Payot, 1947. (2)

GLADIEU Stéphane, voir *Destins*.

GOLDHAGEN Daniel J., *Les Bourreaux volontaires de Hitler : les Allemands ordinaires et l'Holocauste*, Le Seuil, 1997. (2)

GRACQ Julien, *Un balcon en fôret*, Grasset, 1952.

GRAZIOSI Andrea, « Lettres de Kharkov. La famine en Ukraine et dans le Caucase du Nord à travers les rapports des diplomates italiens 1932-1933, *Cahiers du Monde russe et soviétique*, Éd. EHESS, 1989. (1)

GREEN Nancy, *Du Sentier à la 7e Avenue*, Le Seuil, 2000. (5)

GROSSER Alfred, *La Démocratie de Bonn*, A. Colin, 1958 ; voir également préfaces de Allen et Weisenborn. (2)

GROSSMAN Vassili, *Choses vues*, Éd. Ouvrières, 1945. (2)

GUÉRIN Alain, *Chronique de la Résistance*, préface de M.M. Fourcade et H. Rol, Omnibus, 2000. (3)

GUÉRIN Daniel, *Fascisme et grand capital*, Gallimard, 1936. (2)

GUILBEAUX Henri, *Du Kremlin au Cherche-Midi*, Gallimard, 1932. (1)

GUILLIN François-Yves, *Le Général Delestraint, premier chef de l'Armée secrète*, Plon, 1995. (3)

GUINGOUIN Georges, *Quatre Ans de lutte sur le sol limousin*, Hachette, 1974. (3)

HABERMAS Jürgen, *Écrits politiques : Culture, Droit, Histoire*, Éd. du Cerf, 1990.

HAFFNER Sébastien, *Histoire d'un Allemand, Souvenirs, 1914-1933*, Actes Sud, 2003, 435 p. (2)

HAMANI Hocine, voir *Destins de harkis*. (4)

HAMON Hervé, ROTMAN Patrick, *Les Porteurs de valises. La Résistance française à la guerre d'Algérie*, Le Seuil, 1979 et 1981, 438 p. (4)

HAMOUNOU Mohammed, *Et ils sont devenus harkis*, préf. de Dominique Schnapper, Fayard, 1993, 356 p. (4)

HARBI Mohammed, *La Guerre commence en Algérie*, Complexe, 1984, 210 p. (4)

HARBI Mohammed, *Archives de la révolution algérienne*, Jeune Afrique 1980. (4)

HARBI Mohammed, *Une vie debout, Mémoires politiques, 1945-1962*, La Découverte, 2001, 416 p. (4)

HARBI Mohammed, STORA Benjamin, *La Guerre d'Algérie, 1954-2004, la fin de l'amnésie, collective*, Laffont, 2004. (4)*

HARTOG François, *Régimes d'historicité, présentisme et expérience du temps*, Le Seuil, 2003, 258 p. (0)

HEFFER Jean, *La Grande Dépression, les États-Unis en crise*, Archives-Gallimard, 216 p. (5)

HOBSBAWM Éric, *L'Âge des extrêmes. Histoire du court vingtième siècle*, Complexe-Le Monde diplomatique, 1999, 808 p. (5)

Humbert-Droz Jules, *Mémoires*, tome 2, *de Lénine à Staline : dix ans au service de l'Internationale communiste*, La Baconnière, Neuchâtel 1970, 500 p. (1)

Ionesco Eugène, *Rhinocéros*, Gallimard, 1959. (1 et 2)

Ionesco Eugène « Un somnanbule sur la crête de l'Histoire », *Contrepoint*, 25, 1978. (0)

Jackson Julian, *La France sous l'Occupation, 1940-1944*, Flammarion, 2004, 854 P. (3)*

Jauffret Jean-Charles (sous la dir. de), *Des hommes et des femmes en guerre d'Algérie*, Autrement, 2003, 574 p. (4)

Jeanneney Jean-Noël, *Recherches sur le moral dans l'armée française d'après la correspondance des combattants*, Sorbonne, 1964. (0)

Jeanson Francis, *Algéries, de retour en retour*, Le Seuil, 1991. (5)

Johnson Eric A., *La Terreur nazie, la Gestapo, les Juifs et les Allemands ordinaires*, Albin Michel, 2001, 584 p. (2)

Jordi Jean-Jacques, « Khalifa Haroud : harki, 1957-1967 », *in* Jauffret, p. 360-372. (4)

Judt Tony, *Un passé imparfait, les intellectuels en France 1944-1956*, Fayard, 1992, 404 p. (3)

Julien Charles-André, *L'Afrique du Nord en marche*, Julliard, 1952, nouv. éd. 1972, 440 p. (4)

Julien Charles-André, *1921, Petrograd-Moscou. Journal*, Politique aujourd'hui, 1969. (1)

Karpinski, Lev, cf. « Bureaucratie », *in* Afanasiev. (1)

Kaspi André, *Les Juifs pendant l'Occupation*, Le Seuil, 1991. (3)

Kaspi André, *F. D. Roosevelt*, Fayard, 1988. (5)

Kenez Peter, *The Birth of the Propaganda State, Soviet Methods of Mass Mobilization 1917-1929*, Cambridge UP, 1985, 310 p. (1)

Kerchouche Dalila, voir *Destins*. (4)

Kershaw Jan, *L'Opinion allemande sous le nazisme*, *Bavière 1933-1945*, CNRS Éd., 1995. (2)

Klemperer Victor, *Mes soldats de papier, Journal 1933-1941*, Le Seuil, 2000. (2)

Klarsfeld Serge, *Vichy-Auschwitz : le rôle de Vichy dans la solution finale en France*, 2 vol., Fayard, 1985. (3)

Kopp Anatole, *L'Architecture de la période stalinienne*, PUG, 1985, 416 p. (1)

Koselleck R., *Le Futur passé : contributions à la sémantique des temps historiques*, EHESS, 1990. (0)

Kotek Jan, *L'Affaire Lyssenko*, Complexe, Bruxelles, 1948. (1)

Kotek Joël, Rigoulot Pierre, *Le Siècle des camps*, J.-C. Lattès, 2000, 796 p. (1 et 2)

Kriegel Annie, *Aux origines du communisme français 1914-1920*, Mouton, 1964. (1)

Kriegel Annie, *Ce que j'ai cru comprendre*, R. Laffont, 1991. (3)

KRIEGEL Annie, PERROT Michelle, *Le Socialisme français et le pouvoir*, EDI, 1966. (1)

KUPFERMAN Fred, *Au pays des Soviets*, Archives, 1979. (1)

LABORIE Pierre, *Les Français des années troubles*, Le Seuil, 2001. (3)

LABORIE Pierre, *L'Opinion française sous Vichy*, Le Seuil, 1986. (3)

LACARRIÈRE Pierre, *Les Volontaires de l'aube*, Kiron, Félin, 1989. (3)

LACOUTURE Jean, *De Gaulle*, 3 vol., Le Seuil, 1984-1990. (3)

LAMBERT René-Raoul, *Carnets d'un témoin 1940-1943*, Fayard, 1985. (3)

LAMONT Michèle, THÉVENOT Laurent, *Rethinking Comparative Cultural Sociology*, Cambridge University Press, 2000. (5)

DE LATTRE Henri, *Le Bon Choix*, préf. de Jean Griot, 1997. (3)

LAVABRE Marie-Claire, *Le Fil rouge*, 1985 (1) et *Que reste-t-il du PCF ?*, Autrement, 2003. (5)

LAWTON Anna (sous la dir. de), *The Red Screen*, Routledge, 1992. (1)

LAZAR Marc, *Maisons rouges, Les partis communistes français et italien de la Libération à nos jours*, Aubier, 1992. (1 et 5)

LAZAR Marc, voir Stéphane Courtois. (1)

LECA Dominique, *La Rupture de 1940*, Fayard, 1978. (3)

LEFÈVRE Cécile, *Système de protection sociale et entreprises en Russie, Héritages et transformations, 1987-2001*, thèse EHESS, 2003. (5)

LEFEUVRE Daniel « Les trois replis de l'Algérie française », *in* Jauffret, p. 56-73. (4)

LEQUIN Yves, MÉTRAL Jean, « À la recherche d'une mémoire collective : les metallurgistes retraités de Givors, *Annales*, 1980, p. 149-166. (5)

LEVI Giovanni, « Les usages de la biographie », *Annales ESC*, 1989, 6, p. 1325-1336. (0)

LEWIN Moshe, *La Formation du système soviétique*, Gallimard, 1987. (1)

LINDEPERG Sylvie, *Les Écrans de l'ombre, la Deuxième Guerre mondiale dans le cinéma français 1944-1969*, CNRS, 1997. (3)

LORIGA Sabine, « La biographie comme problème historiographique », *in Biographie Schreiben*, H. E. Bodeker Ed, Gottingen, Wallstein Verlag, 2003. (0)

LORIGA Sabine, « Mannequins ou faiseurs d'Histoire » (sur la biographie), *Critique*, janv.-fév. 2000, p. 132-145. (0)

LORIGA Sabine, « Ser storiador hoje », *Revue de l'Université de Passo Fundo*, 2003. (0)

MALAURIE Guillaume, *L'Affaire Kravtchenko*, R. Laffont, 1982. (1)

MALAPARTE Curzio, *En Russie et en Chine*, Denoël, 1959, 274 p. (0)

MANDOUZE André, *Mémoires d'outre-siècle*, tome 1, *D'une résistance à l'autre*, Éd. Viviane Hamy, 1998, 400 p. (4)

MANDOUZE André, *Mémoires d'outre-siècle*, tome 2, *1962-1981. À gauche toute, bon Dieu*, Cerf, 2003, 492 p. (4)

MANDRILLON Marie Helène, *La Crise sociale en Russie*, La Documentation française, 1995, n° 747. (5)

MARCOU Jean, « Le Conseil d'État, juge administratif sous Vichy », *Juger sous Vichy*, Le Genre humain, Le Seuil, 1994. (3)

MARCOU Lily, *Une enfance stalinienne*, PUF, 1982. (0)

MARIE Jean-Jacques, *Staline*, Fayard, 2001, 992 p. (0)

MARIE Jean-Jacques, voir Boukovski. (1)

MARJOLIN Robert, *L'Évolution du syndicalisme aux États-Unis de Washington à Roosevelt*, Alcan, 1936, 250 p. (5)

MACCHIELLI L., PLUET-DESPATIN J., « Maurice Halbwachs et les sciences humaines de son temps, présentation de « Ma campagne au Collège de France », *Revue d'Histoire des sciences humaines*, 1999, 1. (0)

MAZUY Rachael, *Croire plutôt que voir ? Voyages en Russie soviétique (1919-1939)*, Odile Jacob, 2002, 370 p. (1)

MERKL Peter H., *The Making of a Stormtrooper*, Princeton, 1980, 330 p. (2)

MÉTAIS Serge, « L'émergence d'un nouvel ordre économique », *in* Véronique Garros, *Russie postsoviétique*. (5)

MEYNIER Gilbert, *Histoire intérieure du FLN*, Fayard, 2002. (4)

Mille neuf cent dix-neuf, le traité de Versailles vu par ses contemporains, Alvik, 2003. (2)

MILLER Arthur, *Au fil des temps, une vie*, Grasset, 1987. (5)

MINAEVA Anna, « La pragmatique du journal intime », *Colloque,* Maison des sciences de l'homme, *Entre les lignes, les frontières, les siècles, les genres,* juin 2004. (5)

MITSCHERLICH A. et M., *Le Deuil impossible*, Payot, 1972. (2)

MISSIKA Dominique, *La Guerre sépare ceux qui s'aiment, 1939-1945*, Grasset, 2001, 276 p. (3)

MOMMSEN Hans, « The reaction of German Population to the antijewish Persecution and the Holocaust », *in* Peter Hayes, *Lessons and Legacies : the Meaning of the Holocaust in a changing World*, Evanston II, 1990. (2)

MONGILI Alessandro, *La Chute de l'URSS et la recherche scientifique, une science fantôme et de vrais scientifiques*, préface de Marc Ferro, L'Harmattan, 1998, 300 p. (1)

NAIDA S., *Revolujucionnoe dvizenie v carskom flote*, Moscou 1948 608 p. (Le mouvement révolutionnaire dans la flotte tsariste). (1)

NÉRARD F. X., *5 % de vérité, la dénonciation dans l'URSS de Staline*, Tallandier, 2004. (1)

NOGUÈRES Henri (avec Degliame-Fouché), *Histoire de la Résistance en France, 1940-1945*, 5 vol., Laffont, 1967-1981. (3)

NORA Pierre (sous la dir. de), *Les Lieux de mémoire*, Gallimard, 1984-1992. (0)

NORA Pierre, *Les Français d'Algérie*, Paris, 1961. (4)

Nous, travailleurs licenciés, les effets traumatisants d'un licenciement collectif, enquête réalisée par P. H. Chombart de Lauwe, M. Combe, H. et P. Ziegler, 10/18, 1976, 31 p. (5)

OFFENSTADT Nicolas, *Les Fusillés de la Grande Guerre et la mémoire collective* (1914-1918), Odile Jacob, 1997. (0)

NARINSKI Mikhael, « Le Komintern et le PCF, 1939-1941 », *Communisme*, 1993, n° 32-33-34. (0)

PAILLARD Denis, « Mouvements indépendants des travailleurs en URSS », *in* « La société soviétique d'aujourd'hui », *in La Revue russe*, 1, Publication de l'université de Provence, 1991. (5)

PARLANTI Luciano, « L'usine et l'école », *Les Temps modernes*, 1971, p. 130-141. (5)

PASCAL Pierre, *En Russie rouge*, Lib. de L'Humanité, 1921. (1)

PASSY Colonel (A. Dewavrin), *Missions secrètes en France*, préf. de J.-L. Crémieux-Brilhac dans la nouvelle édition complète, Odile Jacob, 2000. (3)

PAXTON Robert, *La France de Vichy, 1940-1944*, préf. de Stanley Hoffmann, Le Seuil, 1973. (3)

PAXTON Robert, *L'Armée de Vichy*, trad. de *Parades and Politics* (1966), complété par P. de Longuemar, Tallandier, 2003. (3)

PAXTON Robert, « La spécificité de la persécution des Juifs en France », *Annales ESC*, 3, 1993, p. 605-621. (3)

PENEFF Jean, « Autobiographies de militants ouvriers », *Revue française de sciences politiques*, 1979, 1. (5)

PERROT Michelle, voir Kriegel Annie.

PERROT Michelle, préf. à *Des femmes dans la guerre d'Algérie*. (4)

PERSIN P. N., *Agrarnaja Revoljucia v Rossii*, Moscou, 1966. (1)

PESCHANSKI D., *La France des camps. L'internement 1938-1946*, Gallimard, 2002. (3)

PESCHANSKI D., *Vichy 1940-1944*, Éd. du CNRS. (3)

Petrogradskij voenno-Revoljucionnij Komitet : Dokumenty i materjaly (Le comité militaire révolutionnaire de Petrograd), Moscou, 1966, 3 vol. (1)

PIKETTY G., *Pierre Brossolette. Un héros de la Résistance*, Odile Jacob, 1998. (3)

PISSIGIN' Valeryi, *Dve Dorogi* (Deux voies), Moskva, 1999, 260 p. (5)

PISSIGUINE Valery, « La débrouille », *in* V. Garros, *Russie postsoviétique*. (5)

PLIEVER Theodor, *Stalingrad*, 2 vol., Éd. de la Cremille, Genève, 1970. (2)

POZNANSKI Renée, *Être juif en France pendant la deuxième guerre mondiale*, Hachette, 1994, 860 p. (3)

PUDAL Gérard, *Prendre parti, pour une sociologie historique du PCF*, PNSFP, 1989. (1)

Raionnye Sovety Petrograda v 1917 g, (Les soviets de quartier à Petrograd) 1917, 3 vol., Leningrad, 1965. (1)

RAYSKI A, voir Courtois. (3)

RÉMOND René, *Les Droites en France*, Aubier, 1982. (3)

REVEL Jacques (sous la dir. de), *Jeux d'échelle, la microanalyse à l'expérience*, Seuil-Gallimard, 1995. (0)

RIGOULOT Pierre, *La Tragédie des Malgré-Nous*, Denoël, 1990, 282 p. (3)

RIOUX Jean-Pierre, SIRINELLI Jean-François, *La France d'un siècle à l'autre 1914-2000*, Dictionnaire critique, Hachette, 1999, 980 p. (3 et 5)

ROBRIEUX Philippe, *Maurice Thorez, vie secrète et vie publique*, Fayard, 1975 (1 et 5)

ROSENVALLON Pierre, *La Crise de l'État-providence*, Paris, 1994. (5)

ROSENVALLON Pierre, « Crise et décomposition de la classe ouvrière », *in Crise et avenir de la classe ouvrière*, Le Seuil, 1979. (5)

ROTMAN Patrick, voir Hamon Hervé.

ROUSSEL Éric, *Jean Monnet*, Fayard, 1996. (3)

ROUSSEL Éric, *De Gaulle*, Flammarion, 2000. (3)

ROUSSELET Kathy, voir Favarel-Garrigues.

RUFFIN Raymond, *Ces chefs de maquis qui gênaient,* Presses de la Cité, 1980. (3)

SADOUN Jacques, *Les Socialistes sous l'Occupation, Résistance et collaboration,* Paris, FNSP, 1982. (3)

SAGNES Jean, « Sur le 10 juillet 1940 », *Revue d'Histoire moderne et contemporaine*, oct.-déc. 1991. (3)

SALMON Robert, *Chemins faisant*, tome 1, *Vers la Résistance*, préf. de Stéphane Hessel, LBM, 2004. (3)

SALOMON Ernst von, *Le Questionnaire*, Gallimard, 1953. (2)

SALOMONI Antonella, FERRO Marc, « Discours médical, révolution et maladie en URSS », *Chimères*, 12, 1991, p. 109-122.

SAPIRO G., *La Guerre des écrivains*, *1940-1953*, Fayard, 1999. (3)

SARTRE Jean-Paul, « L'Enfance d'un chef », *Le Mur*, 1939. (3)

SARTRE Jean-Paul, *Réflexions sur la question juive*, Paul Morihien, 1946. (3)

SCHERRER Jutta, « Pour l'hégémonie culturelle du prolétariat : aux origines historiques du concept et de la vision de la culture prolétarienne », *in Culture et Révolution*, sous la dir. de Marc Ferro et Sheila Fitzpatrick, EHESS, 1989, 185 p. (1)

SCHNAPPER Dominique, voir Hamounou. (4)

SCHWEITZER Sylvie, *André Citroën*, Fayard, 1992. (3)

SEBBAR Leila (dir.), *Une enfance algérienne*, Gallimard, 1997. (4)

SEMELIN Jacques, *Sans armes face à Hitler. La résistance civile en Europe, 1939-1945*, Payot, 1989. (3)

SEMELIN Jacques, « Qu'est-ce que résister ? », *Esprit*, janvier 1994, p. 50-63. (3)

SERGE Victor, *Le Tournant obscur*, Îles d'or, 1951. (1)

Siècle des communistes (le), collectif, notamment les articles de S. Ingerflom, Cl. Pennetier, G. Pudal, Sabine Dullin. (1)

SIRINELLI Jean-François, voir J.-P. Rioux. (3)

SIRONI Françoise, *Bourreaux et victimes, psychologie de la torture*, Odile Jacob, 1999, 280 p. (4 et 1)

SOKOLOFF Georges, *L'Année noire. Témoignages sur la famine en Ukraine*, Albin Michel, 2000. (1)

SOKOLOFF Georges, *Métamorphose de la Russie, 1984-2000*, Fayard, 2003. (5)*

SPEER Alfred, *Journal de Spandau*, Laffont, 1975, 554 p. (2)

STARR Frederick, *Melnikov, Solo Architect in a Mass Society*, Princeton University Press, 1978, 276 p. (1)

STEINBERG Lucien, *Les Allemands en France*, Albin Michel, 1981. (3)

STEINERT Marlis, *Hitler*, Fayard, 1991. (2)

STOLJAROV I. J., *Récits d'un paysan russe*, préf. de B. Kerblay, Institut d'études slaves, 1986.

STORA Benjamin, voir Harbi Mohammed. (4)

STORA Benjamin, *La Dernière Génération d'Octobre*, Stock, 2003, 228 p. (4)

STORA Benjamin, « La guerre d'Algérie dans les écrits des femmes européennes », *in* Jauffret. (4)

SUSINI Jean-Jacques, *Mémoires*, 1963. (4)

TAYLOR Telford, *Procureur à Nuremberg*, Le Seuil, 1995. (2)

TERKEL Studs, *Hard Times, an Oral History of the Great Depression*, Pantheon Books, 1970, 464 p. (5)

THAELMANN Rita, *Être femme sous le IIIe Reich*, Laffont, 1982. (2)

THÉBAULT Sylvie, *Une drôle de justice, les magistrats dans la guerre d'Algérie*, préf. de J.-J. Becker, postface de P. Vidal-Naquet, La Découverte, 2001, 350 p. (4)

THÉVÉNOT Laurent, voir Lamont. (5)

THIVAT Patrice-Laure, « Le théâtre d'exil allemand aux États-Unis 1933-1945 », *in Culture et Révolution*, voir Scherrer. (2)

TINGUY Anne de, *La Grande Migration. La Russie et les Russes depuis l'ouverture du rideau de fer*, Plon, 2004, 656 p. (5)

TODD Olivier, *Albert Camus*, Flammarion, 1989. (4)

TRAUBMANN Michel, *L'Affaire Guingouin*, Souny, 1994. (3)

TRAVERSO Enzo, *Les Juifs et l'Allemagne de la symbiose judéo-allemande à la mémoire d'Auschwitz*, La Découverte, 1992. (2)

Trudy vtoroj sessii glavavo zemelnogo komiteta. Zacedanija 1-2 julja 1917, g Petrograda 1917 (Travaux de la 2e session du grand comité agraire, 1er-2 juillet 1917). (1)

ULLMANN Bernard, *Jacques Soustelle*, Plon, 1995, 426 p. (4)

VALTIN Jan, *Sans patrie ni frontières*, Cl. Lattès, 1975.

VERDÈS-LEROUX Jeannine, *Les Français d'Algérie de 1830 à aujourd'hui*, Fayard, 2001, 492 p. (4)

« Vichy, l'Occupation, les Juifs », *Annales*, 1993. (3)

Vie (la) à en mourir, Lettres de fusillés, 1941-1944, choisies par Guy Krivopissko, préface de François Marcot, Tallandier, 2003. (3)

WAINTRATER Régine, *Sortir du Génocide*, Payot, 2003.

WEISENBORN Gunther, *Une Allemagne contre Hitler*, préf. d'Alfred Grosser, Félin, 2000. (2)

WEINDLING Paul, « Weimar Eugenics : The Kaser Wilhelm Institute for Anthropology, human heredity and genetics in social context », *Annals of Science*, 42, 1985. (2)

WERTH Nicolas, « Le pouvoir soviétique et la paysannerie dans les rapports de la police soviétique 1930-1934 », *Bulletin de l'Institut de l'histoire du temps présent*, 81-82, 2003. (1)

WERTH Nicolas, COURTOIS STÉPHANE, *Livre noir du communisme*, Laffont, 2000. (1)

WERTH Nicolas, *Histoire de l'Union soviétique*, PUF, 2000 (1 et 5)*

WIEVIORKA Annette, *Ils étaient juifs, résistants, communistes*, Denoël, 1986. (3)
WIEVIORKA Michel, *Les Russes d'en bas*, voir Berelowitch, Alexis. (5)
WIEVIORKA Michel, *Commenter la France*, L'Aube, 1997. (3)
WIEVIORKA Olivier, *Une certaine idée de la Résistance. Défense de la France, 1940-1949*, Le Seuil, 1995. (3)
WIEVIORKA Olivier, « À la recherche de l'engagement », *Vingtième Siècle*, oct.-déc. 1988, p. 58-71.
WILLIAMS James Mikel, *Human Aspects of Unemployment and Relief*, University of North Carolina Press, 1933. (5)
WINOCK Michel, *La France et les Juifs, de 1789 à nos jours*, Le Seuil, 2004. (3)
XXX, *OAS parle*, Archives Gallimard, 1963. (4)
ZDATNY Steven, *Les Artisans en France au XXe siècle*, Belin, 1999. (5)

Sélection filmographique*

Adalen 1931, Wo Widerberg 1969 (une grande grève en Suède) (5)
Aelita, Yakov Protazanov, 1924 (1)
America, America, Elia Kazan, 1963 (5)
À nous la liberté, René Clair, 1931 (5)
An Amerian Romance, King Vidor, 1941 (5)
Bataille d'Alger (la), G. Pontecorvo, 1965 (4)
Bataille du rail, René Clément, 1945 (3)
Chagrin (le) et la pitié, Marcel Ophuls, 1971 (3)
Coup pour coup, Marin Karmitz, 1972 (5)
Corbeau (le), H.-G. Clouzot, 1943 (3)
Cohabitation (Uplotnenie), A. Lunacarski, 1918 (1)
Cuirassé Potemkine (le), S. M. Eisenstein, 1925 (1)
Damnés (les) – (La caduta degli dei), L. Visconti, 1969 (2)
Dura Lex, L. Kulechov, 1924 (1)
Enfance d'Ivan, A Tarkovski, 1962 (1)
Fantôme (le) d'Efremov, H. Chatelain, I Pasternak, 2002 (5)
Fin (la) de Saint-Pétersbourg, V. Poudovkine, 1927 (1)
Je demande la parole, Glob Panfilov, 1975 (1)
Jeux interdits, René Clément, 1951 (3)
Juif Süss (le), Veit Harlan, 1940 (3)
Ligne (la) générale, S. M. Eisenstein, 1929 (1)
La conférence de Wannsee, Schirk Heinz, Infasuhn-Austrian Television, 1984 (2)

* Les chiffres entre parenthèses renvoient aux différents chapitres du livre : (1), (2), etc., (0) renvoie à la préface, l'ouverture et les autres éléments du livre.

Lacombe Lucien, Louis Malle, 1974 (3)
L'Homme à la caméra, Dziga Vertov, 1929 (1)
Manon, H.-G. Clouzot, 1949.
M. le maudit, Fritz Lang, 1931 (2)
Mariage de Maria Braun (le), Rainer Werner Fassbinder, 1978 (2)
Mein Kampf, E. Leiser, 1970 (2)
Mère (la), V. Poudovkine, 1926 (1)
Métropolis, F. Lang, 1927 (2)
Monsieur Klein, Joseph Losey, 1976 (3)
Mort (la) d'un commis voyageur, Laslo Henedek, 1951 (5)
Notre pain quotidien, King Vidor, 1934 (5)
On achève bien les chevaux, Sydney Pollack, 1969 (5)
Petite (la) Vera, V. Pitchouj, 1988 (0)
Pour l'Exemple (For king and Country), J. Losey, 1964 (0)
Quatre de l'infanterie, G. W. Pabst, (1930) (2)
Raisins (les) de la colère, J. Ford, 1940 (5)
Requiem pour un massacre, (idi i smotri) Elem Klimov, 1985 (2)
Soyez les bienvenus, E. Klimov, 1964 (1)
Tchapaev, Frères Vassilev, 1934 (1)
Testament (le) du Docteur Mabuse, Fritz Lang, 1932 (2)
Tragédie (la) de la mine, G. W. Pabst, 1931 (5)
Week-end à Zuidcoote, H. Verneuil, 1964 (2)

Index

Remerciements

Cette fois il me faut commencer par ceux qui furent les derniers à l'épreuve de ce texte, les correcteurs et correctrices de chez Odile Jacob, ces surdoués du regard critique ; et remercier également la fine équipe de cette maison, constante avec elle-même, et son talent.

C'est Gérard Jorland qui a pris en charge le manuscrit tapé, selon la tradition, par Christine Murco, fidèle et attentive. Il a suivi cet ouvrage avec assez d'intérêt, m'a-t-il semblé, pour m'en faire reconstruire un chapitre, et me redemander du texte : naguère, il procédait plutôt à des coupures...

Quant à ceux qui m'ont encouragé dans ce projet, la liste en est plus longue qu'à l'ordinaire parce qu'il leur a semblé – au moins je veux le croire – qu'il sortait des sentiers battus sur des terrains pourtant déjà balisés.

Outre Nadja Vuckovic, toujours vigilante, des amis de l'EHESS m'ont fait de riches suggestions : Jacques Revel le premier, Laurent Thévenot et François Azouvi également ; ainsi que Pierre Souyri, Anthony Rowley, Dominique Missika, Annette Wieviorka, vieux complices. L'équipe des « Russes », de l'ancien IMSECO a répondu « présent » à mes appels, notamment Véronique Garros, Marie-Helène Mandrillon, Meryem Désert. Tout aussi pertinentes ont été les remarques de K. Pomian. Qu'ils en soient tous remerciés ainsi que Sabine Loriga, dont les écrits m'ont aidé à mieux situer ce texte sur son terrain théorique.

Enfin, comme de bien entendu, grande est ma gratitude envers les bibliothécaires de la merveilleuse BDIC, qui m'ont apporté une aide si précieuse.

Table des matières

Chapitre 3
DILEMMES SOUS L'OCCUPATION

Chapitre 4
L'ALGÉRIE À L'ÉPREUVE

Chapitre 5
UN AVENIR ENGLOUTI

DU MÊME AUTEUR
CHEZ ODILE JACOB

Histoire de France, 2001, « Poches Odile Jacob », 2003.
Le Choc de l'Islam, 2002, « Poches Odile Jacob », 2003.

CHEZ D'AUTRES ÉDITEURS

La Révolution de 1917, Paris, Aubier, 1967, 1976 ; rééd. Albin Michel, 1997.
La Grande Guerre, 1914-1918, Paris, Gallimard, 1968 ; rééd. coll. « Idées », 1984.
Cinéma et Histoire, Paris, Denoël, 1976 ; rééd. revue, Paris, Gallimard, coll. « Folio », 1993.
L'Occident devant la révolution soviétique, Bruxelles, Complexe, 1980.
Suez, Bruxelles, Complexe, 1981.
Comment on raconte l'histoire aux enfants à travers le monde entier, Paris, Payot, 1983 ; rééd. Gallimard, coll. « Folio », 1986.
L'Histoire sous surveillance : science et conscience de l'histoire, Paris, Calmann-Lévy, 1985 ; rééd. Gallimard, coll. « Folio », 1987.
Pétain, Paris, Fayard, 1987 ; rééd. 1993, 1994.
Les Origines de la Perestroïka, Paris, Ramsay, 1990.
Questions sur la Deuxième Guerre mondiale, Paris, Casterman, coll. « XXe siècle », 1993.
Histoire des colonisations, des conquêtes aux indépendances (XIIIe-XXe siècle), Paris, Le Seuil, 1994.
Les Sociétés malades du progrès, Paris, Plon, 1999.
Que transmettre à nos enfants (avec Philippe Jammet), Paris, Le Seuil, 2000.
Les Tabous de l'histoire, Paris, Nil, 2002.
Le Livre noir du colonialisme (sous la dir.), Paris, Robert Laffont, 2003.
Le Cinéma, une vision de l'histoire, Paris, Le Chêne, 2003.

CRÉDITS PHOTOGRAPHIQUES

Figure 1 : © L'illustration Multimedia.
Figure 2 : © Photos12.com.
Figure 3 : collection particulière, © Adagp, Paris 2005.
Figure 6 : avec l'aimable autorisation de François-Yves Guillin.
Figure 7 : © Roger-Viollet.
Figures 8 et 9 : © Humanité/Keystone-France.
Figure 10 : photo Alain Gesgon/CIRIP.
Figure 11 : photo Marc Garanger.
Figures 12 et 13 : Bettmann/CORBIS.
Droits réservés : figures 4, 5, 14, 15, 16.

Ouvrage publié sous la responsabilité
éditoriale de Gérard Jorland

Cet ouvrage a été transcodé et mis en pages
chez Nord Compo (Villeneuve-d'Ascq)
et achevé d'imprimer sur Roto-Page
par l'Imprimerie Floch à Mayenne
en janvier 2005.

N° d'impression : 62034.
N° d'édition : 7381-1568-X.
Dépôt légal : janvier 2005.

Imprimé en France

Compositor: Fog Press
Text: 10/13 Aldus
Display: Aldus
Printer and binder: BookCrafters